OSTWALDS KLASSIKER
DER EXAKTEN WISSENSCHAFTEN
Band 257

Wilhelm Ostwald
2.9.1853 - 4.4.1932

OSTWALDS KLASSIKER
DER EXAKTEN WISSENSCHAFTEN
Band 257

Gedanken zur Biosphäre

Sechs Essays
(1903-1931)

von
Wilhelm Ostwald

mit einer Einleitung und
Anmerkungen
von

H. Berg

Verlag Harri Deutsch, Thun und Frankfurt am Main

Die Deutsche Bibliothek - CIP-Einheitsaufnahme

Ostwald, Wilhelm:
Gedanken zur Biosphäre : sechs Essays (1903 - 1931) / von Wilhelm Ostwald. Mit einer Einl. und Anm. von H. Berg. - 2. Aufl., (Repr. der) 1. Aufl., Leipzig, Akad. Verl.-Ges. Geest und Portig, 1978. - Thun ; Frankfurt am Main : Deutsch, 1996
(Ostwalds Klassiker der exakten Wissenschaften ; Bd. 257)
ISBN 3-8171-3257-3
NE: GT

ISBN 3-8171-3257-3

1. Auflage Akademische Verlagsgesellschaft Geest und Portig K.-G., Leipzig
2. Auflage 1996
Druck: Rosch - Buch Druckerei GmbH, Hallstadt
Printed in Germany

Inhalt

Einführung
Wilhelm Ostwalds Ideen zur Biologie

Das Wirken Wilhelm Ostwalds als Physiochemiker hat in der von ihm begründeten Reihe der Klassiker der exakten Wissenschaften bereits seine Würdigung[1]) gefunden. In vorliegendem Bändchen sind nun seine vorausschauenden Hauptgedanken auf dem Gebiet der Biowissenschaften in Essayform zusammengestellt*):

I. Biologie und Chemie, veröffentlicht in Ostwalds Annalen der Naturphilosophie 3 (1903) S. 302–314 (Einleitung in dieser Ausgabe gekürzt).

II. Wissenschaft und Leben, Teil I (Naturwissenschaft), Manuskript 1930 (bisher nicht veröffentlicht).

III. Das Wesen des Lebens, Manuskript 1931 (bisher nicht veröffentlicht).

IV. Zur biologischen Grundlegung der Inneren Medizin, veröffentlicht in Medizinisch-Biologische Schriftenreihe, Heft 1, Radebeul 1926, S. 5–27 (hier leicht gekürzt).

V. Der biologische Faktor in der Technik, Manuskript 1929 (gekürzte Fassung publiziert in der Zeitschrift des Vereins deutscher Ingenieure 73 (1929) S. 1149–1150).

VI. Schöpferische Jugend, Manuskript für die Berliner Illustrierte, Weihnachtsausgabe 1931.

Mit Ausnahme seiner unter I. genannten Rede, gehalten am 18. August 1903 zur Einweihung des von Prof. J. Loeb erbauten Biologischen Laboratoriums der Californischen Uni-

---

*) Für Mithilfe bei der Durchsicht der Manuskripte danke ich Herrn Oberstudienrat Günter Nolte, Leipzig, und den Herren Prof. Dr. med. Günter Bruns, Prof. Dr. Udo Taubeneck, Dr. Werner Fleck, Jena. Frau Grete Brauer (Großbothen), Frau Dr. Christa Kirsten und Frau Dr. Battré danke ich für Manuskripte, weiterführende Literatur und Anregungen. H. Berg

[1]) Ostwald, W.: Volumchemische Studien über Affinität und volumchemische und optisch-chemische Studien. Ostwalds Klassiker Bd. 250. Leipzig 1966.

versität zu Berkeley, sind alle anderen Überlegungen zum Lebensprozeß in der Stille seines Hauses „Energie" in Großbothen bei Leipzig herangereift und erst nach seinem 70. Geburtstag zu Papier gebracht worden.

Das Thema I. stellt zunächst die Biologie in der Pyramide der Wissenschaften dar, woraus ersichtlich wird, daß die Gesetze der Physik und Chemie auch für die Lebensprozesse gelten, wenn sie auch nicht eine erschöpfende Behandlung derselben erlauben.

Die Organismen werden als stationäre chemische Gebilde mit Assimilation und Reproduktion angesprochen, welche „freie Energie" aus der Umgebung entnehmen. Ostwald vergleicht sie mit einer Kerzenflamme und stellt den Unterschied zur Maschine heraus. Erst wenn diese ein selbstreproduzierender Automat wäre, bestände eine Analogie. Von besonderer Bedeutung erscheint ihm die Koordination durch enzymatische Regelung und die Verhütung von z. B. nichtlinearen Temperaturstörungen, indem der gesunde Organismus einen Thermostaten bildet. Die Biologie ist für Ostwald eine autonome Wissenschaft, aber der Biologe „muß die Mittel und Wege der allgemeinen Chemie und Physik kennen, wenn er die Mittel und Wege des Organismus begreifen will".

Das Thema II. stellt das Leben als einen auf die Zukunft gerichteten Prozeß dar, der zwar kausal abläuft, aber teleologisch (teleonomisch) geprägt ist. Die Wissenschaft[2]) ist ebenfalls zukunftsorientiert, indem sie mit Hilfe ihrer Gesetze rationale Voraussagen machen kann. Für Ostwald liegt die zu erforschende Wahrheit nicht in der Vergangenheit, sondern in der Zukunft. Daher haben für ihn Wissenschaft und Leben eine „prophetische Natur" auf der Basis der „Gesetzlichkeit des Geschehens".

Das Thema III. bringt einleitend die Zurückdrängung des Subjektiven im Menschen mit fortschreitender Erkenntnis der Gesetzmäßigkeit seiner Außenwelt. Wilhelm Ostwald

---

[2]) Hiebsch, H.: Wissenschaftspsychologie. Psychologische Fragen der Wissenschaftsorganisation. Berlin 1977.

wendet sich gegen unlösbare Welträtsel. Für ihn ist das Leben erforschbar, ja sogar künstlich erzeugbar (vgl. I.). Die Unterschiede zum Anorganischen werden herausgestellt. Dabei hält er das Phänomen der „Überheilung" (vgl. IV.), wozu auch das Gedächtnis gehören soll, als eine zentrale Eigenschaft des Lebens. Schließlich wertet er die kausale Betrachtungsweise gegenüber der teleologischen als die höhere und für die Zukunft des Lebens als die wesentliche.

Das IV. Thema bringt eine Generalisierung der Reizantwort des Organismus unter dem Begriff „Überheilung". Ostwald kam dazu einerseits von seinen autokatalytischen Untersuchungen, andererseits von Darwins Gedankengängen zur Arterhaltung. Als Reparaturvorgang steht die Überheilung im Fließgleichgewicht mit der Oxydation („Verbrennung") von Körpersubstanz. Wachstum, Übung, Gedächtnis u. ä. Leistungen werden eingeordnet. Die Überheilung bei Pharmakongaben wird als Wirklinie diskutiert und daraus u. a. eine Verallgemeinerung des Weber-Fechnerschen Gesetzes abgeleitet, wonach die Intensität der Empfindung (E) dem Logarithmus der Reizstärke (R) entspricht ($E = \text{const.} \log R$), worin das heute so bedeutsame Streßproblem eingeschlossen ist.

Das V. Thema behandelt das komplexe Gebiet der Technik an der Spitze der Wissenschaftspyramide (vgl. I.) und seine Verknüpfung mit der Biologie. Wilhelm Ostwald weist auf biologische Lösungswege und Organisationsprinzipien hin, wie sie heute in der Bionik und Biokybernetik erforscht werden. Er fordert eindringlich die Technisierung der Landwirtschaft und die biologische Energiegewinnung, was erst in den letzten Jahrzehnten umfassend verwirklicht wurde. Hinzukommt die Steuerung und Organisation auch auf gesellschaftlichen Ebenen. Zahlreiche praktische Ansätze, z. B. für die Wissenschaftsorganisation, hat er ja selbst gegeben.

Das VI. Thema bringt als eine Kurzfassung wesentliche Gedanken zur Geniologie[3]) (vgl. die Wissenschaftspyramide in I.),

---

3) Ostwald, W.: Große Männer, Studien zur Biologie des Genies. Leipzig 1910.

die Ostwald, angeregt durch de Candolle[4]), seit der Jahrhundertwende beschäftigt haben. Er ist der festen Überzeugung, daß die Analyse der Genetik und Entwicklung genialer Menschen möglich ist. Er stellt die Frage nach der Nutzbarmachung der hierbei zu erwartenden Erkenntnisse für die Allgemeinheit, ohne jedoch auf tiefere gesellschaftliche Zusammenhänge[2]) einzugehen. Seine Einteilungsvorschläge: „Klassiker – Romantiker“ oder „Sonnenkinder – Titanen“ besitzen noch heute Bedeutung[5]) neben veränderten Auffassungen[6]). Von allen Fragen, die Ostwald in den vorliegenden Essays angeschnitten hat, ist allerdings diese noch am weitesten von einer zufriedenstellenden Antwort entfernt.

Die Anziehungskraft biologischer Phänomene auf Physiker, Physikochemiker und Chemiker ist seit den letzten Jahrzehnten des 18. Jahrhunderts immer stärker geworden[7]), so daß heute eine intensive multidisziplinäre Zusammenarbeit, vor allem in der Molekularbiologie[8]), vorherrscht. Inzwischen sind auch diese Ideen Wilhelm Ostwalds weiterentwickelt worden, wobei vielen ihr Ursprung nicht mehr bekannt ist. Zur 125. Wiederkehr seines Geburtstages soll hiermit Wilhelm Ostwald in seinen wegweisenden Erkenntnissen für die Lebensvorgänge selbst zu Wort kommen, ergänzt durch kurze Kommentare aus heutiger Sicht. Wie gelangte er zur Biologie?

Wilhelm Ostwald begann seine universelle Laufbahn als Chemiker. Wie es dazu kam, schildert er in seiner Heimatzeitung[9]):

---

[4]) de Candolle, A.: Zur Geschichte der Wissenschaften und der Gelehrten seit 2 Jahrhunderten. Leipzig 1910.

[5]) Selye, H.: From Dream to Discovery, On Being a Scientist. New York 1964.

[6]) Lewi, W.: Die Jagd nach dem Gedanken. Moskau und Jena, Leipzig, Berlin 1975.

[7]) U. a. erbrachte der englische Naturforscher Walsh im Jahre 1772 den Nachweis, daß Effekte der Zitterrochen elektrischer Natur seien. Der Jenaer Physiker J. W. Ritter (1776–1810) schrieb ein Werk: Beweis, daß ein beständiger Galvanismus den Lebensprozeß im Thierreich begleite. Weimar 1798.

[8]) Molekulargenetik. Ostwalds Klassiker Bd. 254. Leipzig 1975.

[9]) Ostwald, W.: Wie ich zur Chemie kam. Rigaer Tageblatt 36, 1911, 1. Januar.

„Das erste selbständige Experiment, dessen ich mich erinnern kann, fällt in ein recht frühes Alter. Ich kann es jetzt nicht mehr sehr genau bestimmen, denke aber, daß ich etwa vier oder fünf Jahre alt gewesen sein mag. Damals gab es ein eigentümliches Leuchtmaterial (Petroleum war noch ganz unbekannt), das ‚Gas' genannt wurde und aus einer Lösung von Terpentinöl in Weingeist bestand. Es wurde in besonderen Lampen gebrannt, in denen es vergast wurde, so daß die Dämpfe aus vielen kleinen Löchern herausströmten und einen Kranz von Flammen um den Brennkopf bildeten. Das Anzünden war eine etwas verwickelte Operation und ich pflegte es mit leidenschaftlicher Teilnahme zu beobachten. Als einmal die Mutter uns Buben des Abends allein gelassen hatte, wußte ich mich der Vorratflasche mit der brennbaren Flüssigkeit zu bemächtigen, goß eine mir ausreichend scheinende Menge davon auf den Fußboden und zwischen die Dielenritzen und setzte sie in Brand. Die entstehende Flamme leuchtete nicht so hell, wie ich erwartet hatte; ehe ich aber neues ‚Gas' zur Belebung der Reaktion in die Flamme gießen konnte, wodurch dann wohl sicherlich mein erstes chemisches Experiment auch mein letztes geworden wäre, hatte meine Mutter mich am Kragen und belehrte mich in allernachdrücklichster Weise darüber, daß Kinder nicht mit dem Feuer spielen dürfen . . . Auch die erste Berührung mit der wissenschaftlichen Chemie wurde mir durch die Feuerwerkerei vermittelt. In jenem Lehrbuche befanden sich bei der Beschreibung der einzelnen Stoffe neben den Namen gewisse aus Buchstaben und Ziffern zusammengesetzte Zeichen, deren Sinn ich nicht wußte. Es war angegeben, daß dies die chemischen Formeln der betreffenden Stoffe seien, doch war mir auch diese Auskunft böhmisch. Bei den Gesprächen über meine Feuerwerkerei mit den Schulkameraden kam auch hierauf die Rede und wieder verschaffte mir einer von ihnen ein stark ramponiertes Exemplar eines Buches, in welchem, wie er bemerkt hatte, solche Formeln gleichfalls enthalten waren. Das gute Glück wollte, daß dieser neue Schatz, den ich alsbald gierig verschlang, Stöckhardts ‚Schule der Chemie' war, jenes bescheidene Meisterwerk, das so vielen wie mir den Eingang in die chemische Wissenschaft leicht und erfolgreich gemacht hat. Ich habe ein halbes Jahrhundert später das, was ich hier empfangen habe, der Welt wiederzugeben gesucht, indem ich gleichfalls eine ‚Schule der Chemie' geschrieben habe, in welcher mir die Erinnerungen an die Freuden und Schwierigkeiten meiner ersten Schritte in die Wissenschaft als Leitfaden für die Darstellung des Stoffes gedient haben. Daß ich damit für Viele das richtige getroffen habe, lehrte mich der schöne Erfolg des Werkes, das von allen meinen Büchern die größte Verbreitung, z. B. Übersetzungen in zwölf oder dreizehn Sprachen, erfahren hat.

Mit Hilfe des Stöckhardt schritt ich nun erfolgreich zu höheren Zielen fort. Schießbaumwolle war mein Ideal, und da ich die nötige konzentrierte Salpetersäure nicht kaufen konnte, mußte ich sie selbst aus Schwefelsäure und Salpeter destillieren. Auch das gelang. Dann wurde Kollodium daraus gemacht, wozu der Äther gleichfalls selbst präpariert wurde, und von dort war der Weg zur Photographie, die damals ausschließlich nach dem nassen Kollodiumverfahren geübt wurde, nicht weit. Da ich dauernd außerordentlich knapp mit meinem Taschengelde daran war, so mußte ich mir alles mit den häuslichen Mitteln selbst machen; so gaben die väterlichen leeren Zigarrenkisten das Material für die Erbauung der Kamera und der Kassette her und aus dem mütterlichen Opernglase wurde die Linse herausgeschraubt; sie gab übrigens wirklich ganz gute Bilder. Erst als einmal das verstümmelte Opernglas sich im Theater als unbenutzbar erwiesen hatte, durfte ich dem für mich geführten Sparkassenbuche den Betrag für ein photographisches Objektiv entnehmen, das aus Deutschland verschrieben werden mußte, da es in Riga nicht käuflich war.

Daß diese leidenschaftlich betriebenen eigenen Arbeiten den Fortschritten in der Schule nichts weniger als zuträglich waren, läßt sich denken; es machte sich dahin geltend, daß ich nicht rechtzeitig versetzt wurde, sondern einige Jahre länger die Klassenbänke drücken mußte. Als indessen die ordnungsmäßigen Versuche, mir die berühmte ‚harmonische' Bildung aufzuzwingen, sich als unausführbar erwiesen, während meine chemischen Bestrebungen einigen Lehrern bekannt geworden waren, ließ man mich mit Ach und Krach in die höheren Klassen aufsteigen. Hierbei verdanke ich wiederum außerordentlich viel meinem Lehrer Schweder, der mir nicht nur mit Büchern forthalf, sondern auf den Lehrerkonferenzen wirksam für mich eintrat. Ich weiß nicht, ob nicht ohne diese Hilfe auch bei mir der wissenschaftliche Trieb dem Moloch der harmonischen Bildung zum Opfer gefallen wäre.

Als dann endlich in der Prima der zweistündige Chemieunterricht einsetzte, hatte ich die hierfür vorgesehenen Kenntnisse mir längst auf eigene Hand erworben. Ich galt unter meinen Klassengenossen als Autorität auf diesem Gebiete und bekam in solcher Eigenschaft von einem Banknachbarn ein goldglänzendes Material anvertraut, auf dessen Fund er ausschweifende Hoffnungen gründete. Ich konnte durch analytische Reaktionen nachweisen, daß es leider nur Schwefelkies war. Für mich war dies mehr als Gold wert, denn diese glücklich durchgeführte Untersuchung entschied bei mir den Entschluß, jedenfalls Chemie zu studieren, und nicht Ingenieur zu werden, wie mein Vater wünschte. Ich empfinde noch jetzt den Dank, mit dem ich dann seinen Entschluß begrüßte, mir meinen Willen zu lassen."

Diese autobiographischen Passagen lassen die verschiedenartigen erzieherischen Einflüsse auf seine wissenschaftliche Entwicklung erkennen (vgl. dazu VI.).

Die weitere Spezialisierung des Neunzehnjährigen bis hin zum führenden Physikochemiker in Leipzig, zum Farbensystematiker in Großbothen und Kulturwissenschaftler wird von G. Harig und I. Strube[1]) sowie von anderen Kennern[10]) und nicht zuletzt in seiner Autobiographie „Lebenslinien"[11]) ausführlich dargestellt. Zumeist unbeachtet blieben dabei Ost-

---

[10]) Walden, P.: Wilhelm Ostwald. Ber. dtsch. Chem. Ges. 65 (1932) S. 101–141;
Fischer, W.: Wilhelm Ostwald. Latvijas Farmaceitu Žurnals 10 (1932) S. 1–7;
Ostwald, G.: Wilhelm Ostwald, Mein Vater. Stuttgart 1953;
Rodnyi, N.; Solowjew, J.: Wilhelm Ostwald. Leipzig 1977;
Herneck, F.: Abenteuer der Erkenntnis. Berlin 1973.

[11]) Ostwald, W.: Lebenslinien I–III. Berlin 1925/27, Volksausgabe 1933.

walds biowissenschaftliche Erkenntnisse, die auf den Entwicklungsgesetzen von Ch. Darwin und E. Haeckel, dem Energiegesetz von J. Mayer[12]) sowie dem Empfindungsgesetz von Weber-Fechner (s. oben) basierten.

Vergegenwärtigen wir uns den Stand der Erforschung der Lebensprozesse, als W. Ostwald nach der Jahrhundertwende, insbesondere aber in den Zwanzigern, einen physikalisch-chemischen Zugang suchte, so sei an wichtige Meilensteine erinnert:

1910	Th. Morgan:	Chromosomentheorie der Vererbung
1920	H. Driesch:	Lebewesen: durch Lebenskraft gesteuerte physikochemische Maschine (Vitalismus)
1924	A. Oparin:	Die Entstehung des Lebens (russ., engl. Übertragung erst 1938): physikochemische Reaktionen
1927	H. Muller:	Mutationen der Gene der Taufliege

Mit Ausnahme von A. Oparin, dessen weitgreifende Hypothese W. Ostwald nicht kannte, gab es noch keine Klarheit über den Gültigkeitsbereich der physikalischen und chemischen Gesetze in der Biologie. Erst 12 Jahre nach Ostwalds Tod veröffentlichte der theoretische Physiker Erwin Schrödinger (1887–1961), der sich auch mit allgemeinen wissenschaftlichen Problemen beschäftigte, sein berühmtes „What is life“ (Cambridge 1944), was Physiker und Mathematiker in den fünfziger und sechziger Jahren zur Beschäftigung mit den Biowissenschaften angeregt hat[15]).

Seine Essays zeigen uns deutlich, daß Wilhelm Ostwald

---

[12]) Ostwald bezieht sich, wenn er das Energieerhaltungsgesetz nennt, immer nur auf J. R. Mayer. Zu der Erkenntnis des mechanischen Wärmeäquivalents waren in dem Jahrzehnt zwischen 1840 und 1850 unabhängig voneinander: der Arzt Julius Robert Mayer (1814–1878), der Physiker James Prescott Joule (1818–1889) und der Physiologe und Physiker Hermann v. Helmholtz (1821–1899) gekommen.

zu Schlußfolgerungen gelangte, die auch heute noch in der Diskussion stehen und erst seit 1971 teilweise durch M. Eigen[13]) in eine quantitative Form gebracht worden sind.

Für diese Feststellung sollen stellvertretend drei Beispiele herausgehoben werden.

In den Essays I. und V. stellt Ostwald die *freie Energie* aus dem Sonnenlicht als das „Wasser" auf „die Mühle des Lebens"[14]) der Pflanzen in den Mittelpunkt. Schrödinger[15]) bevorzugt stattdessen den Boltzmannschen Entropiebegriff mit negativem Vorzeichen, um die hohe Ordnungsstufe eines Lebewesens zu charakterisieren, und spricht davon, daß die Pflanzen ihren stärksten Vorrat an „negativer Entropie" (Negentropie) im Sonnenlicht besitzen. Neuerdings kommt Broda[16]) unabhängig wieder auf die „freie Energie" zurück, deren Änderung durch die Relation $\Delta G = \Delta H - T\Delta S$ mit der Entropieänderung ΔS bei der absoluten Temperatur T und der Enthalpieänderung ΔH verknüpft ist.

In den Essays I., III. und IV. beschreibt Ostwald die Lebensvorgänge als *Fließgleichgewichte* im Gegensatz zu den Gleichgewichten in abgeschlossenen Systemen. Trotz dieser klaren Formulierung schon um die Jahrhundertwende schreibt die Nachwelt dem Zoologen Ludwig v. Bertalanffy (geb. 1901) diesen Begriff seit 1940 zu und übersieht Ostwalds Priorität.

Spezielle Phänomene der *Überheilung* (Wundheilungen, Allergien) waren zwar schon sehr lange bekannt, aber Ostwald gab seine allgemeine physikochemische Betrachtung (IV.) als Überschuß der Gegenwirkung (overshoot). Selbst heute scheint keine exaktere Beschreibung möglich zu sein, was z. B. immer

---

[13]) Eigen, M.: Molecular self-organization and the early stages of evolution. Quarterly Reviews of Biophysics 4 (1971) S. 149–212; Selforganization of Matter and the Evolution of Biological Macromolecules. Naturwiss. 58 (1971) H. 10, S. 465–523.

[14]) Ostwald, W.: Die Mühle des Lebens, Physikalisch-chemische Grundlagen der Lebensvorgänge. Leipzig 1911.

[15]) Schrödinger, E.: Was ist Leben? (Die lebende Zelle mit den Augen des Physikers gesehen). Dtsch. Ausgabe München 1951.

[16]) Broda, E.: The Evolution of the Bioenergetic Prozess. Oxford 1975.

noch aus der Zuhilfenahme eines „Organgedächtnisses"[6]) hervorgeht, wie es damals schon E. Hering (III.) behauptet hat. Lediglich über die Berechtigung der Zuordnung einiger Phänomene (Wachstum) zur Überheilung denkt man jetzt anders.
Auch heute werden von Wissenschaftlern aller Disziplinen, vor allem von Physikern, Biologen und Philosophen, wissenschaftlich-philosophische Grundfragen, die ihn schon bewegt hatten, diskutiert, z. B. das Verhältnis von Zufall und Notwendigkeit in der Entwicklung, Energie und Materie u. a.[17]).
Aus allen Arbeiten Ostwalds strahlt das unbedingte Vertrauen dieses großen Gelehrten in den Fortschritt der Wissenschaften und die Erkennbarkeit der Natur[18]). Er geht sogar so weit, daß für ihn schon 1903 (vgl. I.) feststand, dem Menschen wird es einmal gelingen, künstliches Leben zu erschaffen.
So haben Ostwalds Gedanken und Anregungen noch heute ihren Wert behalten, wenn er auch als Einzelner nicht mehr die Energie und die Möglichkeiten besaß, ihnen experimentell selbst nachzugehen.

---

[17]) Hörz, H.: Marxistische Philosophie und Naturwissenschaften. Berlin 1974;
Monod, J.: Le Hasard et la necessitè. Paris 1970;
Heitler, W.: Über die Komplementarität von lebloser und lebender Materie. Wiesbaden 1975;
Heisenberg, W.: Schritte über Grenzen. München 1971;
Eigen, M.; Winkler, R.: Das Spiel. München 1975.
[18]) Schwabe, K.: Ständige Ausstellung im Hause Wilhelm Ostwalds. Spektrum 6 (1975) 3, S. 28–29.

I. Biologie und Chemie

Rede, gehalten am 18. August 1903 zur Einweihung des von Prof. J. Loeb erbauten biologischen Laboratoriums der californischen Universität zu Berkeley

Die Wissenschaft ist ein Organismus, welcher sich beständig im Sinne seiner Selbsterhaltung und Entwicklung betätigt. Darum ist er mit Organen der Selbstregulierung versehen, durch welche Nützliches befördert und Schädliches beseitigt wird. Nun können derartige Organe immer erst in Wirkung treten, wenn die Vorgänge bereits eingetreten sind, welche durch sie beeinflußt werden sollen; jeder Regulator arbeitet also mit einer gewissen *Verzögerung*. Daraus geht hervor, daß die Wissenschaft ebenso wie jeder andere mit Selbstregulierung versehene Apparat notwendig *periodische Schwankungen* um einen mittleren Zustand ausführen muß. Dieser mittlere Zustand ist nicht notwendig zeitlich unveränderlich; er ist vielmehr in unserem Falle in einem stetigen Ansteigen begriffen, weil die Wissenschaft nur vermehrt, nicht vermindert werden kann.
Ferner sind hier mehrere Energiequellen mit entsprechenden Regulatoren vorhanden; es wird sich also um eine Anzahl übereinanderliegender Perioden handeln, die ein ziemlich verwickeltes Bild geben und beispielsweise zuweilen durch Addition mehrerer Maxima oder Minima, die einzeln gering sind, eine ungewöhnlich große Elevation oder Depression hervorrufen können. Wir wollen zu bestimmen versuchen, in welchem Teil der Wellenlinie sich die Wissenschaft im allgemeinen und die Biologie im besonderen befindet.
Nun ist eine sehr einflußreiche Komponente dieser Bewegungen eben besonders deutlich zu erkennen. Wir haben soeben eine Zeit der Vereinzelung aller Wissenschaften, eine Zeit der Spezialisierung hinter uns, und befinden uns in einer Epoche, wo die *synthetischen* Faktoren in der Wissenschaft eine immer wachsende Bedeutung gewinnen. Betrachten Sie nur, meine Herren, was Sie eben vor Augen haben! Im Hörsaale eines *biologischen* Instituts spricht in diesem feierlichen Augenblick ein Mann zu

Ihnen, der selbst nicht Biologe ist, sondern ausdrücklich als Vertreter einer benachbarten Wissenschaft eingeladen wurde. Und dieser Mann ist selbst wieder das Produkt einer Synthese zweier benachbarter Wissenschaften, der Physik und der Chemie. Und weiter: wenn dieser Mann versucht, das beste, was er aus seinem Garten ernten kann, Ihnen darzubringen, so kommt er dazu, kein Wort von Physik und Chemie zu sagen, sondern vielmehr nach Gedanken zu suchen, welche noch über die Triade Physik-Chemie-Biologie hinausgehen und auf Fragen hinzielen, welche diese und noch weitere Wissenschaften umfassen. Das ist nicht etwa ein Zufall, sondern ein getreuer Ausdruck von Bestrebungen, die unsere ganze Zeit erfüllen. Überall suchen die einzelnen Wissenschaften den Anschluß aneinander, überall prüft der Forscher, welchen Wert seine speziellen Resultate für die Beantwortung der allgemeinsten Fragen haben: kurz, alle Wissenschaften fangen an zu philosophieren. Nirgend ist dieser Drang nach prinzipieller Aufklärung so groß, wie gerade in der Biologie; ein Blick in ihre Literatur läßt überall das heiße Bemühen erkennen, Licht auf die Grundfragen ihrer Arbeit zu werfen.

Dabei ist es natürlich in erster Linie ihr Verhältnis zu den angrenzenden Wissenschaften, insbesondere den anorganischen Naturwissenschaften Chemie und Physik, was die Biologen beschäftigt, und die Gegensätze der Meinungen haben sich in Gestalt der Schlagworte *Vitalismus* und *Mechanismus*[1]) fixiert. Wie in allen solchen Fällen entsteht eine große Gefahr daraus, daß man einen mannigfaltigen Komplex der verschiedenartigsten Dinge nach einem einzigen seiner vielen Bestimmungsstücke benennt; in der Tat sehen wir auch, daß z. B. ein wohlbekannter Forscher sich selbst einen Mechanisten nennt, von den Mechanisten aber zu den Vitalisten gerechnet wird. Wenn ich versuche, die hier vorliegenden Fragen in meiner Weise zu behandeln, so möchte ich von vornherein ablehnen, mich zu einer dieser beiden Parteien zu schlagen; vielmehr will ich versuchen, auf möglichst allgemeiner Grundlage das Verhältnis der in Betracht kommenden Wissenschaften zu bestimmen.

Wenn man eine allgemeine Klassifikation der Wissenschaften

auszuführen versucht, so kommt man bald zu dem Ergebnis, daß sie nicht nebeneinander bestehen, sondern einander *umschließen*, und zwar in einer merkwürdig reziproken Weise, die sich geometrisch nur unvollkommen darstellen läßt. Das Objekt aller Wissenschaften sind zunächst die Erlebnisse der Menschen. Jedes derselben setzt sich aus einer unbegrenzt großen Anzahl von Summanden zusammen; von diesen werden aber nur je nach dem Zwecke ganz wenige in Betracht gezogen, von allen anderen wird abgesehen. So umfaßt eine Wissenschaft um so mehr Erlebnisse, je geringer die Anzahl der in Betracht gezogenen Summanden ist, und sie umfaßt umgekehrt um so mehr übereinstimmende Summanden, je enger die Auswahl der Erlebnisse ist, welche sie zusammenfaßt. Daher ist die Wissenschaft, welche in einer Beziehung die weiteste ist, in anderer Beziehung die engste, und umgekehrt. Um Ihnen wenigstens eine ungefähre Anschauung der Verhältnisse zu geben, möchte ich Ihnen die folgende summarische Skizze vorlegen, in welcher die Zahl der

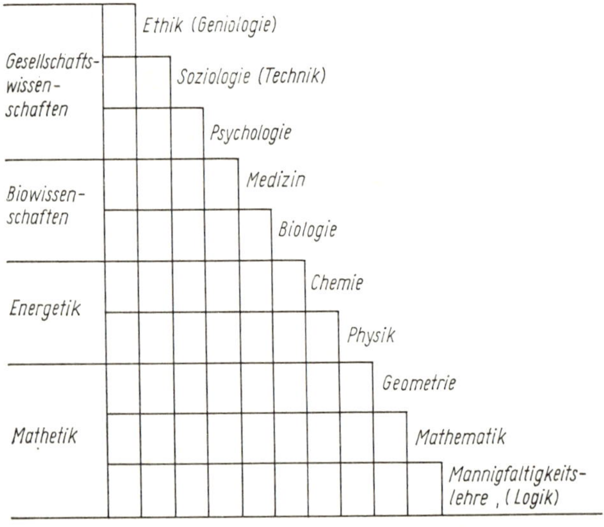

Abb. 1. Die Wissenschaftspyramide, zusammengestellt nach Schriften von Ostwald und unter Nutzung heutiger Begriffe

Erlebnisse horizontal, die der jeweils beachteten Summanden vertikal dargestellt ist.

So sehen Sie, daß einerseits die Mannigfaltigkeitslehre (unter welcher ich etwas verstehe, wovon die Mathematik oder *Größenlehre* nur ein Teil ist) die umfassendste und engste Wissenschaft ist, indem sie sich auf alle Erlebnisse erstreckt, von diesen aber nur eine einzige Seite (daß jedes nämlich ein unterscheidbares Objekt ist) in Betracht zieht, während umgekehrt die Psychologie die engste und umfassendste Wissenschaft ist, da sie sich nur auf die Erscheinungen bezieht, welche an die Existenz des menschlichen Gehirns (oder, wenn man es so lieber nennt, der menschlichen Seele) gebunden sind, hier aber sämtliche Summanden in Betracht zu ziehen bemüht ist. Man übersieht, daß in der von der Mannigfaltigkeitslehre ab gerechneten Reihenfolge jede nachfolgende Wissenschaft die vorangegangene zwar zur Voraussetzung hat, aber insofern über sie hinausgeht, als sie neue, in dieser noch nicht betrachtete Seiten oder Summanden bearbeitet und dadurch den Umfang enger macht, nämlich nur auf die mit jenem Summanden behafteten Gegenstände bezieht. So hat die Mathematik mit Mannigfaltigkeiten zu tun, aber nur mit solchen, welche eine *Größe* besitzen, und die Geometrie mit Größen, aber nur solchen, die außerdem die Eigenschaften des *Raumes* haben. Physik behandelt räumliche Objekte, insofern sich an ihnen die verschiedenen *Energiearten* bestätigen, Chemie solche physikalische Objekte, die durch *qualitative* Verschiedenheiten, abgesehen von den gleichzeitig anwesenden anderen Energien, gekennzeichnet sind. Die Biologie ist in diesem System die Lehre von solchen chemischen Objekten, welche einen *stationären Energiezustand*, d. h. Ernährung und Fortpflanzung aufweisen, und die Psychologie endlich betrifft die Lebewesen nur, insofern sie *geistige* Funktionen ausüben, wodurch sich alsbald praktisch eine fast vollständige Beschränkung auf die geistigen Funktionen des Menschen als die einzigen, von denen wir einigermaßen sichere Kenntnis haben, ergibt.

Es braucht kaum gesagt zu werden, daß diese Einteilung insofern willkürlich ist, als man zwischen die angegebenen Stufen noch zahlreiche Zwischenstufen schalten kann, in welchen geringere Unterschiede zur Geltung gebracht werden können. So kann man zwischen Biologie und Psychologie noch Soziologie und Völkerpsychologie schalten, zwischen Physik und Chemie physikalische Chemie usw. Hierauf brauche ich nicht einzugehen. Wichtiger wäre vielleicht, zwischen Mathematik und Geometrie noch Chronologie, d. h. die Lehre von den Gesetzen der Zeit (nicht etwa die Lehre von den geschichtlichen, geologischen oder astronomischen Zeiten) einzuschalten, doch würden uns diese Betrachtungen zu weit führen.

Wesentlich für unser Problem ist dagegen, daß wir hieran bezüglich der Biologie folgendes deutlich erkennen. Sie setzt alle früheren Wissenschaften, von der Mannigfaltigkeitslehre bis zur Chemie voraus, d. h., alle biologischen Erscheinungen sind den Gesetzen dieser Wissenschaften unterworfen. Genau so bleiben etwa alle chemischen Erscheinungen vollkommen innerhalb des Rahmens der Mathematik und Physik, insofern als keine chemische Erscheinung je diesen Gesetzen (soweit sie richtig sind) widersprechen wird. Aber die mathematischen und physikalischen Gesetze erschöpfen nicht das, was über die chemischen Erscheinungen gesagt werden kann, und die qualitativen Stoffverschiedenheiten, welche den Gegenstand der Chemie bilden, lassen sich mit den Hilfsmitteln jener Wissenschaften nicht ausreichend darstellen und bearbeiten. Die Ursache ist, daß wir in der Chemie eine reichere Mannigfaltigkeit haben als in den vorangegangenen Wissenschaften. Ob eine Kugel von Gold oder eine gleich große von Kohle auf 100 Volt elektrisch geladen ist, macht keinen Unterschied, so lange wir die physikalische, d. h. hier die elektrische Erscheinung in Betracht ziehen. Ob wir aber eine Kugel von Schwefel oder eine gleich große von Kohle *verbrennen*, macht chemisch einen unüberbrückbaren Unterschied. So ist auch der chemischen Zusammensetzung nach ein lebender Mann von einem toten nicht zu unterscheiden; biologisch macht es einen fundamentalen Unterschied, denn der erste kann sich ernähren und fortpflanzen, der zweite nicht. Vielleicht werden Sie mir hier einige Einwendungen machen, doch glaube ich nicht, daß sie die Sache wesentlich ändern würden; es könnte höchstens erforderlich sein, die Definition des Lebens etwas umständlicher auszusprechen.

Hieraus ergibt sich nun unmittelbar die Antwort auf die viel erörterte Frage: genügen die Gesetze der Chemie und Physik, um alle biologischen Erscheinungen zu erklären? Die Antwort muß in einem Sinne ja, im anderen nein lauten. Ja insofern, als alle biologischen Erscheinungen innerhalb des Rahmens der Möglichkeiten liegen, welcher durch jene Wissenschaften gegeben ist. Nein insofern, als innerhalb dieses Rahmens durch die biologischen Tatsachen sicher eine größere Mannigfaltigkeit gegeben wird, als durch Physik und Chemie erschöpfend darstellbar sein könnte.

Vielleicht wird das hier vorhandene Verhältnis klarer, wenn wir das analoge Verhältnis zwischen Mathematik und Physik untersuchen. Sicher sind alle physikalischen Untersuchungen dem Größenbegriff unterzuordnen, und insofern kann man die Physik als einen Teil der Mathematik bezeichnen. Aber ebenso sicher kann man mit den Hilfsmitteln der Mathematik *allein* eine physikalische Erscheinung nicht erschöpfend darstellen. Wir können beispielsweise die physikalischen Vorgänge, die mit dem Durchgange eines elektrischen Stromes durch einen gegebenen Leiter verbunden sind, mathematisch mit jedem Grade der Annäherung darstellen, welcher mit den vorhandenen Mitteln der Analysis erreichbar ist; wodurch sich aber dieser Vorgang etwa von dem Vorgange der Wärmeleitung durch den gleichen Körper unterscheidet, können wir mathematisch nicht zum Ausdruck bringen, denn hierbei treten neue Arten der Mannigfaltigkeit auf, welche eben in der Mathematik nicht behandelt werden, sondern erst in der Physik.

Indem nun die Mechanisten die eine Seite der Sache, die Vitalisten die andere betonen, kommt die merkwürdige Erscheinung zutage, daß in beiden Lagern hochstehende und bedachtsame Forscher scheinbar Entgegengesetztes behaupten, während es doch nur eine Wahrheit geben kann, und uns beide als ernste und aufrichtige Wahrheitssucher bekannt sind.

Unzweifelhaft gewinnen diese allgemeinen Betrachtungen ihren Wert für die vorliegende Frage erst bei eingehender Untersuchung der neuen Summanden, durch welche sich die biologischen Objekte von anderen chemischen Objekten unterscheiden. Wir pflegen diesen Unterschied in das Wort Leben zusammenzufassen. Fragen wir nach den aufweisbaren und meßbaren Kennzeichen dieses Begriffes, so finden wir folgendes: Lebewesen sind zunächst nicht stabile, sondern *stationäre* Gebilde, in ihnen verlaufen die schnellen Änderungen derart, daß Gewinn und Verlust sich nahezu decken, so daß der Gesamtzustand nur langsame Änderungen erfährt (die zudem fast alle periodisch sind). Da alle physischen Änderungen sich als räumliche und zeitliche Verschiebungen der verschiedenen Arten der Energie darstellen lassen, so sind also die Lebewesen dadurch gekennzeichnet, daß sie ihren Energiebestand nach Art und Menge annähernd konstant halten, während ein dauernder Strom der verschiedenen Energien sich durch ihren Körper ergießt. Dies kann nach den allgemeinen Gesetzen der Energetik nur in solcher Gestalt stattfinden, daß die Lebewesen Energie höheren Potentials aufnehmen und sie bei niederem Potential abgeben. Inzwischen hat sie zu den Transformationen gedient, aus denen die verschiedenen Lebensbetätigungen (Bewegung, Wärmeerzeugung, Fortpflanzung usw.) des Wesens bestehen.

Diese Kennzeichnung trifft nun nicht nur für ein Lebewesen zu, sondern auch für manche anorganische Gebilde. Eine brennende Kerze, deren Docht das geschmolzene Fett der Flamme in dem Maße zuführt, als es dort verbrannt wird, oder ein Benzinmotor, der durch den Schwungkugelregulator sich selbst den Benzinzufluß so abmißt, daß er seine Geschwindigkeit stationär erhält, hat genau die gleiche Eigenschaft, und wir sind deshalb gewöhnt, von der „Flamme des Lebens“ oder der „Maschine unseres Körpers“ zu reden. Aber wir rechnen sie nicht zu den Lebewesen, weil ihre Existenz keine *erhaltungsgemäße* ist. Wenn das Fett verzehrt oder das Benzin zu Ende ist, so erlischt die Flamme und der Motor bleibt stehen, denn beide haben nicht die Fähigkeit, rechtzeitig neues Fett oder Benzin zu beschaffen.

Nun kann man sich ja noch einen weiteren Regulator denken, welcher neues Benzin aus einem Tank in den Behälter pumpt, wenn das vorhandene zu Ende gehen will. Aber schließlich geht auch dies zu Ende, oder an der Maschine bricht vorher ein arbeitender Teil, so daß das Stehenbleiben unvermeidlich ist. Die Maschine müßte also, um sich oder ihresgleichen dauernd zu erhalten, im ersteren Falle irgendwohin gehen können, wo sie neues Benzin findet, im zweiten müßte sie entweder die zugrunde gehenden Teile selbsttätig ersetzen, oder sie müßte vor dem Eintreten des Bruches selbsttätig eine neue Maschine herstellen können, welche an ihrer Stelle die Arbeit übernimmt. *Wenn es eine solche Maschine gäbe, müßten wir sie ein lebendes Wesen nennen.*

Eine solche Bestimmung wird Ihnen, meine Herren, willkürlich erscheinen. Hat doch unter anderem ein hervorragender Forscher die Meinung ausgesprochen, daß, wenn man künstlich ein Gebilde mit allen Eigenschaften und Funktionen eines bestimmten Organismus herstellen würde, dies doch kein eigentliches Lebewesen wäre. Hiergegen ist nur die Frage zu stellen, wie er es, wenn er es zufällig fände, von einem „eigentlichen" Organismus der gleichen Art unterscheiden wollte, da beide nach der Voraussetzung in allen Eigenschaften, d. h. in allem Erkennbaren, übereinstimmen sollen. Was man aber nicht unterscheiden kann, muß man grundsätzlich als gleich anerkennen.

Was aber nun die Willkür der Bestimmung anlangt, so ist sie geringer als man denken sollte. Wie bilden wir denn unsere Begriffe? Dadurch, daß wir an vielen Erscheinungen das Übereinstimmende zusammenfassen und auf die Beachtung des Verschiedenen verzichten.

Bei den *stabilen* chemischen Gebilden sind die chemischen *Stoffe* der Begriff, unter welchem wir die Objekte mit übereinstimmenden spezifischen Eigenschaften zusammenfassen, und wir können diesen Begriff bilden, weil wir die einzelnen Stoffe, z. B. den Schwefel, unter den verschiedensten Verhältnissen finden oder herstellen können, wobei immer seine spezifischen Eigenschaften sich als gleich ausweisen. Viel schwieriger finden sich die Bedingungen zu solcher Begriffsbildung bei Gebilden, in welchen chemische *Änderungen* stattfinden. Damit solche Gebilde uns überhaupt als Gegenstände der Begriffsbildung dienen können, müssen sie wenigstens *äußerlich* beständig erscheinen, da wir sie sonst überhaupt nicht identifizieren könnten, d. h., sie müssen, da sie nach der Voraussetzung nicht stabil sein sollen, wenigstens stationär sein. Aber auch stationäre Gebilde werden uns nicht zu Begriffsbildungen veranlassen, wenn sie sich uns nicht immer wieder in gleicher Gestalt darbieten. Physikalische stationäre Gebilde solcher Art sind Flüsse, Wolken, Wellen; sie sind wesentlich durch bestimmte *räumliche* Gestaltung gekennzeichnet, für deren Entstehung die Bedingungen leicht und oft sich zusammenfinden. *Chemische stationäre* Gebilde entstehen wegen der schwierigeren Bedingungen hierfür sehr viel seltener; das einzige, das ich Ihnen zu nennen wüßte, ist die *Flamme*, für deren Entstehung neben dem überall vorhandenen Sauerstoff und den weitverbreiteten Pflanzenresten nur noch das Auftreten einer Temperatur von rund 400° oder 500° erforderlich ist. Und selbst diese einfache Konstellation entsteht freiwillig, d. h. ohne Zutun des Menschen recht selten.

Es leuchtet demnach ein, daß die freiwillige Entstehung solcher Gebilde, welche neben ihrer stationären Beschaffenheit noch die Fähigkeit der Selbsterhaltung, d. h. der Aufsuchung der erforderlichen Energiequellen besitzen, als eine ganz außerordentlich seltene Erscheinung aufgefaßt werden muß. Erst wenn ein solches Gebilde noch dazu die Eigenschaft der gleichartigen *Reproduktion* besitzt, wird man überhaupt die Möglichkeit zugeben können. daß es sich unserer Beobachtung so oft darbieten wird, daß wir zu einer entsprechenden Begriffsbildung gelangen. Von dieser Seite also sieht die Sache so aus: wie etwa die Organismen entstanden sein mögen, lehren uns diese Überlegungen nicht; wohl aber lehren sie uns, daß wir zum *Begriff* der Organismen als stationärer chemischer Gebilde nie gelangt wären, wenn diese Gebilde nicht außerdem die Eigenschaft der Assimilation und Reproduktion besäßen. Diese Eigenschaften sind es nun auch, welche an dem stationären chemischen Gebilde, das wir Lebewesen nennen, immer angetroffen werden, und welche das Neue, Spezifische der Biologie gegenüber der Chemie bilden. Auf diesem Punkte haben also die Vitalisten recht.

Gesellt sich aber zu dieser Einsicht die Behauptung, daß wir „folglich“ das Leben niemals werden erklären können, so liegt eine Verwechslung zwischen einer Frage der wissenschaftlichen Systematik und einer der experimentellen Forschung vor. Erklären heißt hier wie überall in der Wissenschaft die Nachweisung tatsächlicher Zusammenhänge zwischen verschiedenen Erscheinungsreihen. *Eine* chemische Erklärung des Lebens liegt bereits vor; wir zweifeln alle nicht daran, daß Leben ohne chemische Vorgänge, bei welchen *freie Energie* verfügbar wird, nicht denkbar ist. Woran es fehlt, ist die vollständige Analyse der einzelnen derartigen chemischen Prozesse, welche in lebenden Wesen stattfinden. In großen Zügen kennen wir manche von den Vorgängen, so die Oxydationserscheinungen in den Geweben, manche von der Verdauung im Darmkanal usw. Die meisten sind uns aber noch unbekannt. Ob wir dann, wenn wir diese Vorgänge alle kennen werden, auch jenen Organismus werden *herstellen* können, muß vorläufig dahingestellt bleiben. Wir haben vielerlei Dinge begriffen und erklärt, ohne sie machen zu können, und ob die Organismen zu diesen gehören oder zu den anderen, die wir außerdem machen können, wird sich eben erst in jener künftigen Epoche herausstellen.

Um deutlicher zu machen, was ich meine, möchte ich ein Beispiel geben. In einem Raume, in welchem gar keine Elektrizität enthalten ist, können wir jeder Zeit welche machen; wir können mit anderen Worten andere Energie in elektrische verwandeln und erhalten sie mit ihren beiden Faktoren Elektrizitätsmenge und Potential. Dagegen können wir nicht in gleichem Sinne Gravitationsenergie schaffen, sondern nur vorhandene durch Entfernung oder Näherung der schweren Körper größer oder kleiner machen. Die Ursache davon ist leicht einzusehen. Elektrizitätsmengen treten jedesmal in gleichen Mengen positiv und negativ auf, so daß ihre algebraische Zahl stets *Null* ist. Infolgedessen kann man ohne Verletzung des Gesetzes von der Erhaltung der Kapazitätsgrößen beliebige Elektrizitätsmengen erzeugen, da ihre Gesamtmenge stets Null bleibt. Der entsprechende Faktor der Gravitätsenergie aber ist der Masse proportional und hat daher notwendig einen positiven Wert, der ebensowenig wie die Masse erzeugt oder verändert werden kann. Es läßt sich nun zur Zeit wohl nicht sicher voraussehen, ob bei der vollständigen Analyse des Lebens solche Faktoren zutage treten werden, die keine Erzeugung gestatten. Aus dem Umstande indessen, daß Leben willkürlich *vernichtet* werden kann, geht für mich mit einiger Wahrscheinlichkeit hervor, daß auch seiner willkürlichen Erzeugung nur technische, nicht prinzipielle Schwierigkeiten entgegenstehen.

Welches sind nun diese Schwierigkeiten? Die Antwort ist schon oft gegeben worden; sie liegen darin, daß jeder, auch der einfachste Organismus, ein sehr verwickelter Apparat ist, in welchem zahlreiche verschiedene Reaktionen so nebeneinander ablaufen, daß sie sich gegenseitig für den Lebenszweck der Selbsterhaltung usw. unterstützen. Hierzu ist vielerlei erforderlich, vor allem, daß ihre Geschwindigkeiten gegeneinander zweckmäßig abgeglichen sind. Eine Maschine würde sich selbst zertrümmern, wenn die Bewegungen aller ihrer Teile nicht in gleicher Periode und bei jedem Teile in der richtigen Phase erfolgten. Hier wird die Aufgabe dadurch gelöst, daß die verschiedenen Teile miteinander zwangläufig verbunden sind, so daß gar keine anderen Bewegungen, als die zweckmäßigen, möglich sind. Solche *zwangläufigen* Verbindungen chemischer Vorgänge sind vielleicht auch beim Organismus vorhanden; sie stellen sich beispielsweise von selbst her, wenn im Verdauungskanal die für die beabsichtigten Reaktionen erforderlichen Stoffe an verschiedenen, räumlich getrennten Stellen des Kanals abgesondert und dem in einseitiger Richtung vorbeigeführten Speisebrei zugemischt werden. Aber im Innern einer einzelnen Zelle ist eine derartige mechanische Lösung der Aufgabe nicht sehr wahrscheinlich; ohnedies pflegt ja bei den Lebewesen die gleiche Aufgabe je nach den Bedingungen mit sehr verschiedenen Mitteln gelöst zu werden.

Ein weiteres derartiges Mittel ist nun die *Regelung der Reaktionsgeschwindigkeiten* durch Katalysatoren oder Enzyme. Das Vorkommen solcher Stoffe in den verschiedenen Teilen der Organismen ist bereits Berzelius[2]) bekannt gewesen; er und später Ludwig[3]) haben die Überzeugung ausgesprochen, daß die Enzyme eine allgemeine und sehr wichtige Rolle im Organismus spielen. Die neueren Forschungen haben diese Ansicht bestätigt und vertieft. Es scheint wirklich nur wenige Gewebe zu geben, in welchen nicht Enzyme vorhanden wären, und zwar meist eine ganze Anzahl nebeneinander. Während aber jene älteren Forscher, dem damaligen Stande der Wissenschaft entsprechend, den Enzymen wesentlich die Aufgabe zuschrieben, gewisse Reaktionen erst hervorzurufen und damit gewisse Stoffe zu erzeugen, können wir jetzt diese Auffassung noch dahin erweitern und vertiefen, daß die Enzyme auch die erforderlichen *Geschwindigkeiten* zu regeln haben. Daß hier eine Art Zwangläufigkeit besteht, geht beispielsweise aus den Untersuchungen der letzten Zeit über die Vorgänge beim Keimen von Samen hervor; hier erscheinen nacheinander die Stärke lösenden, oxydierenden, assimilierenden usw. Enzyme in solcher Folge, solcher Menge und an solchen Orten, daß der überaus verwickelte Prozeß der Entwicklung des ganzen Pflänzchens regelmäßig und zweckmäßig verläuft.

Hier erhebt sich nun auch eine fundamentale Frage, die bisher in der Biologie kaum gestellt worden ist, da die erforderlichen Grundlagen von der allgemeinen Chemie erst in jüngster Zeit geschaffen worden sind, die Frage nach der *zeitlichen Ordnung der Vorgänge im Organismus*. Die *räumliche* Ordnung hat uns das Mikroskop eröffnet, und ich brauche Ihnen am wenigsten, meine Herren, die Rolle zu schildern, welche dieses Hilfsmittel gespielt hat. Gewisse, auf die Zeit bezügliche Fragen, insbesondere die der Entwicklungsgeschichte, haben auch die Biologie seit jeher beschäftigt. Aber die *zeitliche Mikroskopie*[4]), wenn ich das Wort brauchen darf, die Analyse dessen, was während des Lebens in *jedem Augenblicke* geschieht, insbesondere die zeitliche Mikroskopie der *chemischen* Vorgänge ist eine Aufgabe, für deren Lösung noch sehr wenig hat geschehen können, und die doch gelöst werden muß, wenn man ernstlich an die Lösung der tieferen Probleme gehen will, die uns das Leben bietet.

Wo und wie diese Aufgaben anzufassen sind, werden Sie vermutlich besser erkennen können als ich; wahrscheinlich am besten von möglichst verschiedenen Seiten zugleich, denn das Problem ist von einer unübersehbaren Mannigfaltigkeit. Da ich selbst mich nie mit der Bearbeitung biologischer Aufgaben beschäftigt habe, so darf ich nicht wagen, den Fachmännern gegenüber bestimmte Vorschläge zu machen; das einzige, was ich tun kann, ist die

Hervorhebung allgemeiner Gesichtspunkte, die sich aus der Betrachtung der allgemeinen Wissenschaftslehre ergeben. Das hier vorliegende Problem der *Koordination* einer großen Anzahl verschiedener Geschehnisse zu einem stationären Gesamtgebilde tritt bei den früheren Wissenschaften bis zur Chemie kaum auf und wird dann meist durch das Prinzip der Addition bzw. Superposition gelöst. Das heißt, das gesamte, an dem betrachteten Punkte verlaufende Geschehnis läßt sich als die Summe der einzelnen Geschehnisse darstellen, wobei jedes der letzteren seinen Anteil an dem Ergebnis so beibringt, als wären die anderen nicht vorhanden. So kreuzen sich die Luftwellen der Töne in der mannigfaltigsten Weise, ohne sich zu verwirren, und ebenso spielen über die Oberfläche des Meeres zwei, drei oder noch mehr Wellenzüge in verschiedener Richtung, und jeder von ihnen behält seine Ordnung und seinen Charakter. Aber hier erkennt man bereits die Grenzen für die Anwendbarkeit des Prinzips: wenn die große Welle sich überschlägt, so verschwinden in der Brandung die kleineren auf Nimmerwiedersehen. Dies liegt daran, daß die Wellenformen nur bis zu einer gewissen Grenze stabil sind. Wird diese überschritten, so wandeln sich die vorhandenen Energien in andere um, und das Superpositionsprinzip gibt keine eindeutige Antwort mehr.

Diese letzte Art der Reaktion ist nun allgemein bei Organismen vorhanden. Kleine Änderungen an einem Faktor eines gegebenen Zustandes werden zunächst proportionale kleine Änderungen in den anderen Faktoren hervorbringen, aber es wird nur in den seltensten Fällen eine Superposition nachweisbar sein. Wenn man eine Saite schwingen läßt, so wird eine Änderung ihrer Temperatur zwar eine Änderung der Tonhöhe hervorrufen, aber diese ist einfach das Ergebnis der Änderung der Elastizität der Saite, und mit der Bestimmung dieses Faktors ist die Aufgabe erledigt. Erhöht man die Temperatur eines Organismus, so findet nicht nur die entsprechende Änderung der physikalischen Eigenschaften der Gewebe statt, sondern es ändert sich gleichzeitig die Reaktionsgeschwindigkeit aller chemischen Vorgänge, die in ihnen verlaufen, und zwar für jede Reaktion in anderer Weise. Dadurch wird alsbald das Verhältnis geändert, nach welchem diese Reaktionen ineinandergreifen, und es kann geschehen, daß durch geringe Einflüsse solcher Art an irgendeiner Stelle die Grenze überschritten wird, innerhalb deren der Organismus ein stationäres Gebilde bleibt; dann tritt der Tod ein. Es scheint mir zweifellos, daß, wie ich es schon vor mehreren Jahren ausgesprochen habe, die auffallend sorgfältige und feine Selbstregulierung der höheren Säugetiere, wodurch diese *Thermostaten* von auffallender Konstanz geworden sind, in der Notwendigkeit ihren Grund hat, die Verhältnisse der chemischen Reaktionsgeschwindigkeiten zum Zwecke des normalen Ablaufes der Lebensvorgänge konstant zu halten.

Hier, in dem *Koordinationsproblem*, scheint mir nun die wichtigste Seite jener allgemeinen, auf die Zeit bezüglichen Aufgaben der Biologie zu liegen. Hierin liegen auch gleichzeitig die Erscheinungen, welche Begriffsbildungen neuer Art zu ihrer gedanklichen Bewältigung erfordern, welche in den allgemeineren Wissenschaften bis zur Chemie nicht erforderlich sind. In diesen Gebieten wird die Biologie als autonome Wissenschaft herrschen, allerdings nicht unabhängig von Chemie und Physik, sondern innerhalb der durch sie gegebenen Grenzen des empirisch Möglichen.

Diese Grenzen und Bedingungen aber muß der Biologe kennen und einhalten, wenn er seine Aufgabe lösen will; er muß die Mittel und Wege der allgemeinen Chemie und Physik kennen, wenn er die Mittel und Wege des Organismus begreifen will. Und dies führt uns wieder zu der Hauptfrage zurück, wegen deren wir die ganze Betrachtung unternommen haben, die Frage: welcher Wind weht eben jetzt auf dem Meere der Wissenschaft? Die Antwort lautet wie schon einmal: ein *synthetischer*. Die schönsten und reichsten Ergebnisse lassen sich dort erwarten, wo die verschiedenen Wissenschaften zu gegenseitiger Förderung ineinandergreifen. Und darum sehen Sie, weshalb ich unserem Schiffe die glücklichste Fahrt habe in Aussicht stellen können. Die Richtung, welche sich durch Beobachtung von einem so hoch gewählten Standpunkte ergab, als ich ihn nur erklimmen konnte, ist dieselbe, die der Führer des Schiffes seit vielen Jahren bereits verfolgt hat. Er braucht nur den gewohnten Kurs zu steuern, um das Beste zu erreichen, was man hoffen darf, und so bleibt uns nur übrig, ihm und seiner Mannschaft „glückliche Reise“ zuzurufen.

II. Wissenschaft und Leben

Teil I

Wenn bei der Zusammenstellung der beiden Begriffe Leben und Wissenschaft der Gedanke anklingt, als ständen sich beide fern, ja beinahe gegensätzlich gegenüber, so liegt sicher ein Mißverständnis vor, bei welchem entweder die Vorstellung vom Leben oder die von der Wissenschaft falsch ist. Denn wir brauchen nur an den Forscher zu denken, dessen höchstes Glück es war und ist, sein Leben der Wissenschaft zu widmen, um den engen, den untrennbaren Zusammenhang zwischen beiden wahrzunehmen. Über dieses subjektive Verhältnis hinaus werden wir aber auch objektiv überall gewahr, wie tief die Wissenschaft in unser Leben eingreift. Denken wir beispielsweise daran, wie die Elektrotechnik, von der Straßenbahn bis zum Rundfunk unser ganzes Leben umgestaltet hat, und besinnen uns darauf, daß dieser jüngste und größte Schritt in der Beherrschung unserer Umwelt ganz und gar auf wissenschaftlichen Forschungsergebnissen beruht, so gewinnen wir eine Ahnung von dem ungeheuren Umfang, in welchem unser Dasein durch die Wissenschaft bedingt ist.

Es ist deshalb für den denkenden Menschen ein dringendes Bedürfnis, sich grundsätzlich über das Verhältnis beider Klarheit zu verschaffen. Hierfür gibt es keinen anderen Weg als den von der Logik von jeher gewiesenen: die Begriffe Leben und Wissenschaft auf ihre Bestandteile und auf die Gesetze ihrer Verbindung zu untersuchen oder ihre sachliche Definition ausfindig zu machen. Solche Arbeit pflegt als nüchtern und langweilig verrufen zu sein. Ich darf versprechen, daß die Ergebnisse neuartig und folgenreich genug ausfallen werden, um jenen Verdacht hinfällig zu machen. Dazu nehme ich voraus, was sich bei der Untersuchung des Begriffes *Leben* herausstellen wird: *Unbelebtes ist nur durch seine Vergangenheit bestimmt, Lebendes dagegen auch durch seine Zukunft.* „Hier stock' ich schon! Wer hilft mir weiter fort?" wird der Leser mit Faust ausrufen. Wir sind seit dem Aufstieg der Mechanik und mathematischen Physik in den letzten zwei Jahrhunderten daran gewöhnt, die philosophische Bilanz der exakten

Wissenschaften in der Laplaceschen Weltformel[5]) zu erblicken. Dieser zufolge verknotet sich ein unabsehbar großes Bündel von Kausalketten, deren Ausläufer in die fernste Vergangenheit zurückreichen, in jedem Ding oder Vorgang, den wir eben erleben. Aber im Sinne dieser Formel ist jede Gegenwart nur von ihrer Vergangenheit abhängig. Die Kausalketten reichen also jeweils nur aus der Vergangenheit bis zur Gegenwart. Sie bestimmen die Zukunft eindeutig; diese wirkt aber niemals auf die Gegenwart zurück.

Diese Auffassung ist zutreffend für die unbelebte Welt, unter Vorbehalt der Ergebnisse, welche die eben im Werk befindliche Kritik des Kausalbegriffes seitens der mathematischen Physik zutage fördern wird. Sie ist aber unvereinbar mit den Tatsachen des Lebens. Deshalb hat vor einem Menschenalter der Physiologe du Bois-Reymond[6]) in einer noch heute nachwirkenden Rede die hier entstehenden Probleme unter die ewigen Welträtsel versetzt.

Wir lassen zunächst die Tatsachen sprechen. Als wesentliche Kennzeichen der Lebewesen hat man seit langem die Ernährung und die Fortpflanzung erkannt. Schon Schiller hat beide als Grundmittel des Lebens gekennzeichnet, für dessen Erhaltung die „Natur" Sorge trägt:

Einstweilen, bis den Bau der Welt
Philosophie zusammenhält,
Erhält sie das Getriebe
Durch Hunger und durch Liebe.

Die Ernährung, d. h. die Zufuhr geeigneter chemischer Verbindungen, ist erforderlich, damit durch eine verwickelte Reihe von Vorgängen die durch den Lebensprozeß verbrauchten Energien dem Körper ersetzt und auch vermehrt werden. Die Aufnahme der Nahrung ist also nur der Anfang einer Anzahl chemischer Umsetzungen, welche keineswegs sofort, sondern erst nach Stunden und Tagen den angestrebten Erfolg haben. Sie ist also ganz und gar auf *künftige* Geschehnisse eingestellt. Dabei ist noch gar nicht Bezug genommen auf die Handlungen, welche oft der Nahrungsaufnahme vorausgehen müssen, wie Erjagen der Beute, Aufsuchung von Futterplätzen usw., durch welche der Abstand zwischen gegenwärtigem Verhalten und künftigem Erfolg noch vergrößert wird. Die Ernährung ist also ganz und gar Zukunftsarbeit und hier wird also die Gegenwart weitgehend von der Zukunft bestimmt. Nicht ausschließlich, denn die Beschaffenheit des Lebewesens und seine Fähigkeit, die Zukunft zu gestalten, ist von Eltern und Umwelt, also von Vergangenheitsfaktoren in weitem Umfange abhängig.

Ganz ähnliche Betrachtungen lassen sich über die Fortpflanzung anstellen. Da zwischen der Anlage des Keimes und dem fertigen Wesen fast immer eine längere Zeit liegt, so ist hier die Bestimmung der Gegenwart durch die Zukunft noch viel auffälliger. Es ist bekannt, mit welchen raffinierten Mitteln nicht nur Tiere sondern auch Pflanzen dafür Sorge tragen, dem künftigen Nachwuchs die günstigsten Lebensbedingungen zu sichern oder dort, wo das nicht tunlich ist, durch Vervielfältigung der Keime die Wahrscheinlichkeit für das Überleben einer genügenden Anzahl Nachkommen zu erzielen. Diese Erscheinungen haben von jeher den stärksten Eindruck der Zweckmäßigkeit gemacht; Zwecke gibt es aber nur für die Zukunft, nicht für die Vergangenheit.

Am stärksten findet sich der Zukunftseinfluß beim Menschen entwickelt. Er nimmt mit steigender Kultur bedeutend zu und darf ganz wohl als deren Maßstab gelten. Während der Wilde in den Tag hinein lebt, da er nicht viel weiter schauen kann, ist für den heutigen Kulturmenschen von seiner Geburt ab seine Zukunft weitgehend vorausbestimmt. Kinderjahre, Schule, Berufsausbildung, Berufsarbeit, Alter und Tod sind der Rahmen, innerhalb dessen sich das Leben jedes durchschnittlichen Menschen abspielt. Und wie die großen Linien, so sind auch die Einzelheiten des Tagesverlaufs jedem ziemlich genau vorher bekannt, und nur ein kleiner, wenn auch oft wichtiger Teil ist nicht vorausgesehen. Dies geht so weit, daß zum Beispiel ein großer Betrag der Ferienfreude dadurch bewirkt wird, daß Neues, nicht Vorausgesehenes in Aussicht steht und erlebt werden kann.

Bei den Pflanzen und niedersten Tieren nennt man das Eintreten zweckmäßiger Vorgänge auf Einwirkungen von außen Gegenwirkungen oder Reaktionen, bei den Tieren Instinkthandlungen und bei den Menschen bewußte Zweckhandlungen. Hierbei schließt die niedere Stufe die höhere nicht aus; so sind beim Menschen neben den bewußten Handlungen Instinkte und Reaktionen für seine Lebenserhaltung und -gestaltung in weitem Umfange wirksam.

Die Untersuchung ist bisher absichtlich auf die reine Beschreibung der vorhandenen Verhältnisse beschränkt worden. Was deren Erklärung, d. h. Beziehung untereinander und zu allgemeineren Verhältnissen anlangt, so müssen wir zwei Stufen unterscheiden. Sie werden durch die Begriffe *Zweck* und *Ursache* gekennzeichnet, oder durch die Fremdworte finale und kausale Erklärung. Da über deren Natur mancherlei irrtümliche Ansichten bestehen, so muß etwas näher eingegangen werden. Häufig hält man die finale Erklärung für die höhere oder geistigere und die kausale für geringwertig und „materialistisch“. In Wirklichkeit ist das Wertverhältnis umgekehrt. Finale Deutungen sind primitiv und gehen den kausalen zeitlich wie begrifflich voraus. Sie kommen nur bei Lebewesen in Frage, während kausale Probleme die gesamte Welt unseres äußeren wie inneren Erlebens erfüllen.

Der Grundgedanke, welcher uns die zahllosen Zweckmäßigkeiten der lebenden Welt verständlich macht, ist bereits im Altertum bei Demokrit[7]) und seinen Nachfolgern aufgetaucht. Bedeutung für die allgemeine Weltanschauung hat er aber erst im zweiten Drittel des 19. Jahrhunderts durch Charles Darwin[8]) gewonnen. In allgemeinster Fassung besagt er, daß nur solche Lebewesen als Individuen oder Arten vorhanden sein können, welche alle Bedingungen der Dauerhaftigkeit erfüllen.

In dieser Gestalt sieht der Satz wie eine ungeheure Trivialität, eine „Binsenwahrheit“ aus. Die gebräuchlichen Formen vom Kampf ums Dasein und vom Überleben des Geeignetsten sind aber schon Verundeutlichungen, welche Erklärungen nötig machen. Um die Fruchtbarkeit jener allgemeinen Fassung zu zeigen, soll eine Anwendung nachgewiesen werden, die unmittelbar mit unserem Problem zusammenhängt. Nämlich: *jede Eigenschaft, welche für die Erhaltung des Lebens notwendig ist, findet sich bei jedem Lebewesen vor.* Denn wäre sie nicht vorhanden, so könnte das Wesen nicht leben. Wir brauchen also nur solche Notwendigkeiten zu ermitteln und können dann sicher voraussagen, daß die erforderlichen Organe oder Einrichtungen sich bei jedem Organismus vorfinden werden, den wir untersuchen. So sind zum Beispiel Einrichtungen zur Nahrungsaufnahme und zur Fortpflanzung ohne jede Ausnahme vorhanden. Das ist wohlbekannt. Aber auf gleicher Grundlage können wir schließen, daß jedes Lebewesen die Fähigkeit der *Überheilung*[9]) besitzt, und dies ist ein Gesetz, das erst vor einigen Jahren entdeckt wurde.

Jedes Wesen ist unaufhörlichen Verminderungen seiner Vorräte an Energie und Stoff ausgesetzt, da alle Lebensäußerungen auf solchen Ausgaben beruhen. Wäre es nicht im Stande, diese Verluste zu ersetzen, so müßte es bald zugrunde gehen. Ein genauer Ersatz ist bei dem unaufhörlichen Wechsel seines Zustandes und der Umwelt unmöglich. Ein vollkommener Ersatz würde auch zum Untergang führen, nur langsamer. Somit ist nur der dritte Fall möglich, daß jeder Verlust mehr als ersetzt wird. Ein durch Arbeit erschöpfter Muskel gewinnt bei der Erholung nicht nur seinen früheren Bestand wieder, sondern wird stärker. Je mehr wir unser Gehirn durch Denktätigkeit beanspruchen, um so besser lernen wir denken, falls die nötige Erholungs- d. h. Erneuerungszeit dazwischen geschaltet wird. Alle Übung, alles Lernen beruht auf Überheilung, und es ist an anderer Stelle[6]) gezeigt worden, welche unabsehbaren Anwendungsmöglichkeiten darüber hinaus dieser Begriff aufweist.

Soviel über die teleologische oder zweckliche Denk- und Schließweise in der Biologie. Sie hat nichts mit Hypothesen zu tun; weder ein Schöpfer oder Weltgeist, noch eine Natur, Entelechie[10]) oder wie man sonst in primitiver Denkweise ein menschenähnlich planendes Wesen nennen mag, ist nötig zur Anwendung dieser teleologischen Schlußweise. Auch ist sie nicht an Einzelfaktoren, wie Zuchtwahl, funktionelle Anpassung usw. gebunden, sondern beruht auf der einfachen Wahrheit, daß nur das von Dauer ist, was die Bedingungen dazu erfüllt.

Auf einer ganz anderen Ebene steht die kausale Schließweise, die sehr viel tiefer greift. Hier kommen die allgemeineren Wissenschaften von der Logik bis zur Physik und Chemie zur Anwendung und vertiefen unsere Einsicht in die Art und Weise, wie im

Lebewesen die teleologisch geforderten und sonst noch beobachteten Vorgänge zustande kommen und wie sie ihr gegenseitiges zeitlich-räumliches Zusammenwirken regeln. Hier liegen die einzelnen Aufgaben der physiologischen Wissenschaft.

Nachdem dergestalt der Inhalt des Begriffes Leben aufgewiesen worden ist, haben wir am Begriff Wissenschaft das Gleiche zu leisten. Was ist Wissenschaft?

Von den mancherlei Antworten auf diese Frage treten zwei hervor. Eine von ihnen ist allgemein bekannt, die andere nur wenig. Wissenschaft ist die *Erforschung der Wahrheit*, lautet die eine, und Wissenschaft ist *methodisches Prophezeien* die andere. Beide sind wohl vereinbar.

Die erste Antwort ruft sofort die neue Frage hervor; was ist Wahrheit? Es galt einst als geistreich, sich achselzuckend von dieser Pilatusfrage abzuwenden und sie für unbeantwortbar zu erklären. Der heutige Mensch hat vor keiner Frage Angst und sucht daher auch auf diese Antwort. Sie lautet: wahr ist, was uns zutreffende Voraussagungen ermöglicht. Gewöhnlich wird die Wahrheit im Vergangenen gesucht: Nachrichten über früher geschehene Ereignisse werden als wahr oder falsch gekennzeichnet. Aber man muß sich klar darüber werden, daß sobald ein Ereignis der Vergangenheit angehört, jeder Bericht darüber unvollkommen und unsicher ist, und dies um so mehr, je weiter es zurückliegt. Und da die Vergangenheit immer weiter von der Gegenwart abrückt, so werden die Nachrichten notwendig immer unsicherer, bis sie sich schließlich im Nebel der Sage verlieren. Hier ist also die Wahrheit nicht zu finden, weil sie unter den Händen zerfließt. Auch kommt es schließlich nicht so viel darauf an. Denn an dem Gewesenen können wir nicht das Geringste ändern: ewig still steht die Vergangenheit. Das einzige, freilich sehr große Interesse, das wir an ihr haben, ist auf die Anteile gerichtet, die noch in die Gegenwart und Zukunft hineinragen und sie beeinflussen.

Umgekehrt steht es mit der Zukunft. Auf diese können wir Einfluß nehmen, und wir haben das stärkste Interesse daran, dies zu tun, um sie unseren Wünschen gemäß zu gestalten. Und hier liegen auch die Möglichkeiten, Wahrheit zu finden. Wenn wir behaupten: dies Ereignis hat dann und dann stattgefunden, so haben wir nicht die Möglichkeit, die Wahrheit dieser Aussage zu beweisen; wir können sie nur mehr oder weniger aus Zeugnissen wahrscheinlich machen, die ihrerseits Zweifeln unterliegen. Behaupten wir aber: dies Ereignis wird dann und dann stattfinden, so können wir die Wahrheit mit ja und nein eindeutig feststellen. Somit ist wirkliche Wahrheit nur für die Zukunft zu finden. Wenden wir dies Ergebnis auf das Problem der Wissenschaft an, so finden wir, daß wahre Wissenschaft durch die Möglichkeit gekennzeichnet ist, zutreffende Voraussagungen zu machen. Damit ist die zweite Definition der Wissenschaft: rationelles Prophezeien auf die erste: Wahrheit zurückgeführt. Beide sagen dasselbe von verschiedenen Gesichtspunkten aus.

Gleichzeitig wird der aufmerksame Leser längst bemerkt haben, daß in diesem zweiten Teile, der von der Wissenschaft handelt, ganz dieselben Dinge zur Sprache kommen, wie im ersten Teile vom Leben. Das Leben beruht auf der Beziehung der Vergangenheit und Gegenwart auf die Zukunft, um diese im Sinne des Lebenszweckes zu gestalten, und Wissenschaft gewährt die Möglichkeit, in die Zukunft zu schauen und die Möglichkeiten wie die Mittel ihrer Gestaltung zu überblicken. Wissenschaft und Leben hängen so eng zusammen, daß sie überhaupt nicht getrennt werden können, denn die Wissenschaft ist das stärkste Lebensmittel, das daher auch nur bei den höchsten Lebewesen, den Kulturmenschen zur Entwicklung kommt. Bedenken wir, daß in der großen Fuge der Weltliteratur und Weltkultur wir Deutsche zurzeit als das wissenschaftlichste Volk[11]) der Erde die führende Stimme haben, die auch unter dem schweren wirtschaftlichen und politischen Druck, der eben auf uns lastet,[12]) nicht verstummt ist, so erkennen wir neben der ungeheuren Verantwortlichkeit dieses Zustandes auch die gewaltig erhebende Wirkung des Gedankens, daß uns diese höchste Aufgabe der Menschheit vorzugsweise anvertraut ist. Haben wir uns dergestalt von der Tatsächlichkeit der prophetischen Natur der Wissenschaft und des Lebens überzeugt, so empfinden wir auf das dringendste das Bedürfnis, zu begreifen, wie eine Beeinflussung der Gegenwart durch die Zukunft, also durch etwas, was noch gar nicht vorhanden ist denkbar und möglich sein soll. Wir sind so stark durch den mechanischen Gedanken der Kausalität aus dem Vorangegangenen allein beherrscht, daß uns die Erkenntnis, wie sehr unser Leben auf Voraussicht der Zukunft beruht, noch überraschend und ungewohnt erscheint. Wir müssen also die Frage stellen und beantworten: wodurch kann man prophezeien? Die Antwort ist bekannt, welche frühere Jahrtausende gaben: durch die Kraft höherer Mächte. Heute wissen wir eine sachgemäßere Antwort: *durch die Gesetzlichkeit des Geschehens.*

Wenn jedes Geschehen in allen Teilen individuell wäre, so daß keines dem anderen irgendwie gliche, wäre ein Voraussehen vollkommen unmöglich. Die immer wieder zu beobachtende Tatsache, daß übereinstimmende Zustände auch übereinstimmende Verläufe bewirken, was wir in der Gestalt von Natur- und Weltgesetzen aussprechen können, ist die Quelle, aus welcher alles Voraussehen erfließt. Daher ist die Entdeckung und Formulierung solcher Gesetze der wesentliche Inhalt aller wahren Wissenschaft, denn diese Gesetze sind das einzige Mittel zur Gewinnung zutreffender Voraussagungen. Die Kenntnis und Anwendung der Gesetze ist aber nicht eine notwendige Bedingung zweckmäßigen Verhaltens, sondern nur die günstigste. Denn Zweckmäßigkeit ist ja schon überall bei den niedrigsten Lebewesen vorhanden, die ohne diese längst zugrunde gegangen wären. Hier treten die früher erwähnten Faktoren der Anpassung und Auslese ein. Über die Einzelheiten dabei gehen heute die Meinungen noch weit auseinander, doch bleibt natürlich die allgemeine Erwägung bestehen, daß ein Wesen sich um so sicherer erhalten kann, je dauerhafter es organisiert ist. Der Aufstieg in der Organisation der Lebewesen ist mit einer zunehmenden Verwickelung und daher auch einer zunehmenden Verletzbarkeit verbunden. Dieser Nachteil wird aber mehr als ausgeglichen durch die zunehmende Voraussicht, die über den Instinkt der höheren Tiere bis zur Wissenschaft beim Menschen ansteigt.

Die hierbei gewonnene Einsicht in das Wesen der Wissenschaft ist von sehr großer sozialer und kultureller Bedeutung. Denn die edle Pflanze der Wissenschaft ist von jeher von dem Unkraut der Scheinwissenschaft begleitet gewesen, die wir nach ihrem großartigsten Sonderfall im Mittelalter Scholastik nennen können. Auch unser heutiger Wissenschaftsbetrieb ist mit einem erschreckend großen Anteil Scholastik behaftet, und dieser Anteil ist es, welcher den schweren und folgenreichen Irrtum veranlaßt hat, als hätten Wissenschaft und Leben nichts mit einander zu tun oder ständen sich sogar feindlich gegenüber. Daher kann man die Vertreter der heutigen Scholastik deutlich an ihrer Lebensfremdheit erkennen, die der wahren Wissenschaft an ihrer Verbundenheit mit dem Leben.

III. Das Wesen des Lebens

Einleitung. Zwischen Lebendem und Leblosem zu unterscheiden, lernt jedes Kind schon in frühem Alter. Zwar gibt es Zwischengebiete, bei denen Unsicherheit besteht, aber solche gibt es überall, und mit wachsendem Urteil werden sie immer kleiner. Was sich im Kinde vollzieht, hat sich vorher in der Menschheit vollzogen, von deren Entwicklungsweg das einzelne Kind bekannterweise einen kurzen, unvollständigen Auszug durchmacht, der keineswegs bis zu den letzten Stufen dieses Aufstieges zu führen pflegt, sondern früher, zumeist weit früher abbricht. Der fehlende Teil ist der der zeitgenössischen Wissenschaft, deren Erkenntnisse in um so weniger Köpfen beheimatet sind, je höher sie führen. Da die Wissenschaft im heutigen Sinne überaus jung ist – erst wenige Jahrhunderte alt –, so können die ersten Versuche, Lebendes von Leblosem zu unterscheiden, noch nicht wissenschaftliche Gestalt haben; sie gehören dem Glauben an und nicht dem Wissen. Auch sind sie nicht bewußt und kritisch geprüft, sondern sie stellen das erste Erzeugnis der Wechselwirkung zwischen Außen- und Innenwelt dar. Darin ist notwendig der subjektive Anteil bei weitem der größere; läßt sich doch der ganze Gang der geistigen Entwicklung beschreiben als eine langsame Zurückdrängung des inneren oder subjektiven Anteils zugunsten des objektiven oder äußeren. Es ist nicht wahrscheinlich, daß dieser Vorgang jemals wird abgeschlossen werden können in dem Sinne, daß der innere Anteil ganz verschwindet. Aber je genauer man auch diesen kennenlernt, um so besser wird man seinen Einfluß veranschlagen können. So können wir uns die frühesten Regungen des menschlichen Geistes so vorstellen, daß zunächst zwischen innen und außen überhaupt noch nicht unterschieden wird. Daher nimmt der erste Versuch zur Kenntnis der Welt die Gestalt an, daß alles Erfahrene als gleichartig aufgefaßt wird, und da das Innenleben unmittelbar erfahren wird, so erscheint die ganze Welt, wenn ein später entstandener Begriff hier vorausgenommen werden darf, ebenso belebt, wie das eigene Selbst, zunächst der eigene Körper. Es ist also der Unterschied zwischen

Belebtem und Unbelebtem in der Außenwelt noch gar nicht vorhanden, da zunächst der Unterschied zwischen Innen- und Außenwelt erarbeitet werden muß. Dies geschieht durch die Erfahrung, daß zwar der eigene Körper den Regungen der Triebe (später des Willens) gehorcht – wenigstens in einem gewissen Umfange –, daß aber das, was außerhalb des Körpers vorhanden ist, diese wünschenswerte Eigenschaft nicht aufweist. Eher das Gegenteil: Widerstand bis Schädigung wird von außen erfahren.

Dies gilt insbesondere von den anderen *Menschen*. Denn diese sind das erste, was der werdende Mensch von der Außenwelt begreift, weil es ihm selbst am ähnlichsten, also seinem Verständnis am zugänglichsten ist. Sie liefern ihm auch das Schema, nach dem er alle anderen Dinge zu begreifen versucht. Sie sind ihm mehr oder weniger Menschen, und für ihn gibt es daher in der ganzen Außenwelt nichts als andere Lebewesen. Er kennt mit anderen Worten noch nicht den Unterschied zwischen lebendig und leblos.

Das Problem des Lebens steht mir seit den Anfängen meiner wissenschaftlichen Laufbahn am Horizont des Denkens. Denn der Beginn meiner chemischen Studien geschah unter dem geistreichgütigen Einflusse Carl Schmidts[13]), eines der erfolgreichsten Pioniere im Gebiete der chemischen Physiologie. Und wenn auch mein Weg mich zunächst in die abstraktesten Gebiete der Lehre von der Affinität führte, so lenkte er doch nach einigen Jahrzehnten über die Katalyse wieder zu biologischen Fragestellungen zurück. Inzwischen war das Interesse daran lebendig gehalten worden durch die Welträtsel-Debatten, welche der Physiologe du Bois-Reymond[14]) gegen Ende des vorigen Jahrhunderts hervorgerufen hatte. Er war überzeugter Mechanist und hielt den Gedanken Laplaces, daß man alles Geschehen der Welt mittels einer genügend ausgestalteten mechanischen Formel müsse darstellen können, für die Summe aller Weisheit. Hierbei stieß er auf den schon von Leibniz erhobenen Einwand, daß von der genauesten Kenntnis der Mechanik der Gehirnatome keine Brücke zu den Gedanken hinüberführt, welche das Gehirn dabei erzeugt. Er konnte ihn nicht widerlegen; folglich erklärte er das Problem überhaupt für unlösbar und versetzte es unter die ewigen Welträtsel, für die er in unwillkürlicher Mystik später noch sechs Genossen fand, so daß die geheimnisvolle Zahl Sieben herauskam. Darunter befand sich die Frage nach der Entstehung des Lebens.

In dem Gedanken der unlösbaren Welträtsel hatte du Bois-Reymond einen erlauchten Vorgänger, nämlich Goethe. Dieser hatte bekanntlich versucht, die Entstehung der Farben aus weißem Licht auf die Eigenschaften trüber Mittel zurückzuführen, welche auf einem dunklen Grunde blau, auf einem hellen gelb bis rot aussehen. Diese Erscheinung nannte er ein Urphänomen, das einer Erklärung weder fähig noch bedürftig sei, so daß die Wissenschaft hier für immer Halt machen müsse. Es war ihm nicht ganz wohl dabei, denn er schrieb dazu: „Wenn ich mich beim Urphänomen zuletzt beruhige, so ist es doch nur aus Resignation. Aber es bleibt ein großer Unterschied, ob ich mich an den Grenzen der Menschheit resigniere, oder innerhalb der Beschränktheit meines bornierten Individuums.“ Wozu Schopenhauer trotz seiner angriffslustig zur Schau getragenen Goetheverehrung sich nicht enthalten kann zu bemerken: „Ich hoffe, meine ... Theorie (der Farbe) wird dartun, daß es nicht die Grenzen der Menschheit gewesen sind.“ Tatsächlich hat später das „Urphänomen“ zwar nicht durch Schopenhauer, wohl aber durch die Wellenlehre des Lichtes eine befriedigende Erklärung gefunden.

So war ich auch bezüglich der Welträtsel überzeugt, daß es sich nicht um eine Schranke der Menschheit, sondern um den anderen Fall handelte und hielt fleißig Umschau nach klärenden neuen Gedanken. Die Energetik[15]) machte deutlich, daß es sich bei Lebewesen nicht um ruhende, sondern um fließende Gleichgewichte[16]) handelt, bei denen das Gebilde unter Beibehaltung der Gestalt von einem dauernden Strom von Stoffen oder vielmehr Energien durchflossen wird. Aber die Flamme, der Wasserfall und viele andere unbelebte Gebilde haben die gleiche Eigenschaft; es liegt also nicht ein eigenes Kennzeichen des Lebens vor.

Einen großen Fortschritt brachte der grundlegende Gedanke Ewald Herings[17]), daß das *Gedächtnis*[18]) (im weitesten Sinne) eine allgemeine und kennzeichnende Eigenschaft aller Lebewesen ist. Nämlich: ein jedes Erlebnis hinterläßt das Lebewesen in einem derart veränderten Zustande, daß die Wiederholung des Erlebnisses leichter, schneller, sicherer geschieht. Lernen, Übung, Vererbung und viele andere Eigenbeschaffenheiten der Lebewesen lassen sich auf diesen allgemeinen Begriff zurückführen.

Aber ganz eindeutig kennzeichnet auch er das Leben nicht, denn auch in der anorganischen Welt sind ähnliche Erscheinungen bekannt, wenn sie auch nicht sehr häufig sind. Eine Maschine geht nach einigem Gebrauch glatter, nachdem sich die beweglichen Teile aufeinander eingeschliffen haben, ein Bleisammler verbessert seine Kapazität nach einigen Auf- und Entladungen usw. Hering hatte somit noch nicht das letzte Wort gesagt, wenn er auch einen bedeutenden Schritt vorwärts getan hatte. Um weiter zu gelangen, mußte man offenbar in gleicher Richtung forschen. Wie kommt jene Änderung in den Lebewesen zustande, auf welcher das Gedächtnis beruht?

Auch hier waren es einzelne Gedankenbruchstücke, die z. T. weit zurückliegen, aus denen zuletzt eine Antwort kristallisierte. Mir war von jeher die Fähigkeit kräftiger Lebewesen aufgefallen, eingetretene Schädigungen nicht nur zu überwinden, sondern häufig mit einer Steigerung des Zustandes oder der Leistungsfähigkeit im gleichen Gebiet zu beantworten. Wie oft kann man mit regem Herzen lesen, wie die großen Förderer der Menschheit durch die Widerstände, die sich ihnen entgegenstellten, nicht dauernd behindert, sondern nur zu noch höheren Leistungen angespornt wurden. Und auf einem ganz anderen Gebiete: wenn man einem Pferde überwindbare Mengen Diphteriegift einspritzt, so entstehen in seinem Blute nicht nur die nötigen Mengen Gegengift, um den Angriff abzuwehren, sondern viel größere Mengen, vielleicht das Tausendfache, die man abzapfen und als Heilmittel in solchen Fällen verwerten kann, wo der befallene Organismus aus eigenen Kräften es nicht zu schaffen vermag. Dies war Behrings[19]) große Entdeckung.

Entwickelt man diesen Gedanken weiter, so kommt man zu dem allgemeinen Begriff der „Überheilung“[9]) als einer Grundeigenschaft aller Lebewesen. Kein Wesen ist gegen Störungen[20]) und Beeinträchtigungen seines Daseins gesichert; besteht doch das Leben selbst in einem unaufhörlichen Verbrauch der Körperbestandteile und -energien. Es müssen also Einrichtungen vorhanden sein, welche diese Schäden ausbessern. Beträgt der Ersatz weniger, als der Verbrauch, so ist das Wesen dem Untergang verfallen. Den Ersatz genau dem Verlust gleich zu machen, würde Regelungen von größter Empfindlichkeit und daher Verwicklung erfordern, die praktisch unmöglich wären. Somit bleibt nur übrig, daß der Verlust überkompensiert wird, und das ist es, was wir als ganz allgemeine Eigenschaft der Lebewesen überall erkennen und nachweisen können. Wir dürfen sogar mit Sicherheit darauf zählen, daß solche Einrichtungen überall vorhanden sind, wo Beanspruchungen erfolgen, denn wären sie nicht vorhanden, so müßte das Wesen längst zugrunde gegangen sein.

Diese allgemeine Eigenschaft soll Überheilung genannt werden.

Man erkennt alsbald ihren unmittelbaren Zusammenhang mit Herings Gesetz des Gedächtnisses. Jedes Erlebnis vollzieht sich auf Kosten der Körperenergien und hinterläßt das Wesen daher geschädigt. Wird der Verlust zufolge der Überheilung nicht nur ersetzt, sondern überkompensiert, so kann das betreffende Organ den Vorgang nicht nur wie früher wiederholen, sondern in verstärktem, beschleunigtem, verbessertem Maße. Dies ist aber die Definition, welche Hering für seinen allgemeinen Begriff des Gedächtnisses gefunden hatte; dieses erscheint daher als ein Sonderfall in der Betätigung der Überheilung, und der Begriff der Überheilung ist daher allgemeiner als der des Gedächtnisses. Gleichzeitig kennzeichnet er das Leben noch schärfer als dieses, denn in der anorganischen Welt gibt es zwar zahllose Beispiele für die Abnutzung und auch die Ermüdung, aber soviel sich zurzeit absehen läßt, keine für die Überheilung.

Die Frage, wie sie zustande kommt, braucht uns zunächst nicht zu beunruhigen. Sie ist da, und mehr brauchen wir nicht für den vorliegenden Zweck, die Kennzeichnung des Lebens.

Nachdem der Begriff der Überheilung als allgemeinste Eigenschaft der Lebewesen im Jahre 1927 aufgestellt und begründet war, entstand das Bedürfnis, gleichsam einen Schritt zurückzutreten und die Frage zu stellen, ob sich nicht ein noch allgemeinerer Gedanke finden ließe, der gleichsam auf den ersten Blick und in begrifflich einfachster Weise Lebendes und Totes, Organisches und Anorganisches voneinander zu scheiden ermöglicht. Auch diese Aufgabe konnte gelöst werden.

Wir erinnern uns der Laplaceschen Weltgleichung. Sie ist ein Ausdruck für das allgemeine Gesetz der Kausalität, daß nämlich der gegenwärtige Zustand eines jeden Dinges vollständig durch Faktoren bestimmt wird, die aus der Vergangenheit bis in die Gegenwart reichen. Daraus läßt sich, wenn alle Faktoren bekannt sind, die Zukunft berechnen. Niemals aber hat die Zukunft einen Einfluß auf das gegenwärtige Sein und Geschehen. Das ist eine genaue Beschreibung der unbelebten Welt, aber keine der belebten. Hier ist vielmehr die Gegenwart in der mannigfaltigsten maßgebenden Weise von der Zukunft bestimmt. Dem Stein, dem Fluß, dem Erdball ist es einerlei, was im nächsten Augenblicke mit ihm geschieht, er bewegt sich um kein Haar anders, ob ihm Ruhe oder Untergang bevorsteht. Ein Lebewesen dagegen beschäftigt sich unaufhörlich damit, seine Zukunft im Sinne der Erhaltung und Förderung zu gestalten. Ernährung und Fortpflanzung, die Grundlagen des organischen Daseins, bestehen aus zahllosen Handlungen, welche ausschließlich auf künftige Geschehnisse gerichtet sind; auch die einfachsten Betätigungen, mit welchen zum Beispiel das einzellige Lebewesen auf die Berührung mit schädlichen oder nützlichen, insbesondere nahrhaften Dingen antwortet, haben ihre Begründung in künftigen Geschehnissen: Vermeidung von Benachteiligung, Gewinnung von Förderung.

Auch hier können wir die Frage nach dem Wie vorläufig zurückstellen, denn es genügt die Erkenntnis, daß die Erhaltung des Einzelwesens und die der Art ohne solche Vorausnahme der Zukunft unmöglich wäre. Von der primitivsten Form, wie sie sich in der Amöbe als „Antwort“ (Reaktion) äußert, über die zuweilen schon äußerst verwickelten Instinkthandlungen, namentlich bei der Sicherung der Nachkommenschaft bis zu den bewußten wissenschaftlichen Leistungen vorgeschrittenster Menschen besteht eine stetige Reihe solcher Vorausnahmen künftiger Vorgänge, die immer weiter reichen und eine immer stärkere Beeinflussung künftiger Geschehnisse ermöglichen. Darum ist der Mensch der Beherrscher der Erde geworden, weil er weiter und sicherer in die Zukunft schauen und sie gestalten kann, als irgend ein anderes Lebewesen neben ihm. Und innerhalb der Menschenwelt gilt das gleiche Gesetz.

Wie es in der Entwicklung eines neuen, weitreichenden Gedankens geht, ist zunächst das Vorhandensein der maßgebenden Gesetzlichkeit aller Lebewesen, ihr Bestimmtwerden durch die Vorausnahme künftiger Ereignisse festgestellt und ausgesprochen worden. Auf die naheliegende und dringende Frage, wie so etwas überhaupt möglich ist, muß aber alsbald eingegangen werden, schon um den Anschein der Mystik zu vermeiden, die hier ganz und gar fernliegt. Daß ein Ding durch Kausalketten bestimmt wird, welche aus der Vergangenheit bis zur Gegenwart erkennbar sind, ist uns ganz geläufig. Wie wir es uns aber vorstellen sollen, daß aus der noch gar nicht vorhandenen Zukunft Kausalketten in die Gegenwart hereinhängen können, erscheint dem an mechanischen, physikalischen, energetischen Denken geschulten Verstande unbegreiflich.

Die Lösung des Rätsels liegt in der allgemeinen Tatsache der Gesetzlichkeit alles Geschehens. Wenn wir bereit sind, zuzugeben, ja zu fordern, daß aus gleichen Vorbedingungen gleiche Folgen entstehen (oder da es vollkommen Gleiches nicht gibt, aus ähnlichen Bedingungen ähnliche Folgen), so begreifen wir zunächst die Möglichkeit des Voraussehens und -sagens. Prophezeien kann man nur im naturgesetzlich bekannten Gebiet, hier aber um so sicherer, je genauer die zuständigen Gesetze bekannt sind. Ein solcher Prophet ist vor allem der Ingenieur. Seinen Prophezeiungen, welche die Gestalt von Berechnungen und Zeichnungen haben, vertraut man viele Millionen an, und man findet sich nicht getäuscht, wenn man den rechten Mann gewählt hat. Je höher wir aber in der Pyramide der Wissenschaft aufsteigen, um so unsicherer werden die Blicke in die Zukunft. Dem Arzt mißlingt viel mehr als dem Ingenieur, weil seine Wissenschaft, die Physiologie, viel weniger entwickelt ist. Und in der angewandten Soziologie[21]), die Politik genannt zu werden pflegt, ist das Mißlingen leider fast die Regel, weil hier wissenschaftliche Gesetze kaum bekannt sind und fast immer mißachtet werden, denn hier sind nicht Kenntnisse maßgebend, sondern „Überzeugungen“, d. h. ungeprüfte Glaubenssätze.

Hieraus wird zwar verständlich, daß und wie der bewußte menschliche Intellekt zum Prophezeien kommt, nicht aber, wie dies den unbewußten Pflanzen und niederen Tieren möglich sein soll. Auch hier gibt es eine Antwort, wenn auch der künftigen Forschung noch fast alles zu tun überlassen werden muß.

Ein Lebewesen, welches nicht zweckmäßig, d. h. im Sinne seiner Erhaltung auf Eingriffe antwortet, muß alsbald zugrunde gehen und kann daher in unserer Welt nicht angetroffen werden. Es können nur solche Wesen Dauer haben, welche sich *zweckmäßig* verhalten, d. h. sich auf künftige Vorgänge richtig einstellen. Ob sie zu solchem Verhalten durch Daseinskampf, Zuchtwahl, aktive Anpassung usw. gelangen, ist eine spätere Frage; vermutlich gibt es eine ganze Anzahl Wege zu dem gleichen Ziel. Daß das Ziel erreichbar ist, beruht aber durchaus auf der allgemeinen Gesetzlichkeit alles Geschehens, derzufolge es immer wieder erreicht werden kann, wenn einmal der richtige Ausgangspunkt gefunden ist und in der Folge immer eingehalten wird. Bei den niedersten Lebewesen ist der Abstand zwischen beiden kurz und der Weg daher verhältnismäßig leicht zu finden; mit wachsender Lebenshöhe nehmen Abstand und Verwicklung zu. – Es muß hier bei diesen Andeutungen sein Bewenden haben. Hält man daran fest, daß die hier vorwiegend benutzte zweckbezügliche (teleologische) Betrachtungsweise die primitivere, die kausale dagegen die höhere ist, und daß zunächst die erste durchgeführt sein muß, ehe die zweite betätigt werden kann, so wird man die Hoffnung nicht abweisen, daß in der angedeuteten Richtung das Rätsel des Lebens stufenweise der Lösung entgegengeführt werden kann.

IV. Zur biologischen Grundlegung der Inneren Medizin

1. Die Überheilung

Kausale und finale Erklärung. Die ungeheure Verwicklung der physiko-chemischen Verhältnisse selbst bei den einfachsten Lebewesen setzt ihrer Analyse ganz besondere Schwierigkeiten entgegen. Deshalb ist von den allgemeinen Bedingungen des Lebens über die Tatsache hinaus, daß in den meisten Fällen die erforderliche Energie auf chemischem Wege durch Oxydation gedeckt wird, nicht eben viel bekannt. Eine gewisse Erleichterung wird der biologischen Forschung dadurch zuteil, daß neben der kausal-energetischen Betrachtungsweise noch eine andere einfachere möglich ist, welche zwar sehr viel weniger weit führt, aber doch ein bedeutendes Maß von Verständnis vermittelt. Es ist dies die *finale* oder teleologische. Wir können die biologischen Möglichkeiten durch die Betrachtung einschränken und bestimmter machen, daß *nur solche Vorgänge* an Lebewesen möglich sind, *welche das Leben des Individuums und der Art erhalten und fördern*, weil alle Wesen mit gegenteiligen Eigenschaften notwendig umkommen und daher verschwinden müssen. Es können also nur lebenstüchtige Wesen bestehen, und der Nachweis, daß eine gewisse Eigenschaft lebens*notwendig* ist, ist ein ausreichender Grund für den Schluß, daß sie bei den Lebewesen *vorhanden* sein muß. Welche chemischen oder physikalischen Bedingungen dies bewirken, wird durch solche Betrachtungen allerdings durchaus nicht klargelegt. Die Beantwortung dieser Frage führt von der finalen, unvollkommenen Betrachtung zur kausalen, vollkommeneren. Bei dieser wird, wie bekannt, immer nur eine Stufe nach der anderen zurückgelegt, und die Möglichkeit der Beantwortung der letzten Fragen muß in unabsehbare Zukunftsfernen verschoben werden: „nie geschlossen, oft geründet".

Die nachstehenden Betrachtungen beruhen nicht auf kausalen, sondern auf finalen Erwägungen. Sie gewähren aber eine solche Summe von neuen und fruchtbaren Ausblicken, daß an ihrem wissenschaftlichen Wert nicht zu zweifeln ist. Denn ihre große Allgemeinheit bedingt eine ungewöhnliche Mannigfaltigkeit der Anwendungen.

Begriff der Überheilung. Die Betrachtungen nehmen ihren Ausgang von der bekannten überaus fruchtbaren Gedankenbildung Ewald Herings[17]) über das *Gedächtnis* als Grundeigenschaft der lebenden Materie. Es ist bekannt, daß R. Semon[22]) diesen Grundgedanken in mehreren umfangreichen Werken unter dem Namen der „Mneme" nach vielen Seiten entwickelt und seine ungewöhnliche Ausgiebigkeit aufgewiesen hat.

Dabei ist die Tatsache des Gedächtnisses als „Urphänomen" behandelt worden. Zwar nicht ganz nach Goethes Definition als eine Sache, die der Erklärung weder fähig noch bedürftig ist, sondern im Sinne der gegenwärtigen Wissenschaft, daß eine solche Erklärung oder Zurückführung auf eine noch allgemeinere Tatsache zur Zeit noch nicht bekannt, wohl aber immer anzustreben ist.

Die Definition des Gedächtnisses in dem allgemeinen Sinne, der von Hering eingeführt wurde, ist folgende: die Lebewesen haben die Eigenschaft, daß sie nach einer Beanspruchung irgendwelcher Art nicht unverändert bleiben, sondern sich in solchem Sinne verändern, daß sie eine *Wiederholung des Vorganges leichter, schneller, stärker, vollkommener bewerkstelligen.*

Worauf beruht nun diese Änderung, die je nach der Art der Beanspruchung Erinnerung, Übung, Entwicklung, Vererbung usw. heißt? Man begnügt sich hier mit der groben Analogie einer Maschine, die sich durch oft wiederholte Betätigung „einschleift". Daß bei den Lebewesen nichts derartiges im genauen Sinne stattfindet, ist offenbar, da dafür alle Voraussetzungen fehlen. Da aber sonst nichts Ähnliches im Anorganischen bekannt ist, hat man keine andere „Erklärung" finden können und wiederholt nur immer wieder den nichtssagenden Vergleich.

Hier ist es, wo der neue Gedanke einsetzt. Gibt es eine allgemeinere biologische Tatsache, von der aus das Gedächtnis ein Sonderfall ist? Bei der großen Allgemeinheit, die schon diesem zukommt, müßte jene in noch viel weiterem Sinne ein biologisches Urphänomen sein. Als ein *solches Urphänomen* glaube ich nun die Erscheinung der *Überheilung* ansprechen zu können.

Unter Überheilung verstehe ich jene allgemeine Eigenschaft der Lebewesen, daß sie nicht nur erlittene Schädigungen durch die Betätigung einer entsprechenden Gegenwirkung auszubessern vermögen, sondern im allgemeinen über das Bedürfnis des Ausgleiches hinaus mit einem *Überschuß der Gegenwirkung* reagieren, der zuweilen ein vielfaches des erforderten Betrages ausmacht.

Die finale Begründung der Überheilung liegt wieder im Moment der Individual- und Arterhaltung. Zunächst ist die Ausbesserungswirkung des Lebewesens nach Schädigungen, ja nach Beanspruchungen aller Art, die zur Verminderung des Bestandes an Stoff und Energie geführt haben, eine unbedingte Daseinsnotwendigkeit, ohne welche es in kürzester Frist zugrunde gehen würde. Da aber die Einstellung der Gegenwirkung genau bis zum Heilerfolg und nicht weiter besondere Einrichtungen verlangen würde, wobei auch ein geringes Minus auf die Dauer sich zerstörend auswirken müßte, so ist die Einstellung der Gegenwirkung auf ein sicheres Plus bei weitem erhaltungsmäßiger. Das ist aber eben das, was ich als Überheilung bezeichne.

Über eine kausale Erklärung dieses Vorganges ist hiermit nichts gesagt, und es wird zunächst ausdrücklich darauf verzichtet, eine solche zu suchen. Denn das ist eine Aufgabe, die man mit Erfolg erst wird begreifen können, nachdem das Dasein und die Gesetze der Überheilung in ihren sehr mannigfaltigen Auswirkungen beschreibend oder naturgeschichtlich bearbeitet sein werden. Als erster Hinweis mag die Bemerkung dienen, daß diese Vorgänge sich am engsten an die Erscheinungen der *Autokatalyse* anschließen. Schon als ich diesen Begriff vor einem Vierteljahrhundert für rein chemische Vorgänge schuf, war mir die Analogie mit gewissen Lebenserscheinungen aufgefallen.

Beispiele. Was die Beispiele für die Überheilung anlangt, so wird jeder Biologe und jeder Arzt, sobald er sich den Begriff klar gemacht hat, deren so viele finden, daß er in Verlegenheit kommt, welche er zuerst näher untersuchen soll. Insbesondere weiß ich aus gelegentlichen Gesprächen mit Fachmännern (zu denen ich nicht gehöre), daß jeder nach seinem Arbeitsgebiete mir eine Fülle von Einzelfällen nennen konnte, die mir noch fremd waren. So muß es sich auch verhalten, wenn tatsächlich ein biologisches Urphänomen aufgewiesen worden ist. Die Frage ist alsdann nicht nach den Fällen, wo man auf Überheilung stößt, sondern ob es überhaupt Fälle gibt, wo sie sich nicht betätigt. Um indessen wenigstens an einzelnen Beispielen zu zeigen, welchen Gebrauch man von dem neuen Begriff machen kann und muß, seien die nachstehenden Betrachtungen angestellt.

Zunächst ist hervorzuheben, daß ein erwachsenes gesundes Wesen, das im „Gleichgewicht" steht, sich nicht in *ruhendem Gleichgewicht* befindet, wie etwa der Bleistift auf meinem Tisch, sondern in einem *fließenden*[16]), wie der Glühdraht der elektrischen Birne, die mir leuchtet. Beim ruhendem Gleichgewicht besteht kein Energiewechsel zwischen dem Dinge und seiner Umwelt; auf solche Fälle findet das Gesetz von der Erhaltung der Energie seine einfache Anwendung. Beim fließenden Gleichgewicht verliert dagegen das Ding fortwährend Energie an die Umgebung; wenn aber der Verlust jederzeit vollständig durch einen geeigneten Energiezufluß gedeckt wird, bleibt es scheinbar unverändert. Dies ist bei der Glühbirne der Fall: sie strahlt beständig Licht und Wärme, d. h. Energie aus, und zwar genau so viel, als sie elektrische Energie aus der Leitung aufnimmt. Für solche Gebilde hat das einfache Erhaltungsgesetz der Energie keine Bedeutung; es ist zwar gültig, kennzeichnend für sie ist aber nicht ein Energiegleichgewicht, sondern der konstante *Energiestrom*, der zum *fließenden Gleichgewicht* führt.

Wir wissen, daß alle Lebewesen durch einen solchen Energiestrom leben, dem ein Strom wägbaren Stoffes parallel läuft. Jedes Lebewesen verbraucht daher in jeder Sekunde eine gewisse Menge Energie und Stoff, die es seinen Körpervorräten entnimmt. *Leben* ist also in solchem Sinne *Selbstzerstörung*, und die Möglichkeit des Lebens beruht darauf, daß das Lebewesen diese *Verluste* in dem Maße *ersetzt*, als sie stattfinden.

Wachstum. Wie verhält sich nun ein jedes Lebewesen zu *Beginn seines Daseins*? Es wehrt sich gegen die Selbstverbrennung durch einen Vorgang der Selbstheilung, den wir Ernährung nennen. Aber über den Ersatz des Verbrauchten hinaus sammelt es mehr Energie und Stoff, als es abgegeben hat: es wächst. Dies Wachsen ist das erste und allgemeinste Beispiel der Überheilung, die normale Reaktion auf die Verminderung des Zellbestandes durch das Leben selbst.

Hier erkennen wir bereits die biologische Notwendigkeit der Überheilung. Jeder Keim eines neuen Lebewesens ist notwendig nur ein Bruchteil des mütterlichen Organismus. Im einfachsten Falle der Einzeller beträgt dieser Bruchteil $^1/_2$; in allen anderen Fällen ist er kleiner, im Ganzen gerechnet um so kleiner, je höher entwickelt das Lebewesen ist. Wachstum ist also um so mehr eine notwendige Eigenschaft, und betätigt sich um so stärker im Keim, je höher der Organismus steht.

Es ist wohlbekannt, daß das relative, auf die Gewichtseinheit des Wesens bezogene Wachstum in den Jugendzuständen am stärksten ist. Ebenso ist alsdann der relative Stoff- und Energieverbrauch am größten. Die stärkste Selbstverbrennung ruft also die stärkste Überheilung hervor. Hier erkennen wir das Walten eines allgemeinen Gesetzes. In jedem lebenden Samenkorn findet eine langsame Selbstverbrennung statt. Sie ist aber so langsam, daß sie unter der Schwelle bleibt: sie bewirkt keine Überheilung. Durch Feuchtigkeit und Wärme wird die Selbstverbrennung beschleunigt. Überschreitet sie die Schwelle, so beginnt Überheilung, die ihrerseits wieder die Verbrennung verstärkt. So tritt eine gegenseitige Steigerung ein, bis das relative Maximum von Atmung und Wachstum erreicht ist. Hernach nimmt der relative Betrag der Überheilung wieder ab. Die Ursachen davon sind noch im Einzelnen zu untersuchen; sehr oft wird es die relative Beschränkung der Nahrungszufuhr sein, die der wachsende Organismus schon aus geometrischen und mechanischen Gründen erfährt. Damit sinkt auch relativ die Atmung, die Überheilung nimmt ab, und der Endzustand ist das *fließende Gleichgewicht*, welches den *erwachsenen Organismus* kennzeichnet, wobei der Verbrauch eben ersetzt wird.

Auch dieser Zustand dauert zwar verhältnismäßig lange, aber nicht ewig. Das Wesen gelangt in Verhältnisse, wo das fließende Gleichgewicht im negativen Sinne überschritten wird; statt der Überheilung findet Unterheilung statt. Diese ist anfangs gering, wird aber immer stärker, bis die Schwelle erreicht ist, unter welcher ein lebenswichtiges Organ, z. B. die Lunge nicht mehr Dienst leisten kann. Alsdann erfolgt der „natürliche" Tod.

Während bei den Samen der Pflanzen Feuchtigkeit und Wärme genügen, um die scheinbar ruhende Keimzelle zur Entwicklung zu bringen, die viel früher befruchtet war, setzt bei den Tieren meist die Entwicklung zur Keimzelle mit der Befruchtung, d. h. dem Eindringen einer männlichen Zelle, ein. Die unmittelbare Folge ist zunächst ein erhöhter Stoffwechsel. Dieser wirkt als Reiz zur Überheilung, und damit setzt das Wachstum und die Zellteilung ein, die weiterhin wesentlich wie bei den Pflanzen verlaufen. An die Stelle der männlichen Zelle können zur Einleitung der Entwicklung mancherlei andere Reize treten, wie dies namentlich durch die Arbeiten von J. Loeb[23]) und seinen Nachfolgern in sehr vielseitiger Weise nachgewiesen worden ist. Immer handelt es sich hierbei um eine Störung des fließenden Gleichgewichts, genauer um eine plötzliche Beschleunigung der Zellatmung, der dann die entsprechende Überheilung, d. h. Wachstum und Zellteilung, folgt. Wie lange der unter solchen ungewöhnlichen Verhältnissen sich entwickelnde Zellkomplex lebensfähig bleibt, hängt von den gleichzeitig wirksamen biologischen Faktoren ab.

Bei Vertiefung dieser ganzen Gedankenreihe lernt man auch die *Bildung der Keimzellen* im elterlichen Organismus als *Ergebnis einer Überheilung* auffassen.

Übung. Außer dem allgemeinen Wachstum gibt es noch ein einzelnes, besondere Organe betreffendes. Wir können es Übung (im Sinne des englischen Training) nennen. Es besteht darin, daß durch häufige und große Beanspruchung eines Organs der dort bewirkte starke Verbrauch durch noch größere Überheilung überkompensiert wird, so daß insgesamt eine Stärkung des Organs zu gesteigerter Leistung die Folge ist.

Die Erscheinung ist ganz allgemein. Wir können jedes Organ dadurch, daß wir es längere Zeit wiederholt bis zur Grenze des Erträglichen beanspruchen, über das Gewöhnliche hinaus zu entsprechend gesteigerten Leistungen entwickeln. Hierbei ist genau auf die Grenze zu achten, innerhalb deren man das Organ ohne dauernde Schädigung beanspruchen darf. Es ist höchst wünschenswert, hierfür allgemein brauchbare Kennzeichen aufzufinden, da die Fälle häufig sind, wo durch zu hohe Beanspruchungen, die nicht mehr Überheilung bewirken, sondern eine Verminderung hinterlassen, dauernde Schädigungen des Organs entstehen.

Ebenso wie im Zusammenhang mit der Ernährung macht sich im Zusammenhange mit der Übung die allgemeine Tatsache geltend, daß der Betrag der Überheilung nach gleicher Beanspruchung *in der Jugend am größten* ist und mit zunehmendem Alter sich bis zu Null und negativen Werten vermindert. Man kann sich diese Verhältnisse unter dem Bilde veranschaulichen, daß das Lebewesen mit einem bestimmten Betrag eines positiven Katalysators beginnt, der die Überheilung bewirkt und durch das Leben langsam verbraucht wird. Aber man kann auch annehmen, daß durch das Leben ein negativer Katalysator entsteht, der den vorhandenen positiven mehr und mehr „vergiftet“ und seiner Wirksamkeit beraubt. Sache späterer Forschung wird es sein, zu entscheiden, ob eine dieser Vorstellungen sich mit den Tatsachen genügend deckt, und anderenfalls passendere Vorstellungen auszubilden. Jedenfalls erkennt man, daß man von hier dem *Problem des Alterns und der künstlichen Verjüngung* auf rationelle Weise näherkommen kann.

Allgemein wird man schon jetzt sagen können, daß starke Beanspruchung zum Zweck der Leistungssteigerung durch Überheilung hauptsächlich in der Jugend zu üben ist. Je älter das Lebewesen wird, um so weniger kann man auf Erfolge in solcher Richtung rechnen; vielmehr geht die Aufgabe mehr und mehr in die der *Schonung* der Organe durch Vermeidung von Überbeanspruchungen über.

Mechanische und chemische Störungen. Wir wenden uns nun von den gewöhnlichen oder normalen Vorgängen, die alle Lebewesen betreffen, zu den gelegentlichen oder abnormen, die wir allgemein als Schädigungen oder Verletzungen bezeichnen. Wir können sie in die Hauptgruppen der mechanischen und der chemischen Schädigungen trennen. Bei *mechanischen Verletzungen* – Wunden – sind Fälle der Überheilung wohlbekannt. Sie bestehen darin, daß durch den Heilungsvorgang nicht nur die verletzten Gewebe ersetzt werden, sondern darüber hinaus eine mehr oder weniger *reichliche Zellbildung* eintritt, welche zu den unerwünschten *Erhöhungen und Verdickungen* führt. Es ist mir nicht bekannt, ob für diese Erscheinungen bisher irgendwelche Gesetzlichkeiten gefunden worden sind. Unter dem Gesichtspunkt der Überheilung dürfte das Forschen nach solchen gute Aussichten bieten.

Unverhältnismäßig viel mannigfaltiger sind die Erscheinungen der *chemischen Überheilung.* Es läßt sich dies von vornherein erwarten, da die Lebewesen sämtlich der Hauptsache nach auf chemischen Betrieb eingestellt sind, da keine andere Energieform in gleichem Maße konzentriert und aufbewahrbar ist, wie die chemische.

Zunächst beruht die gesamte *Serumtherapie* auf chemischer Überheilung. Denn sie besteht darin, daß man einem geeigneten Tier ein organisches Gift in solcher Menge beibringt, daß es zwar angegriffen, aber nicht getötet wird. Es entwickelt dann ein entsprechendes Gegengift, und zwar in solchen Mengen, daß nicht nur die Vergiftung aufgehoben wird, sondern ein zuweilen sehr beträchtlicher Überschuß zu anderweitiger Verwendung übrig bleibt.

Die Kenntnis einzelner Fälle solcher chemischer Überheilung ist uralt. Die Erzählung von Mithridates[24]), der sich durch Einnahme bemessener kleiner Dosen Gift gegen größere immunisiert hat, ist wohlbekannt. In unseren Zeiten hat man wiederholt mit Arsenikessern experimentiert und sich überzeugt, daß sie ohne Schädigung Giftmengen vertragen, die in gewöhnlichen Fällen unbedingt tödlich sind.

Reizmittel und Spitzenleistungen. Sehr aufklärend erweist sich das Prinzip der Überheilung für das Verständnis der Reizmittel. Diese sind Gifte in gewissen Dosen, die bei kleineren Mengen starke Überheilungen im Gehirn und den Nerven hervorrufen und diese dadurch zu gesteigerten Leistungen fähig machen. Man hat sie bisher wesentlich unter dem Gesichtspunkt der Schädigungen betrachtet, welche ihr übermäßiger Gebrauch unfehlbar bewirkt, und welche sehr üble Formen annehmen können, weniger aber unter dem Gesichtspunkt der wirklichen *Leistungssteigerungen*, die man mit ihrer Hilfe hervorrufen kann. Nun gibt es zwei Arten wertvoller Leistungen. Die einen beruhen auf der Sicherheit, mit der gute Durchschnittsleistungen regelmäßig und reichlich geliefert werden können. Für solche kommen Reizmittel nicht in Frage, weil die entsprechenden Organe durch die regelmäßige und starke Beanspruchung meist schon bis zur organischen Grenze ihrer Wirksamkeit entwickelt sind und verstärkte Leistungen nur unter dauernder Schädigung bewirken könnten. Die andere Art, welche man passend *Spitzenleistungen* nennen kann, sind solche, die erheblich über den Durchschnitt hervorragen und deshalb nur selten erreicht werden. Wegen ihrer Seltenheit sind sie unverhältnismäßig viel wertvoller als jene, so daß es sich wohl lohnt, sie hervorzurufen, wenn auch der Organismus hernach etwas reparaturbedürftig nachbleibt. Sie gelingen auch den entsprechend Begabten nur unter besonders günstigen Bedingungen, wenn sich die zugehörigen biologischen Voraussetzungen einmal zufällig, d. h. ohne bewußte Vorbereitung, zusammengefunden haben. Man nennt sie *geniale Leistungen*, und sie pflegen sowohl von ihrem Erzeuger wie von den dankbaren Nutznießern als unkontrollierbare Gaben höherer Mächte gewertet und bewundert zu werden. Sie hinterlassen den Erzeuger in einem *erschöpften Zustande*, welcher beweist, daß die Leistung auch biologisch größere Energiemengen beansprucht hat, als der durchschnittlichen oder normalen Fähigkeit entspricht.

Den genialen Menschen[25]) ist es meist bekannt, daß sie durch gewisse pharmakologische oder psychische Einwirkungen, die von Fall zu Fall sehr verschieden sein können, solche Zustände erhöhter Leistungen bei sich hervorrufen können. Unbekannt oder unbeachtet bleibt aber leider oft, daß dazwischen notwendig Zeiten *der Energiesammlung* eingeschaltet werden müssen, um das Gleichgewicht zwischen Ausgabe und Einnahme zu erhalten.

Solange der Organismus noch einigermaßen im Gleichgewicht ist, sorgen die normalen Gefühle der Ermüdung und des Ruhebedürfnisses dafür, daß die Füllung der Energiesammelbecken wieder genügend erfolgen kann. Durch einen naheliegenden Mißbrauch, der diese natürliche Reaktion unbeachtet läßt, können aber die segensreichen Hemmungen unwirksam gemacht werden. Dann gelingt es wohl, in schneller Folge viele gesteigerte Leistungen hervorzubringen; sie schließen aber notwendig mit einem *Zusammenbruch* ab, aus welchem der Betroffene unter allen Umständen mit verminderter Leistungsfähigkeit hervorgeht, wenn er sie nicht vollständig zerstört hat.

Hier nun läßt sich eine *Technik* denken, durch welche *begabte Personen* mittels sorgsam bemessener Dosen geeigneter Reizmittel zu *außerordentlichen Leistungen befähigt* werden können, die sie sonst nicht erreichen würden. Schaltet man gehörige Erholungsperioden dazwischen, so lassen sich solche Leistungen wiederholt bewirken, ohne daß die so behandelte Person einen organischen Schaden erleidet. Anfänge einer solchen Technik lassen sich im Sport beobachten, dessen gegenwärtige Entwicklung durchaus auf Spitzenleistungen gerichtet ist und jene erste Klasse dauernder guter Mittelleistungen zum Nachteil der Sache vernachlässigt. Hier ist auch die nötige Trennung zwischen dem beaufsichtigenden Fachmann, der die Bedingungen des „Training“ anordnet und überwacht, und dem Subjekt, an welchem dieses bewerkstelligt wird, vollkommen durchgeführt. Bei dem *Geistesarbeiter* muß dagegen bisher das Subjekt sein eigener Trainer sein, der die nötigen Erfahrungen meist erst auf Kosten ebenderselben Leistungsfähigkeit sammelt, deren Erhaltung und Steigerung er durchführen soll.

Ich breche hier die Betrachtungen ab, obwohl weitere Beispiele sich zudrängen, wie es auch der fachkundige Leser, sei er Biologe oder Arzt, erleben wird. Denn ich muß die ins Einzelne gehende Anwendung und Entwicklung des Begriffs der Überheilung denen überlassen, die in der Lage sind, ihn erfahrungsgemäß und experimentell zu bearbeiten.

2. *Die Wirklinie*

Wie in dem vorangegangenen angedeutet ist, läßt sich erwarten, daß jedem physiologisch wirksamen Stoff eine Kennlinie zukommt, welche die Stärke seiner Wirkung auf ein Lebewesen in Abhängigkeit von der einwirkenden Menge darstellt.

Die Gestalt der Wirklinie. Ziehen wir eine waagerechte Gerade *n n*, auf welcher wir von einem Nullpunkte, der rechts liegt, die Verdünnungen *D*[26]) nach links auftragen, so fängt unsere Wirklinie jedenfalls links mit der Wirkung Null bei größeren Werten von *D* an. Rechnen wir Förderungen des physiologischen Zustandes als positive Werte nach oben und Schädigungen als negative nach unten, so bedeutet die durch den Nullpunkt gehende Waagerechte *n n* den normalen Zustand und die Wirklinie wird bei großen Werten von *D* mit dieser zusammenfallen.

Wir kennen somit die erste Eigenschaft der Wirklinie, daß sie links mit der *n*-Linie zusammenfällt.

Eine zweite Eigenschaft, die wir ihr aus allgemeinen Gründen zuschreiben dürfen, ja müssen, ist ihre *Stetigkeit.* Sie wird nirgends einen Sprung oder Knick zeigen. Ein Sprung würde be-

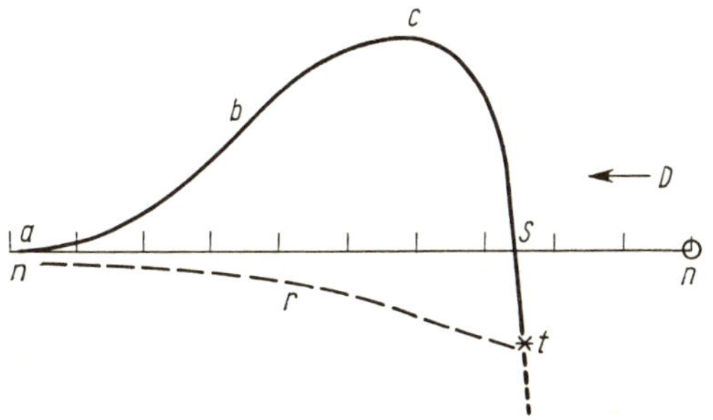

Abb. 2. Die Wirklinie

deuten, daß eine gleich große Menge des Mittels unter gleichen Bedingungen zwei verschieden starke Wirkungen hervorbringen kann, was dem Kausalitätsgesetz widerspricht. Ein Knick würde bedeuten, daß zwei kleine nebeneinander liegende gleiche Änderungen der Menge sprungweise verschiedene Änderungen der Wirkung hervorbringen, wofür gleichfalls keine Ursache vorhanden wäre. Also entspricht nur die Stetigkeit der Kurve dem Gesetz der Kausalität.

Hieraus ergibt sich mit Notwendigkeit, daß der erste Teil der Wirklinie den Verlauf haben muß, der zwischen den Punkten *a* und *b* dargestellt ist, nämlich konvex nach unten, unter asymptotischem Anschluß nach links an die *n*-Linie.

Das heißt: die ersten Anteile der beginnenden Wirkung setzen verhältnismäßig schwach ein, um für gleiche Stufen der Verdünnungsreihe immer stärker zuzunehmen. Die von dem Begründer der Homöopathie angenommene Steigerung der Wirkung mit steigender Verdünnung gilt sicher nicht für große Verdünnungen. Bei diesen, die der Schwelle des bemerkbaren Einflusses nahe sind, gilt umgekehrt der Satz, daß die Wirkung schneller abnimmt, als dem Weber-Fechner'schen Gesetz[27]) entsprechen würde, wie dies ja auch bei der Beziehung zwischen Reiz und Empfindung stattfindet.

Ein wichtiger Schluß. Daß die Wirklinie aller Stoffe mit zunehmender Verdünnung jedenfalls ansteigt, d. h., daß jedes Gift bei sehr großer Verdünnung zunächst physiologisch nützlich wirkt und eine Förderung des Lebenszustandes hervorbringt, erscheint bei der gegenwärtigen Beschaffenheit unseres Wissens als eine sehr gewagte Annahme, und es muß alsbald bereitwillig zugegeben werden, daß sie noch eingehend geprüft und tiefgehenden Forschungen unterworfen werden muß.

Sie ist eine notwendige Folge des biologischen Urphänomens der Überheilung und hat somit die gleiche Allgemeinheit wie diese. Wir müssen aber den Fall ins Auge fassen, daß der Organismus auf ein bestimmtes Gift überhaupt nicht mit Überheilung reagieren kann, weil an irgend einer Stelle die hierzu nötigen Voraussetzungen nicht vorhanden sind. Einem solchen Gift steht das Lebewesen hilflos gegenüber. In diesem Falle wird auch bei der kleinsten wirksamen Menge keine Heilwirkung eintreten, sondern eine Schädigung, die mit steigender Menge des Giftes zunimmt, bis der Tod eintritt.

Die zugehörige Wirklinie verläuft also von vornherein unterhalb des Normalzustandes und führt zuletzt zum Tode. Sie kann als unterste Grenze aller theoretisch möglichen Wirklinien angesehen werden. Ein solcher Stoff wird also die Wirklinie *n r t* zeigen. Innerhalb des Raumes *a b c s t r a* liegen alle möglichen Wirklinien.

Zufällig finde ich in H. Spencers[28]) Autobiographie (II, 92) eine Bemerkung des hervorragenden Physiologen Bence Jones [29]) (um 1860), daß er kaum ein Medikament kenne, welches nicht unter verschiedenen Umständen entgegengesetzte Wirkungen hervorbringt. Und die Gegensätzlichkeit der möglichen Wirkungen ist ja die Tatsache, auf welcher die Homöopathie ganz und gar beruht. Die Frage ist nur, was die Gegensätzlichkeit der Wirkung bedingt. Die frühere Antwort der Homöopathie, daß dies der vorgängige gesunde oder kranke Zustand des Patienten sei, kann nicht aufrecht gehalten werden. Die Anwendung der Gesetze der Überheilung gibt die Antwort: die Verschiedenheit der relativen Menge ist die grundlegende Ursache dieser Gegensätzlichkeit. Andere, mitbestimmende Faktoren werden weiter unten erwähnt und erörtert werden.

Der weitere Verlauf der Wirklinie. Verstärkt man die Menge, so nähert sich die unmittelbare Einwirkung des Mittels der oberen Grenze, bis zu welcher die Überheilung sie mit einer Steigerung des Zustandes beantworten kann. Wir erreichen also einen Höchstwert, nach welchem die Heilwirkung geringer wird, auf Null fällt und dann in negative Werte übergeht, welche einer Schädigung, d. h. einer Giftwirkung entsprechen. Vermehrt man die Menge noch mehr, so wird die Schädigung so groß, daß der Tod die Folge ist. Eine weitere Vermehrung würde keine andere Folge bewirken, höchstens, daß der Tod schneller eintritt.

Verbindet man diese einfachen Betrachtungen mit dem vorher erörterten Gesetz der Stetigkeit, so gelangt man zu einer ganz bestimmten Anschauung über den Gesamtverlauf der Wirklinie aller Heil- und Giftstoffe. Jeder dieser Stoffe hat natürlich seine eigene Wirklinie, die nur ihm zukommt. Aber alle diese Wirklinien sind sich (in weiterem Sinne) geometrisch ähnlich, und diesen allgemeinen Typus gilt es hier zu entwickeln. Wir haben gesehen, daß die Wirklinie links unter asymptotischem Anschluß an die *n*-Linie des normalen Zustandes zunächst ansteigt, indem sie ihre konvexe Seite nach unten wendet. Sie erreicht einen Höchstwert, von dem sie weiterhin abfällt. Dies ist nicht anders möglich, als indem sie durch einen *Wendepunkt* geht, nach welchem sie ihre Krümmung wechselt, indem sie nach oben konvex wird. Sie krümmt sich immer stärker und hat ihre stärkste Krümmung im Höchstpunkt *c*. Von dort ab senkt sie sich immer schneller nach unten. Denn ist der Punkt überschritten, in welchem die Überheilung ihr Bestes geben kann, so gewinnt die Giftwirkung die Oberhand, indem die Überheilung unvollkommen wird. Die Wirklinie wird also in diesem folgenden Gebiet nicht etwa auch einen Wendepunkt aufweisen können, sondern sie führt beschleunigt zum Tode, bei dem es verbleibt, wie hoch man auch die Menge steigern mag. Die Linie muß also nahezu senkrecht auf und durch den Todespunkt *t* gehen.

Der neutrale Punkt. Ein merkwürdiges Ergebnis dieser Betrachtung ist, daß durch den Schnittpunkt *s* der Wirklinie mit *n n* eine „neutrale“ Menge bezeichnet wird, wo sich Überheilung und Giftwirkung eben aufheben, so daß keine Wirkung übrig bleibt. Durch das physiologische Experiment eine solche Möglichkeit nachzuweisen, wird nicht leicht sein. Denn die Voraussetzung wäre, daß sowohl die Lage von *n n*, wie des Nullpunkts, sowie die Überheilungsfähigkeit und -größe des Lebewesens während des Versuchs unverändert bleiben, was kaum jemals zutreffen wird. Wie der Anblick der Linie unmittelbar lehrt, bedingen geringe Abweichungen der maßgebenden Faktoren, daß der erreichte Punkt nicht genau nach *s* fällt, sondern auf *n n* etwas nach rechts oder links rückt. Dies bedeutet aber wegen der Steilheit der Wirklinie eine verhältnismäßig starke Abweichung im schädlichen oder nützlichen Sinne von der Neutralität.

Die Verschiedenheiten der Wirklinien der einzelnen Stoffe werden sich also darin zeigen, daß die Linie mehr rechts oder links liegt, daß der Höchstwert *c* und der Todespunkt *t* näher oder ferner zu *n n* liegen, daß der ansteigende Teil *a c* oder der absteigende *c t* verhältnismäßig länger oder kürzer wird. Aber jede Wirklinie wird ihren ansteigenden Teil, ihren Wendepunkt, ihren Höchstpunkt und ihren abfallenden Teil bis zum Todespunkt *t* haben, mit Ausnahme des oben erwähnten Grenzfalles, wo keine Überheilung besteht.

Die Empfindlichkeit. Nachdem über den allgemeinen Verlauf der Wirklinie anschauliche Klarheit erreicht ist, wenden wir uns zu den Verschiedenheiten, die von Fall zu Fall möglich sind. Diese zerfallen in zwei große Gruppen. Die eine bezieht sich auf die Unterschiede der *Empfindlichkeit* der Patienten, d. h. die Unterschiede der Menge, welche zur Erreichung desselben Punktes der Wirklinie, z. B. des Höchstwertes erforderlich ist. Die zweite Gruppe bezieht sich auf den Betrag an Überheilungsvermögen. über welchen der Patient zur Zeit der Kur verfügt. Um ein unverbrauchtes Wort dafür zu haben, nennen wir diesen Betrag die *Lebensbreite.* Während je nach der Empfindlichkeit die Wirklinie sich nach rechts oder links, nach größeren oder kleineren Mengen verschiebt, beeinflußt die Lebensbreite ihre Abmessungen nach oben und unten.

Was zunächst die Empfindlichkeit anlangt, so ist es wohlbekannt, daß ein und dieselbe Gabe bei verschiedenen Patienten nicht nur verschieden starke, sondern auch entgegengesetzte Wirkungen ausüben kann. Macht man die Voraussetzung, daß es sich hierbei nur um Verschiebung der Wirklinie nach rechts und links handelt (ihre Begründung wird alsbald gegeben werden), so findet sich folgende Erklärung dafür. Ist die Gabe bekannt, welche beim durchschnittlichen Menschen gerade den Höchstwert der Wirkung ergibt, so wird bei einem Menschen von geringer Empfindlichkeit die Gabe ebenso wirken, wie eine kleinere Gabe beim Normalen. Der Erfolg wird also durch einen Punkt im linken Zweig der Wirklinie dargestellt werden, d. h., er wird geringer sein, als dem Höchstwert entspricht.

Handelt es sich dagegen um einen Fall großer Empfindlichkeit, so wird die Wirkung gleich der einer zu großen Gabe beim Normalen sein. Je nach dem Betrag der Überempfindlichkeit liegt dann der Punkt entweder noch oberhalb der n-Linie, d. h., die Gabe wird zwar noch nützlich sein, aber weniger, als dem Höchstwert entspricht. Hier verhalten sich also Unter- und Überempfindlichkeit scheinbar gleich.

Ist aber die Überempfindlichkeit beträchtlich, so kann der entsprechende Punkt noch weiter rechts liegen. Er sinkt dann unter die n-Linie und nähert sich dem t-Punkt. Hier wirkt also die gleiche Gabe schädigend, d. h. als Gift und kann sogar zum Tode führen.

Begründung. Die oben gemachte Annahme, daß die Empfindlichkeit des Patienten nur eine Verschiebung der Wirklinie nach rechts oder links, aber keine wesentliche Änderung ihrer Gestalt bewirkt, beruht auf der Ausdehnung, die das Fechner-Weber'sche Gesetz über das Gebiet der bewußten Empfindung hinaus auf alle Arten erfahren muß, wie das Lebewesen auf einen erfahrenen Reiz antwortet. Von den vielen möglichen Antworten (Reaktionen) ist ja die bewußte Empfindung nur eine, die zwar der Beobachtung am nächsten liegt, tätsächlich aber verwickelter ist, als die meisten anderen Antworten. Denn hier kommt zu der unmittelbaren Beeinflussung des Sinnesorgans noch die Übersetzung dieses Einflusses in die bewußte Empfindung. Daß aber das Gesetz jene allgemeinere Bedeutung hat, die oben angenommen wurde, wird durch die Beobachtung W. Pfeffers[30]), des ausgezeichneten Pflanzenphysiologen, erwiesen, wonach die chemotaktische Anlockung der Schwärmsporen von Algen durch Apfelsäure-Lösungen, also eine rein physiologische Leistung, dem genannten Gesetz gemäß erfolgt. Es wurde schon erwähnt, daß dies in unmittelbarem Zusammenhange mit den thermodynamischen Gesetzen der Lösungen steht, nach denen die Wirksamkeit der gelösten Stoffe nicht deren Konzentrationen proportional ist, sondern den Logarithmen der Konzentrationen. (Die homöopathischen Potenzzahlen sind die Logarithmen der Verdünnungen oder der umgekehrten Werte der Konzentrationen.)

Da nun die Wirklinie von vornherein nach Potenzstufen gezeichnet worden ist, so bedingt die Veränderung des Empfindlichkeits-Faktors unter der gemachten Voraussetzung tatsächlich nur eine Seitenverschiebung der Wirklinie, aber keine Formänderung.

Messung der Empfindlichkeit. Wovon die Empfindlichkeit weiter abhängt, läßt sich zur Zeit nur in großen Zügen vermuten. Zwei Faktoren sind dabei wesentlich. Zuerst die Beschaffenheit des Patienten. Größere Empfindlichkeit kann man vermutlich bei Kindern, jungen Menschen und solchen erwarten, welche nur selten unter dem Einflusse von Drogen gestanden haben. Doch enthalte ich mich aller weiteren Vermutungen, da mir die nötigen Erfahrungen fehlen.

Zweitens wird man darauf zu achten haben, daß Einzelunterschiede, oft von beträchtlicher Größe je nach der Art des Mittels vorhanden sein werden. Ein Patient, welcher unempfindlich gegenüber dem Mittel A ist, kann empfindlich gegenüber B sein. Man wird sich hüten müssen, einen gegebenen Organismus als gleich empfindlich oder unempfindlich gegen alle Mittel anzusehen.

Es ist daher eine Aufgabe von grundlegender Wichtigkeit, ein Mittel zu wissen, um in einem gegebenen Falle die Empfindlichkeit festzustellen. Hierzu gelangt man auf folgende Weise. Man beginnt mit einer Gabe, welche vermutlich noch nicht dem Höchstwert entspricht, sondern niedriger ist, und beobachtet den Erfolg. Dann vermindert man die Gabe um eine oder zwei Stufen. Wird der Erfolg geringer, so befindet man sich auf der linken Hälfte der Linie. Man geht dann um eine Stufe über die erste Gabe hinaus. Wird der Erfolg deutlich besser, als bei der ersten Gabe, so befindet man sich immer noch unterhalb des Höchstwertes und kann steigern. Ist der Erfolg nicht deutlich besser, so befindet man sich in der Nähe des Höchstwertes und darf nicht weiter steigern. Es wird dann besser sein, auf die erste Gabe zurückzugehen. Denn da die Empfindlichkeit der Patienten nicht als völlig unveränderlich angesehen werden darf, so kann eine Gabe, die dem Höchstwert entspricht, bei vorübergehend gesteigerter Empfindlichkeit in das rechte

Gebiet der Wirklinie führen, wo das Mittel bereits Giftwirkung ausübt. Da man andererseits, wie eine Betrachtung der Linie unmittelbar erkennen läßt, nur wenig an Wirkung verliert, wenn man eine oder einige Stufen links vom Höchstwert bleibt, so bringt die Beschränkung der Gabe keine erhebliche Minderung mit sich.

Die Lebensbreite. Wir wenden uns nun zu dem anderen Faktor, der die Wirklinie beeinflußt, der *Lebensbreite.* Diese ist aufzufassen als das Maß der Überheilung, welche das Lebewesen gemäß seiner Art, seinem Alter und seiner augenblicklichen Beschaffenheit zustande bringt. Ist dieser Betrag klein, so kann das Wesen zwar fortleben. Es muß aber in jeder Beziehung geschont werden, weil es Schädigungen nur in geringem Maße verbessern kann, denn wird ihr Betrag größer, so wird die Grenze der Lebensfähigkeit überschritten, und es antwortet mit seinem Tode. Ist umgekehrt die Lebensbreite groß, so verträgt das Wesen einen kräftigen Stoß, ohne zugrunde zu gehen, und seine starke Überheilung wirkt dahin, daß noch ein Mehr zugunsten einer dauernden Erhöhung herauskommt.

Oberhalb der Linie *n n*, welche den normalen Zustand des Lebewesens darstellt, liegt das Gebiet der gesteigerten Lebensbetätigung. Es hängt also von der Beschaffenheit des Wesens ab, wie hoch sich die Möglichkeiten der Steigerung erstrecken, doch kann man im allgemeinen sagen, daß sie in der Jugend relativ am höchsten sind. Man muß aber sorgsam zwischen relativer und absoluter Höhe unterscheiden. Das absolute Maximum tritt nach Ablauf der Wachstumsperiode mit dem Beginn der Geschlechtsreife ein, bleibt längere Zeit ziemlich unverändert (solange nicht pathologische Störungen Abweichungen vom normalen Zustande bewirken) und dann senkt sich der Punkt langsam mit zunehmendem Alter, um in der Nähe des physiologischen Aufhörens des Lebens gleich Null zu werden.

Ferner liegt unterhalb der normalen Linie *n n* der Todespunkt *t*, welcher die negativen Ausschläge des Lebenszustandes begrenzt. Man wird für ihn eine ähnliche Abhängigkeit annehmen dürfen, wie für die eben beschriebenen Werte der Lebensbreite, nur in umgekehrter Lage. Beim Kinde sind die absoluten Minderungen, die ertragen werden, zwar relativ groß, aber absolut gering. Sie nehmen bis zur Reife zu, halten sich dann mit zunehmendem Alter in annähernd gleichem Abstande und nähern sich beim Greise der Normenlinie, mit der sie beim physiologischen Tode zusammenfallen.

Die Lebensbreite bestimmt also an der Wirklinie, wie hoch sie sich oberhalb der *n*-Linie erheben, und wie tief sie sich unter sie senken kann. Beide Größen haben absolut die höchsten Werte, je näher das Lebewesen sich der Zeit seiner Reife befindet. Die zugehörige Wirklinie zeigt in all ihren Teilen den steilsten Verlauf. Mit abnehmender Lebensbreite wird die Wirklinie flacher und nähert sich mehr und mehr der Geraden *n n*, mit der sie schließlich beim physiologischen Tode fast zusammenfällt.

Dies gilt aber, genauer betrachtet, nur für einzelne Gebiete des Körpers. Dieser ist ja wie bekannt ein verwickelter Gesamtstaat aus verhältnismäßig selbständigen Ländern, und der Tod tritt nicht erst ein, nachdem sämtliche Länder vollkommen abgewirtschaftet haben, sondern schon, nachdem dies bei einem der wichtigeren eingetreten ist. Der Arzt erfährt zunächst nur die Gesamtwirkung. Durch eingehende Untersuchung kann er mehr oder weniger genau feststellen, welches von den Gebieten bei seinem Kranken besonders in Anspruch genommen ist. Auf diesen Sonderfall muß er sein Urteil über Empfindlichkeit und Lebensbreite beziehen, um sachgemäß eingreifen zu können.

Schluß. Was vorstehend dargelegt worden ist, stellt nicht Ergebnisse praktischer Erfahrungen eines vieltätigen Arztes dar, sondern theoretische Erwägungen, die auf begrifflicher Analyse der biologischen Grundtatsachen beruhen. Der Verfasser muß sich daher sagen, daß zwischen seinen Ergebnissen und denen der Praxis noch keine unmittelbare Beziehung besteht, und daß jene somit durchweg erst noch an der Erfahrung zu prüfen und gegebenenfalls zu verbessern sind. Der Zweck, den er verfolgt, muß daher zunächst in der Anregung gesucht werden, die vorhandenen Erfahrungen unter den gegebenen Gesichtspunkten zu betrachten, um zu erkennen, ob und wo sie auf ihre Richtigkeit und Anwendbarkeit geprüft werden können.

Da die theoretisch aus dem Begriff der Überheilung unter Zuziehung genau angegebener Voraussetzungen (Stetigkeit, Weber-Fechner'sches Gesetz, Thermodynamik der Lösungen) abgeleitete Gestalt der Wirklinie aber auch zu sehr bestimmten *neuen* Fragestellungen führt, so ist auch die Möglichkeit schöpferischer Arbeit in hohem Grade erleichtert. Die Anregung zur Lösung solcher Aufgaben, die sich nunmehr zwar in sehr großer Anzahl, aber doch trotz ihrer Unerschöpflichkeit in übersichtlicher Ordnung darbieten, möchte der Verfasser als den wesentlichen Inhalt dieses Aufsatzes bezeichnen.

V. Der biologische Faktor in der Technik

Bei dem ersten Aufbau der Pyramide der Wissenschaften (s. Abb. 1) war es allgemein gebräuchlich, die Technik als angewandte Physik und Chemie diesen beiden Gebieten zuzuordnen und ihr somit den Platz bei den energetischen Wissenschaften anzuweisen. Auch abgesehen von der Systematik machte sich diese Auffassung allgemein geltend; insbesondere der in den Hochschulen ausgearbeitete Bildungsgang der Techniker erhielt seinen Inhalt aus der gleichen Ansicht, als handele es sich um eine ausgeprägte anorganische Disziplin. Selbst in dem Falle der Landwirtschaft, deren Aufgaben wesentlich im Organischen liegen, zog man es vor, sie von der eigentlichen Technik abzusondern und dieser allenfalls das Kapitel der landwirtschaftlichen Maschinen zuzuweisen.

Überlegt man aber, daß neben den physikalischen und chemischen Voraussetzungen bei irgend einem technischen Verfahren, sei es zur Herstellung von Soda oder von Flugzeugmotoren, der wirtschaftliche Faktor entscheidet, ob das Verfahren sich zur Ausführung eignet, so erkennt man, daß die Wirtschaftslehre maßgebend in die technische Wissenschaft eingeht. Die Wirtschaft aber ist eine soziale Angelegenheit; gemäß der allgemeinen Regel, daß die höchste Teilwissenschaft die Einordnung der Disziplin bestimmt, gehört somit sie Technik unter die soziologischen Disziplinen[31]), welche die oberste Schicht der Wissenschaftspyramide bilden.

Daraus folgt unmittelbar, daß die unterhalb der Soziologie liegenden biologischen Wissenschaften, nämlich die Physiologie und die Psychologie als Hilfswissenschaften in die Technologie eingehen und daß somit jede technische Ausbildung unvollständig ist, welche auf die anorganischen Fächer beschränkt bleibt und die biologischen nicht einbezieht.

Hierdurch wird zunächst die Frage nach der Zugehörigkeit der Landwirtschaft beantwortet: sie ist ein technisches Fach und unter diesen eines der allerwichtigsten. Tatsächlich ist beispielsweise durch technisch-wissenschaftliche Arbeit die Runkelrübe und die Milchkuh ganz ebenso verbessert worden wie die Dampfmaschine, mit dem Ergebnis der Verdoppelung des Güteverhältnisses.[32]) Die Landwirtschaft muß daher ganz ebenso betrieben werden, wie irgendeine andere Industrie und muß deren allgemeine Fortschritte auf ihre Sonderfälle anwenden.

Über den Sonderfall hinaus erhebt sich aber die grundsätzliche Frage, welche Aufgaben die biologischen Wissenschaften in der Technik zu lösen haben. Kennzeichnen wir die Technik durch die Forderung, die in der Natur vorhandene Rohenergie (primär fast nur Sonnenstrahlung) zu erfassen und für menschliche Zwecke möglichst vollkommen zu verwerten, so treten uns ihre beiden Hauptbetätigungen entgegen: Beschaffung und Steuerung. Für beide kommen biologische Beziehungen in Frage, und zwar in solchem Sinne, daß die Steuerung immer eine biologisch-menschliche Sonderleistung ist, während für die Beschaffung allgemeinbiologische wie anorganische Anteile vorhanden sind.

Außer diesem unmittelbaren Anteil der Biologie an den Aufgaben der Technik können wir noch einen mittelbaren feststellen. Die Lebewesen zeigen uns, daß und wie die Aufgabe der Beschaffung und Steuerung (Nahrung und Betätigung) an einem aus mannigfaltigen Teilen zusammengesetzten dauerhaften Ganzen gelöst werden kann, denn sonst würden sie nicht leben. Sie können uns somit als Beispiele und Anreger[33]) dienen, wie wir an technischen Komplexen die gleiche Aufgabe lösen können. Dabei muß freilich beständig beachtet werden, daß die technisch-organisatorischen Bedingungen der Lebewesen von denen der Technik im Sinne einer sehr weitgehenden Beschränkung verschieden sind, denn die Technik verfügt über Werkstoffe, Temperaturen, Energien, die für Lebewesen nicht in Frage kommen. So werden also nur sehr allgemeine Verhältnisse, die von diesen Besonderheiten nicht betroffen werden, eine Anwendung auf die Technik finden können; eine unmittelbare Übertragung wird nur ausnahmsweise möglich sein.

Insofern verschiedenartige Teile (Zellen, Organe) miteinander in einem Lebewesen, und verschiedene Gruppen von Lebewesen nebeneinander in Ort und Zeit unter gegenseitiger Beschränkung und Angleichung bestehen, können wir an ihnen die Grundbedingungen der Vergesellschaftung studieren und ihre Gesetze (wiederum mit angemessener Vor- und Umsicht) auf die Ordnung und Führung menschlicher Gruppen für gemeinsame Zwecke anwenden. Der nahe Zusammenhang beider ist von jeher bemerkt worden und hat die Übertragung des Namens Organisation auch auf die menschliche Gruppenbetätigung veranlaßt. Hier wird es ganz besonders nötig sein, das Grundsätzliche klar herauszuarbeiten, um sich gegen Irreführen durch oberflächliche Ähnlichkeiten zu schützen.

Wie man sieht, handelt es sich hier um ein Gedankengewebe, dessen Ausführung ins Einzelne ein ganzes Buch erfordern würde. Es sollen deshalb nachstehend nur die allgemeinsten Verhältnisse entwickelt werden, um eine Übersicht der bevorstehenden Arbeiten zu gewinnen. Wir stellen zunächst die eben erörterten Hauptgesichtspunkte zusammen.

A Biologische Energiebeschaffung.[34])

B Steuerung: Bewegung durch Raum und Zeit. Umwandlung der Energien.

C Die Lebewesen als Beispiele geglückter Organisation; Organisatorik.

A. Biologische Energiebeschaffung

Die freie Energie, von der alles Leben abhängt, ist die Sonnenstrahlung. Sie liefert auch alle technische Energie. Denn die Versuche, die Energie der Erddrehung durch Benutzung von Ebbe und Flut technisch zu verwerten, scheitern an dem Mißverhältnis zwischen Raum und Ausbeute.

Ein Teil der Strahlungsenergie erfährt anorganische Umwandlungen durch Vermittlung des Wassers und liefert die sogenannten Wasserkräfte. Er kommt für unsere Betrachtung nicht weiter in Frage.

Ein anderer Teil erfährt organische Umwandlungen in den grünen Pflanzen, welche sie als chemische Energie speichern. Diese ist von allen Energiearten die konzentrierteste und aufbewahrungsfähigste. Sie liefert in Gestalt der fossilen Brennstoffe heute noch den größeren Teil der technischen Energie; diese ist aber der Erschöpfung in absehbarer Zeit ausgesetzt. Ferner liefert sie allen Lebewesen die Betriebsenergie für ihr Dasein, teils unmittelbar, teils mittelbar. Insbesondere beruht auch der Energieaufwand für die Steuerung der Energien sowohl in den einzelnen Lebewesen wie in ihren Gruppen bis zur höchsten hinauf durchaus auf chemischen Energien, die in den entsprechenden Zentralorganen umgesetzt werden.

Die zugehörige Technik der Beschaffung ist die Landwirtschaft mit Einschluß der Tierzucht. Entsprechend dem allgemeinen Gesetz, daß gerade die ältesten Techniken am wenigsten wissenschaftlich durchgebildet zu sein pflegen (wegen der zähen Widerstände, welche die traditionell befangene Praxis allen Neuerungen entgegensetzt), ist die wissenschaftliche Landwirtschaftstechnik noch sehr jung. Auch ist es kennzeichnend, daß sie in dem traditionsärmeren Amerika viel größere Fortschritte gemacht hat, als in Europa. Justus Liebig[35]), dem wir bahnbrechende Entdeckungen auf diesem Gebiet verdanken, hat nirgendwo leidenschaftlichere Gegner gehabt, als bei den „erfahrenen" Landwirten. Obwohl inzwischen bei uns erfreuliche Fortschritte gemacht worden sind, scheint die Aufgabe einer großzügigen Technisierung der gesamten Landwirtschaft noch der Lösung zu harren. Ein guter Schritt dazu wäre ihre amtliche Einbeziehung in den Aufgabenkreis der technischen Hochschulen.

B. Steuerung

Unvergleichlich viel mannigfaltiger und schwieriger als die Beschaffung der organisch-chemischen Energien ist ihre Steuerung. Man kann hier die beiden Stufen der einzelnen und der sozialen Aufgaben unterscheiden. Die erste betrifft die Entwicklung der Geräte und Verfahren unter Einbeziehung des menschlichen Faktors, da unter den Begriff der Steuerung auch die höchsten Leistungen des genialen Menschen fallen. Die zweite ergibt sich aus der Wechselwirkung der Menschen und Völker.

Die Steuerung bezieht sich immer auf Energiewandlung. Es ist allgemein möglich, umwandlungsbereite freie Energie von der Umwandlung zurückzuhalten und deren Eintreten von einem verhältnismäßig kleinen Vorgang abhängig zu machen; man nennt dies Auslösung. Zwischen dem Energieaufwand für die Auslösung und dem Betrag der ausgelösten Energie besteht kein festes Verhältnis, so daß der Irrtum sehr verbreitet ist, die auslösende Energie könne beliebig klein sein. Dies ist falsch; sie hat vielmehr einen bestimmten endlichen, angebbaren Wert. So bringt keineswegs der kleinste Funke das Faß mit Pulver zur Entzündung, sondern es gehört eine bestimmte Größe dazu; ein kleinerer Funke wird vom Pulver einfach ausgelöscht. Die Sprengtechnik kennt diesen Grenzwert als Initialzündung. In der Psychologie nennt man ihn die Schwelle. Im übrigen kann diese Schwelle mit der Beschaffenheit des Gebildes in weitesten Grenzen verschieden sein; sie stellt aber in jedem Falle einen endlichen Betrag an freier Energie dar.

Hieraus ergibt sich der Schluß, daß alles Steuern Energie beansprucht. Die Mengen sind oft sehr klein, doch handelt es sich um besonders hochwertige Energien, die nur in besonders dazu befähigten Organen gebildet werden, die wegen der erforderlichen Hochzüchtung leicht geschädigt werden können, insbesondere durch übertriebene Beanspruchung. Dies gilt in erster Linie für die steuernden Organe ausgezeichneter menschlicher Gehirne.

Der Zweck der Steuerung ist zunächst die Auslösung umwandlungsbereiter Energien. Der vorher erwähnte Fall des Pulverfasses stellt die einfachste Form der Steuerung dar, wo der Vorgang, nachdem er in Gang gesetzt ist, sich selbst überlassen wird. Höhere Arten der Steuerung kontrollieren nicht nur den Beginn, sondern auch den Verlauf des ausgelösten Vorganges. Ein einfaches Beispiel ist die Hand am Wasserhahn, die den Strahl nach Bedarf regelt; das Spiel eines Meisters der Orgel ist ein verwickelterer Fall von grundsätzlich gleicher Art. Um die Steuerung sachgemäß auszuführen, ist eine ausreichende Kenntnis von der Beschaffenheit der zu steuernden Energie und ihrer Gesetze notwendig. Die Leitung der Arbeiten einer Fabrik oder eines anderen technischen Werks erfordert Steuerungen aller Art, von der Luftklappe bis zum Menschen. Hier erweist sich die Notwendigkeit psychologischer Kenntnisse und Fertigkeiten beim Vorarbeiter, Meister, Direktor, um die Arbeit mit geringstem Aufwand und gutem Güteverhältnis zu erledigen.

Es handelt sich hier um eine Anwendung des energetischen Imperativs: vergeude keine Energie, verwerte sie. Denn da sich die freie Energie nicht ohne Aufwand beschaffen läßt, kann die Güte oder Zweckmäßigkeit jeder Handlung vergleichsweise durch das Güteverhältnis erzielte Zweckenergie/gesamte Energie gemessen werden, welches einen sicheren Maßstab für alle technischen Betätigungen im weitesten Sinne abgibt.

Auch der zweiten Stufe, der sozialen Steuerung können hier nur wenige Hindeutungen gewidmet werden. Ebenso, wie sich die vielzelligen Lebewesen den einzelligen überlegen erwiesen haben, so kann der Mensch durch Vergesellschaftung Leistungen erzielen und Wünsche befriedigen, die sich der Einzelne versagen muß, solange er einzeln bleibt. Das allgemeine Mittel dazu ist die Teilung und Verbindung der Leistungen. Der Einzeller muß alles sein, was sein Leben erfordert: Mund, Magen, Darm, Fuß, Hand usw., und führt jede dieser Aufgaben nur langsam und unvollkommen aus. Indem die genannten Organe durch besondere Zellgruppen besonders ausgebildet werden, kann jede Aufgabe vollkommener gelöst werden. Hierzu ist aber notwendig, daß die verschiedenen Organe sich nicht gegenseitig behindern, sondern im Einklang arbeiten, d. h., die Arbeitsteilung erfordert als unbedingt notwendige Ergänzung die Arbeitsverbindung.

In den einfachsten sozialen Gebilden der Menschen vollzieht sich dieser Doppelvorgang derart, daß eine Gruppe die Beschaffung der Energie (zunächst Energie ihrer eigenen Muskeln) übernimmt, während die Steuerung durch einen überragenden Einzelnen besorgt wird, da sie notwendig einheitlich sein muß. Die weitere Entwicklung vollzieht sich in solchem Sinne, daß zunehmend fremde Energien (Sklaven, Haustiere, mechanische, thermische, elektrische Energie) beschafft werden, während die Steuerung von oben nach unten in mehr und mehr Stufen zerlegt wird, deren Vertreter an Zahl zu-, an Einfluß abnehmen. Nach oben muß das System notwendig in eine maßgebende Spitze zusammenlaufen, und alle Schwierigkeiten der inneren Politik eines technischen Betriebes oder eines Staates kommen darauf zurück, wie man einen einheitlichen Willen der Gemeinschaft und dessen Organ beschaffen soll oder kann, der durch den energetischen Imperativ gelenkt wird. Von allen Mitteln, den Willen zu vereinheitlichen, ist der Kampf das primitivste und energetisch schlechteste, da er die größte Energievergeudung bedingt.[36])

C. Organisatorik

Den höheren Lebewesen und den menschlichen Zweckverbänden ist der Umstand gemeinsam, daß beide aus halbwegs selbständigen Einzelwesen gebildet sind, die zum Zweck besonderer Erfüllung ihrer Bedürfnisse zu größeren Gebilden zusammengetreten sind. Hierbei müssen sie notwendig auf einen Teil ihrer Unabhängigkeit verzichten, indem sie für gewisse Lebensnotwendigkeiten auf die Betätigung anderer Gemeinschaftsglieder angewiesen sind, die ihnen jene liefern; andererseits versehen sie die Genossen mit den Ergebnissen ihrer eigenen Tätigkeit. Dadurch wird das Leben jedes Einzelwesens vom Gedeihen des Ganzen abhängig und das Ergebnis der Gemeinschaft wird um so besser, je reibungsloser und harmonischer sich das Zusammenwirken aller Genossen vollzieht. Die Bedingungen dazu sind, daß jede Sonderfunktion von dem entsprechenden Organ mit bestem Güteverhältnis ausgeführt wird (was bei bewußten Einzelwesen das stärkste Wohlgefühl bewirkt) und daß die Leistungen der Organe so gegeneinander abgestimmt sind, wie es dem Bedürfnis des Gesamtwesens entspricht, ohne Mangel oder Überschuß. Dies gilt für ein technisches Werk ebenso wie für einen Staat.

Die allgemeine Aufgabe kann auf vielfältige Weise gelöst werden, und die Naturgeschichte der Lebewesen bietet eine riesige Menge solcher Lösungen dar, die keineswegs alle vollkommen sind. Dies rührt teilweise daher, daß die Lebensbedingungen sich geändert haben. In solchen Fällen bilden die Anpassungsvorgänge an die neuen Verhältnisse lehrreiche Vorbilder für ähnliche technische Aufgaben. Für eine künftige grundsätzliche Organisationslehre oder Organisatorik können hier mannigfaltige Anregungen gefunden werden.

Die vorstehende Skizze ist zweifellos sehr unvollkommen. Sie scheint aber als vorläufige Unterlage für eingehende Forschungen brauchbar; durch die Inhalte, die sie dabei gewinnen wird, wird sie wohl auch noch besser angepaßte Formen annehmen.

VI. Schöpferische Jugend

Durch Röntgens[37]) Entdeckung der neuen Strahlen vom Jahre 1895 eingeleitet, hat in der Physik in den letzten Jahrzehnten eine gewaltige Fortschrittswelle eingesetzt, deren Gipfel wir anscheinend noch nicht erreicht haben. Was zunächst nur ein überraschendes Laboratoriumsexperiment war, hat sich im Zusammenhange mit anderen grundlegenden Entdeckungen zu einem Gedankengeflecht entwickelt, das die ganze physische Welt umfaßt, vom Kleinsten – den Elementen der Elemente – bis zum Größten – dem ganzen Raum, aus dem wir energetische Kunde zu empfangen vermögen. Wieder erkennen wir mit dem alten Dichter, daß das stärkste auf Erden der Mensch ist, und wieder stellen wir uns jene Lebensfrage der Menschheit, auf welche Weise unter den zwei Milliarden lebender Menschen jene zehn bis dreißig außerordentlichen Individuen zustandekommen, welche sie jeweils zu neuen, bisher unerreichbar gewesenen Höhen führen.

Es hat keinen Wert noch Sinn, hier mit dem ewig Gestrigen zu sagen, daß dieses tiefste Geheimnis der Menschheit niemals aufgedeckt wird. Denn das gleiche haben sie auch über jene Probleme gesagt, auf die oben hingedeutet wurde. Wenn wir langsam begreifen, daß der einzige Sinn und Zweck der Wissenschaft ist, das Künftige vorauszusehen und zu sagen, und daß umgekehrt die Wissenschaft der einzige Weg zu diesem höchsten Ziel ist, so erkennen wir die Hohlheit jener pessimistischen Einstellung. Sie entsteht bei jenen, deren Blicke auf die Vergangenheit gerichtet sind, wo sich freilich von dem nicht viel finden läßt, was die Menschheit heute anstrebt und stufenweise erreicht. Wer aber in irgendeiner Weise an dem in die Zukunft gerichteten Werk der allgemeinen wie der angewandten Wissenschaft beteiligt ist, weiß, daß solche Voraussagungen sich der Erfahrung gegenüber immer wieder als falsch erwiesen haben. Denn sie haben ihre Begründung nicht in der Wissenschaft, sondern in außerwissenschaftlichen Interessen, die die Hemmung des Fortschritts anstreben.

Es sei also in aller Schärfe die Frage gestellt: Gibt es eine Wissenschaft vom genialen Menschen?[25]) Kann man etwas Allgemeines darüber aussagen, welche Faktoren des Erbgutes und der Umwelt sein Entstehen und seine Entwicklung fördern oder hemmen? Wie früh kann man einen künftigen Genius als solchen erkennen und woran? Was kann man tun, um den besten Ertrag seiner Tätigkeit für die Menschheit zu sichern?

Jene Pessimisten antworten darauf überall verneinend. Ihnen ist das Auftreten des Genius ein unergründliches, von höheren Mächten bestimmtes Schicksal, das als eine Gnade ehrfürchtig empfangen werden muß und nicht durch das vorwitzige Fragen des Verstandes gestört werden darf. Sie verzichten nicht nur auf jede aktive Förderung solcher Ereignisse, so wünschenswert sie an sich sein würden, sondern schaudern vor einem solchen Gedanken zurück, da sie von ihm nur Schädigung befürchten.

Sie können und wollen uns also in dieser lebenswichtigen Angelegenheit nicht helfen.

Anders die Vertreter der wahren, das heißt in die Zukunft gerichteten Wissenschaft. Sie stehen grundsätzlich auf dem Standpunkt, daß nichts Erfahrbares der Wissenschaft unzugänglich ist, und die Erfahrung hat ihnen in tausend Fällen recht gegeben. Also sind sie auch bereit, jene Probleme wissenschaftlich anzufassen.

Hierbei ist der erste Schritt, die Tatsachen zu sammeln. Dann sie zu ordnen, d. h. Ähnliches zusammenzustellen und endlich die entsprechenden Kausalketten Glied für Glied zu erforschen. Hierbei ergibt sich, ob und in welchem Umfange die Menschheit imstande ist, die Entstehung und Betätigung genialer Menschen zu fördern.

Das wäre die Aufgabe der Wissenschaft. Neben und hinter ihr steht allerdings die viel schwierigere Aufgabe, deren Ergebnisse in die Praxis zu übersetzen. Denn zur wissenschaftlichen Erkenntnis genügt ein einzelner Kopf mit dem entsprechenden Gehirn, der natürlich der Masse weit voraus ist. Die zweite Aufgabe besteht aber darin, diese Masse in Bewegung zu setzen und sie auf den Standpunkt zu führen, den der Genius eben erreicht hat. Und das ist außerordentlich schwer.

Werfen wir nun einen Blick auf das Tatsachenmaterial. Wir sind über die genialen Menschen meist gut unterrichtet, da sie durch ihre außerordentliche Beschaffenheit sehr viel reichere Spuren hinterlassen als die durchschnittlichen Zeitgenossen. Allerdings nur, wenn sie sich schon bei Lebzeiten durchgesetzt hatten. Es gibt nicht wenig Fälle, in denen die Anerkennung und Wirkung erst nach dem Tode erfolgt ist, und es spricht alles dafür, daß außerdem noch eine Anzahl genialer Menschen gestorben sind (oder auch noch leben), deren Bedeutung noch nicht begriffen ist. Wir müssen uns natürlich auf die beiden ersten Gruppen beschränken.

Zeichnen wir die Lebenslinien genialer Menschen, indem wir ihre Leistung gegen ihr Lebensalter ansetzen, so fällt uns sofort die Tatsache auf, daß sehr häufig die großen Leistungen in einem sehr jungen Alter, etwa zwischen dem 20. bis 28. Lebensjahre vollbracht werden. Da diese Daten sich oft auf die Veröffentlichung des großen Werkes, nicht aber die Ausführung beziehen, da jene oft durch äußere Schwierigkeiten verzögert wird, so liegen die Zeiten der eigentlichen Erzeugung noch um einige Jahre zurück. Dies gilt nicht nur für wissenschaftliche Leistungen, sondern auch für künstlerische und politische.

Alexander von Mazedonien begann mit 22 Jahren die Eroberung des Perserreiches; Friedrich Schiller war ebenso alt, als er mit seinem Drama „Die Räuber" das deutsche Volk erschütterte und begeisterte, und Goethe hatte mit 23 Jahren durch seinen Werther einen unabsehbaren Einfluß auf das Empfinden seiner Zeitgenossen gewonnen. Mozarts erstaunliche Frühreife ist weltbekannt: er wurde mit 13 Jahren Konzertmeister in Salzburg. Heute wäre das ganz unmöglich, denn man würde von dem Kandidaten die Maturitätsprüfung oder mindestens die Primareife verlangen. William Thomson (Lord Kelvin)[38]) wurde mit 22 Jahren Universitätsprofessor, Liebig[35]) mit 21 Jahren – was gleichfalls heute in Deutschland unmöglich wäre.

Wenden wir uns dem Anlaß dieser Betrachtungen, der großen Wendung in der gegenwärtigen Physik zu, so begegnen wir gleichfalls einer Schar jugendlicher Köpfe hohen und höchsten Ranges. Einstein[39]) hat die Grundgedanken seiner Lehre etwa im 26. Lebensjahre geschaffen, Moseley[40]), dem wir das Daseinsgesetz der chemischen Elemente verdanken, fiel 28jährig im Weltkriege, de Broglie[41]), der die Elektronen als Wellen aufzufassen gelehrt hat, fand diesen Gedanken vor seinem 30. Jahre. Bohr[42], der Kopernikus der Atome, Heisenberg[43], Schrödinger[44], die ausgezeichneten mathematischen Physiker, haben alle ihre entscheidenden Leistungen während des dritten Jahrzehnts ihres Lebens vollbracht. An der gewaltigen Aufwärtsbewegung der gegenwärtigen Physik, die nur von Unkundigen und Überwollenden als eine Zerstörung ihrer Grundlagen bezeichnet wird, haben also junge Forscher einen sehr großen Anteil.

Ganz dasselbe gilt für die unmittelbar vorausgegangene grundsätzliche Wendung der Chemie aus der präparativen und systematischen Stufe, in welcher die organische Chemie ihre Triumphe gefeiert hatte, zur physikalisch-mathematischen Chemie, deren technisch-wirtschaftliche Erfolge sich soeben in Stickstoffbindung, Drucksynthesen, elektrolytischer und katalytischer Leitung zahlloser Reaktionen usw. auswirken. Die führenden Forscher waren hier van't Hoff[45], Arrhenius[46], Nernst[47], die sämtlich in ihren ersten Veröffentlichungen, d. h. am Anfang ihrer zwanziger Jahre, ihre entscheidenden Gedanken erfaßt und ausgesprochen hatten.

Es ist also eine ganz allgemeine Erscheinung, daß den jungen Männern ein erheblicher Anteil an den großen Fortschritten der Menschheit zu verdanken ist. Man darf aber diese Tatsache, auf die zuerst der Physiologe Tigerstedt[48] die Aufmerksamkeit der wissenschaftlichen Welt gelenkt hat, nicht dahin zu verallgemeinern versuchen, daß nur junge Menschen die wesentlichen Fortschritte bewirkt haben und bewirken. Neben der Relativitätslehre[39] ist maßgebend für das heutige Weltbild der Physik die Quantenlehre, die nicht weniger kühn mit vorher nie bezweifelten Denkgewohnheiten gebrochen hat. Sie wurde von Max Planck[49] in einem Alter geschaffen, welches man bereits der absteigenden Hälfte der Lebenslinie anzurechnen pflegt. Es ist nicht nötig, weitere Beispiele anzuführen; zeigt doch die Verwunderung, welche der Hinweis auf die Jugendleistungen so vieler genialer Menschen auslöst, daß man für das „Große Werk“ allgemein ein höheres Lebensalter als gegeben ansieht. Und wenn der bildende Künstler einen Forscher darzustellen hat, wird er ihn sicher als einen Greis bilden, nicht als einen Jüngling.

Wir werden also das Ergebnis dieser Untersuchung dahin zusammenfassen, daß die Leistungslinien der genialen Menschen zwei Höhepunkte aufweisen können, von denen der eine etwa um das 25. Lebensjahr (vielleicht etwas früher) liegt und der andere, unbestimmtere etwa um das fünfzigste oder noch weiter hinaus. Hieraus ist zunächst der Schluß zu ziehen, daß es sich bei diesen schöpferischen Leistungen um eine ziemlich zusammengesetzte Erscheinung handelt, die von einer ganzen Anzahl verschiedener Faktoren bestimmt wird. Damit werden die Versuche, das Genie durch ein Kennzeichen zu definieren, wie etwa: Genie ist Fleiß, oder Genie ist Wahnsinn, als unzulänglich erledigt. Sie weisen bestenfalls auf einen der vielen wirksamen Faktoren[52]) hin, können aber das Problem keinesfalls erschöpfen. Vielmehr wird es nötig sein, diese Faktoren einzeln aufzusuchen. Um einen Anfang zu machen, fragen wir zunächst, welche allgemeine Eigenschaft jugendlicher Menschen sich bis zum genialen Werk steigern kann.

Diese Frage hat eine große praktische Bedeutung, denn wir haben Aussicht, hier die Mittel zu finden, um künftige Genies so früh wie möglich zu erkennen, um ihnen den Weg zu ihrem Werk tunlichst zu erleichtern, das für ihr Volk und für die Menschheit ein Segen werden soll. Da mir persönlich nicht selten diese Frage gestellt worden ist, soll eine Antwort versucht werden.

Die Leistung des jugendlichen Genius ist regelmäßig durch die Kühnheit, meist auch durch die Einfachheit des neuen Gedankens gekennzeichnet, was ja beides sich nahesteht. Die Formung solcher Gedanken wird hier durch ein gewisses Maß von Unwissenheit bezüglich früherer Denkversuche sehr erleichtert. Je genauer man diese kennt, um so schwieriger wird es, diese Gleise zu verlassen und einen ganz neuen Weg zu versuchen. Natürlich ergeben solche jugendliche Vorstöße in den meisten Fällen Gedanken, die schon früher gedacht wurden und nur dem jungen Entdecker neu sind: damit beginnt auch der Höchstbegabte. Aber dazwischen erscheint auch wirklich Neues, dann betätigt sich die Kühnheit des Genius. Denn er hat keine Angst vor dem Absurden, d. h., was zu seiner Zeit als absurd gilt. Vielmehr bewirkt der Energieüberschuß der jungen Jahre, daß er solche Schwierigkeiten eher willkommen heißt. Jetzt hängt alles davon ab, wie weit in ihm die Fähigkeit zur Selbstkritik entwickelt ist, die ihn die schönsten Einfälle verwerfen läßt, wenn sie den Tatsachen nicht gerecht werden.

Hier machen sich jene beiden Temperamente geltend, welche seit langem als die Klassiker und die Romantiker in der Forschung unterschieden worden sind. Der Klassiker arbeitet langsam und gräbt in die Tiefe, der Romantiker schnell und denkt in die Weite. Auf beiden Wegen finden sich die Mittel zur Kritik, durch welche der flüchtige Einfall zu einem haltbaren Gedanken entwickelt wird. In einzelnen Fällen haben wir genauere Nachricht über diesen Vorgang. So bei dem Klassiker J. R. Mayer[50]), der uns den größten wissenschaftlichen Gedanken des 19. Jahrhunderts erarbeitet hat, das Gesetz von der Erhaltung der Energie. Es wurde im Mai 1840 auf der Reede von Surabaya konzipiert, erhielt aber erst nach zwei Jahren ununterbrochener schwerster Geburtswehen im November 1842 seine lebensfähige Gestalt.

Das Zusammentreffen dieser beiden fast entgegengesetzten Elemente: Kühnheit und Kritik unter demselben Schädeldach ist eine selten erfüllte Voraussetzung: daher die Seltenheit des Genius. Wir wissen heute, daß die Beschaffenheit des Menschen wesentlich durch das Erbgut der Zellkerne, durch die Chromosomen und deren Bestandteile, die Gene, bestimmt wird. Wie kommt es, daß die Geschwister der genialen Menschen nicht gleichfalls Genies sind?

Es kommt daher, daß nach der Grundlegung des neuen Individuums, wo durch das Zusammenschmelzen der beiden Zellen die Anzahl der Chromosomen verdoppelt wird, die Hälfte von ihnen aufgelöst wird, um die normale Zahl wieder herzustellen. Je nach den vorhandenen Umständen sind dies teils väterliche, teils mütterliche Erbstücke[51]).

Der Genius ist dadurch gekennzeichnet, daß die überlebenden Stücke nicht nur kräftig sind, sondern auch so zueinander passen, daß hernach die zugehörigen Eigenschaften sich gegenseitig steigern. Die anderen Menschen haben dagegen in der Jugend schwer damit zu tun, die unharmonischen Zufälligkeiten ihres Erbgutes einigermaßen auszugleichen. Dem Genius ist diese Arbeit erspart, und er kann unmittelbar an die Leistung gehen: daher jene Frühzeitigkeit, von der unsere Betrachtungen anfingen.

Diese Klasse genialer Menschen darf man die Sonnenkinder nennen: sie gehen ungehemmt und strahlend ihren Weg nach oben. Daneben gibt es eine andere Klasse, die ihr Werk unter Überwindung ungeheurer Widerstände, äußerer wie auch innerer, durchführen; sie mögen die Titanen genannt werden. Mozart und Beethoven sind Beispiele[52]. Auch diese Erscheinungsformen lassen sich erklären; der dazu erforderliche Begriff heißt Überheilung[9], doch kann darauf nicht näher eingegangen werden.

Nur jene Frage, wie man den künftigen Genius recht frühzeitig erkennen kann, sei noch kurz beantwortet.

Da alle unsere Kinder die Schulen[53] besuchen, ist das Kennzeichen hier zu finden.

Man suche jene Schüler auf, welche mit dem nicht zufrieden sind, was die Schule bietet und welche daher auf eigenen Wegen Erweiterung und Vertiefung ihres Wissens und Könnens suchen. Wenn auch keineswegs alle künftige Genies sind, so sind diese doch ausschließlich in dieser Gruppe anzutreffen.

Anmerkungen zu den Texten

1) Vitalismus: idealistische Erklärung der Lebensprozesse durch besondere Lebenskräfte.
Mechanismus: Reduzierung des Lebensprozesses auf physikalisch-chemische Prozesse, ohne die Dialektik der Lebensprozesse genügend zu berücksichtigen.

2) Berzelius, J. J., Chemiker (1779–1848).

3) Ludwig, Karl Friedrich Wilhelm, Physiologe (1816–1895), Begründer der modernen experimentellen Physiologie.

4) Die zeitlich aufgelöste Mikroskopie mittels Licht, Elektronen- oder Röntgenstrahlen wurde inzwischen zum wesentlichen Forschungshilfsmittel bei der Verfolgung biologischer Vorgänge.

5) Laplace, Pierre Simon, Mathematiker und Physiker (1749–1827), gab eine materialistische Erklärung der Naturerscheinungen, erkannte die Einheit aller Naturgesetze, deutete das Kausalitätsprinzip mechanistisch.

6) du Bois-Reymond, Emil, Physiologe (1818–1896), arbeitete vor allem über Physiologie der Nerven und Muskeln sowie über tierische Elektrizität, vgl. [14]).

7) Demokrit aus Abdera, griechischer Naturphilosoph (460–370 v. u. Z.), Hauptvertreter des Materialismus und der Atomistik der Antike.

8) Darwin, Charles, Naturforscher (1809–1882). Darwins Formulierung: „Survival of the fittest" wurde von Ostwald hier etwas abgeändert. Neuere Literatur dazu: Zirnstein, G.: Charles Darwin. Leipzig 1974, 1975 und 1978, vgl. Einführung, Fußnote 13.

9) Siehe IV. und S. 43/44.

10) Ostwald versteht den Begriff der Entelechie im Sinne der idealistischen Philosophie als zweckgerichtete Vorlage der Natur. Goethe gebraucht ihn zur Erklärung der Wandelbarkeit und Unvergänglichkeit der Dinge und Erscheinungen im Sinne des Pantheismus.

11) Zu dieser Zeit gab es insbesondere in Göttingen, Leipzig und Berlin die einmalige Häufung von naturwissenschaftlichen Koryphäen. Der Biochemiker E. Chargaff bezeichnete rückblickend in „Late Evening in Berlin" (Trends in Biochemical Sciences 1 (1976) N 171) diese Stadt bis 1933 „as the very empyrean of science".

12) Ostwald spielt hier auf die Weltwirtschaftskrise und die politische Krise in Deutschland Anfang der 30er Jahre an.

13) Schmidt, C., Lehrer Ostwalds in Dorpat, urteilte über seinen Schüler in einem Empfehlungsschreiben (vgl. Einführung, Fußnote 11): „Ostwald ist aus der C, H, O, N, S, P Kombination geschaffen, der die Bunsen, Helmholtz, Kirchhoff entstammen – setzen Sie ihn in das richtige Fahrwasser und der Erfolg wird eminent sein."

14) Emil du Bois-Reymond hat sich nicht nur den Problemen seiner Fachdisziplin gewidmet, sondern er wandte sich in vielen Vorträgen, in Gedenk- und Festreden allgemeinwissenschaftlichen Fragen seiner Zeit zu. Bis zu seinem Vortrag zum Thema „Die sieben Welträtsel" 1880 zeigte er sich als Vertreter der mechanistisch-materialistischen und deterministischen Weltanschauung. Nun gab es für ihn u. a. das „unsterbliche" Problem der Entstehung des Bewußtseins, das aus seinen materiellen Voraussetzungen allein nicht erklärbar sei, weshalb er durch E. Haeckel (1834–1919) als Metaphysiker kritisiert wurde (in „Welträtsel" 1899; vgl. die Anspielung S. 17).

15) Energetik oder Energetismus. Ostwald prägte diesen Begriff im Zusammenhang mit philosophischen Problemen, die sich aus dem Fortschritt der Naturwissenschaften, vor allem der Physik, und mit der gleichzeitigen Relativierung des Weltbildes der klassischen Physik ergaben. Als Grundlage alles Geschehens fungiert die Energie. Ostwald versucht, Materie und Bewußtsein unter den Begriff „Energie" zu subsumieren. Letztlich jedoch ist dieses Denken trotz seiner mechanisch-materialistischen Elemente nicht frei von Idealismus. – Vgl. W. Ostwald: Die Forderung des Tages. Leipzig 1911, Neudruck 1916.

16) Fließgleichgewicht: stationäres Gleichgewicht zwischen Zellsubstanzen im offenen lebenden System, d. h. Stoffaustausch mit der Umgebung, vgl. S. 14. Weitere Erforschung durch L. v. Bertalanffy, Biologe (geb. 1901).

17) Hering, Ewald, Physiologe (1834–1918), erwarb sich Verdienste um die Psychophysik; bedeutende, auf der Deszendenzlehre fußende Abhandlung „Das Gedächtnis als eine allgemeine Funktion der organisierten Materie", Wien 1870.

18) Als materielle Träger des Langzeitgedächtnisses nimmt man heute biochemische Synthesen bestimmter Nukleinsäuren an, was die Ostwaldsche Auffassung der Überheilung bestätigt, wenn auch der Begriff selbst mißverständlich erscheint.

19) Behring, Emil von, Bakteriologe (1854–1917), ein Schüler Robert Kochs (1843–1910), war einer der Begründer der Serumtherapie.

20) Störungen der positiven Art (stress) werden heute als lebensnotwendig angesehen gegenüber den sich auf den Organismus negativ auswirkenden Schädigungen (distress), vgl. Einführung, Fußnote 5.

21) Ostwald leitet diese Schlußfolgerung einerseits aus seiner bürgerlich humanistischen Denkweise, die die Soziologie an die Spitze der Wissenschaftspyramide stellt, ab (vgl. I.). Andererseits spiegeln sich die Erfahrungen, die er mit der Politik der herrschenden Klasse der Bourgeoisie gemacht hat, wider (vgl. F. Herneck: Abenteuer der Erkenntnis. Berlin 1973).

22) Semon, Richard (1859–1918), Zoologe, 1891–1897 an der Universität Jena, Anhänger Lamarcks, stellte in dem Werk „Die Mneme als erhaltendes Prinzip im Wechsel des Lebens" (1904, 5. Aufl. 1915) eine neue, auf die Psyche gerichtete Lamarckistische Lehre auf, nach der ein ständiger Reiz einen Organismus bleibend verändern und in ihm sogen. ‚Engramme' hinterlassen kann.

23) Loeb, Jaques (1859–1924), wesentliche Arbeiten auf dem Gebiet der Experimentalembryologie, vor allem der sog. künstlichen Parthenogenese, d. h. der Einleitung einer Entwicklung des Eies ohne Befruchtung.

24) Mithridates, Name von Herrschern der Arsakidendynastie und des Königreiches Pontos, das sich um die Zeitenwende an der Nordostküste Kleinasiens erstreckte.

25) Vgl. Abb. 1, die Wissenschaft von der Biologie des Genies wird von Ostwald als Geniologie bezeichnet.

26) Verdünnung = Kehrwert der Konzentration (an Pharmaka).

27) Vgl. Einführung: Weber, E. H., Physiologe (1795–1878); Fechner, G. Th., Physiologe (1801–1887).

28) Spencer, Herbert (1820–1903), englischer Philosoph und Soziologe, Hauptvertreter des englischen Positivismus in der 2. Hälfte des 19. Jahrhunderts.

29) Jones, H. B., Arzt (1813–1873).

30) Pfeffer, Wilhelm, Botaniker (1845–1920), Pflanzenphysiologe, arbeitete u. a. über die physikalische Chemie der Zelle.

31) Ostwald verwendet den Begriff soziologische Disziplin im Sinne einer allgemeinen gesellschaftlichen Disziplin, nicht im heutigen Sinne des Begriffes Soziologie, vgl. Abb. 1.

32) Güteverhältnis ist gleich dem Wirkungsgrad.

33) Ostwald weist auf biologisch technische Lösungswege hin, wie sie heute von der Bionik und Biokybernetik erforscht werden.

34) Auf landwirtschaftlich-mikrobiologischer Basis hat gerade in den letzten Jahren eine stürmische Entwicklung eingesetzt unter verstärkter Nutzung der Sonnenenergie (vgl. Einführung, Fußnote 14).

35) Liebig, J., Chemiker (1803–1873).

36) Ostwald sieht nicht nur die sozialen Unterschiede in der bürgerlichen kapitalistischen Welt, sondern auch einige allgemeine Probleme des Staates und damit der Politik der herrschenden Klasse. Sein Gedanke ergibt sich aus dem bürgerlichen betrachtenden Humanismus, der die aktive Rolle der Arbeiterklasse für die Veränderung dieser sozialen Unterschiede nicht zu erkennen vermag.

37) Röntgen, W. K., Physiker (1845–1923).

38) Thomson, William, seit 1892 Lord Kelvin of Largs (1824–1907), Physiker, Mitbegründer der Thermodynamik.

39) Einstein, Albert, einer der bedeutendsten Physiker unseres

Jahrhunderts (1879–1955), schuf die allgemeine und spezielle Relativitätstheorie, unternahm den Versuch der Darstellung einer einheitlichen Feldtheorie.

40) Moseley, H. G., Physiker (1887–1915).

41) Broglie, Prinz Louis Victor de (1875–1960), französischer Physiker, arbeitete auf den Gebieten der Röntgenstrahlen und Quantenphysik.

42) Bohr, Niels, dänischer Physiker (1885–1962), schuf 1913 das nach ihm benannte Atommodell, prägte den Begriff der Komplementarität zur Charakterisierung von Eigenschaften in mikrophysikalischen Systemen, die sich in einem Experiment gegenseitig ausschließen.

43) Heisenberg, Werner, theoretischer Physiker (1901–1976), begründete 1925 mit M. Born, P. Jordan und P. A. M. Dirac die Quantenmechanik, schuf grundlegende Arbeiten zur Theorie der Elementarteilchen.

44) Schrödinger, E., Physiker (1887–1961), vgl. Einführung.

45) Van't Hoff, J., Chemiker (1852–1911), Mitbegründer der Physikalischen Chemie.

46) Arrhenius, S., Chemiker (1859–1927), Mitbegründer der Physikalischen Chemie.

47) Nernst, W., Physikochemiker (1864–1941), bedeutendster Schüler Ostwalds.

48) Tigerstedt, Carl (1882–1930), Professor für Physiologie an der Universität Helsingfors.

49) Planck, M. K., Theoretischer Physiker (1858–1947), Begründer der Quantentheorie.

50) Mayer, J. R., Arzt (1814–1878), vgl. Fußnote 12 der Einführung.

51) Moderne Beschreibung der Reduktionsteilung (Meiose) in H. Füller: Zellen – Bausteine des Lebens, Leipzig 1975.

52) Vgl. Einführung, Fußnote 6).

53) Mit den Unzulänglichkeiten des damaligen Schulsystems und seinen Nachteilen für naturwissenschaftlich begabte Schüler (vgl. Einführung, Fußnoten 3 u. 9) hat sich W. Ostwald häufig auseinandergesetzt, desgleichen mit der Universität: „Die Universität der Zukunft und die Zukunft der Universität" (Annalen der Naturphilosophie 10 (1910) 256).

Ostwalds Klassiker

Sonderband
L. Dunsch / H. Müller
Ein Fundament zum Gebäude der Wissenschaften
100 Jahre Ostwalds Klassiker
1988, 160 S., 29 Abb.,
DM 19,80
ISBN 3-8171-3000-7
In diesem Band sind die vollständigen Angaben zu allen Bänden von Band 1 bis Band 275 enthalten, sowie ein geschlossener Überblick der Geschichte der Reihe.

Band 1
H. von Helmholtz
Über die Erhaltung der Kraft / Über Wirbelbewegungen /
Über diskontinuierliche Flüssigkeitsbewegungen /
Theorie der Luftschwingungen in Röhren mit offenen Enden
Reprint der Bände 1, 79 und 80
- Über die Erhaltung der Kraft (1847), Bd. 1
- Über Wirbelbewegungen (1858), Bd. 79*
- Über diskontinuierl. Flüssigkeitsbeweg. (1868), Bd. 79*
- Theorie der Luftschwingungen in Röhren mit offenen Enden (1859), Bd. 80*

*) Herausgeber: A. Wangerin
1996, 272 S., DM 36,-
ISBN 3-8171-3001-5

Band 3
J. Dalton / W.H. Wollaston / A. Avogadro
Die Grundlagen der Atomtheorie / Versuch einer Methode, die Massen der Elementarmolekeln der Stoffe und die Verhältnisse, nach welchen sie in Verbindungen eintreten, zu bestimmen / Ampère, Andre Marie: Brief des Herrn Ampère an den Herrn Grafen Berthollet
Reprint der Bände 3 und 8
- Die Grundlagen der Atomtheorie. Abhandlungen. (1803 - 1808), Bd. 3*
- Versuch einer Methode, die Massen der Elementarmolekeln der Stoffe und die Verhältnisse, nach welchen sie in Verbindungen eintreten, zu bestimmen. (1811), Bd. 8*
- Ampère, Andre Marie: Brief des Herrn Ampère an den Herrn Grafen Berthollet, über die Bestimmung der Verhältnisse, in welcher sich die Stoffe nach der Zahl und der wechselseitigen Anordnung der Molekeln, aus denen ihre integrierenden Partikeln zusammengesetzt sind, verbinden. Bd. 8*

*) Herausgeber: W. Ostwald
1996, 80 S., 4 Tafeln, DM 14,80
ISBN 3-8171-3003-1

Band 8
A. Avogadro
Versuch einer Methode, die Massen der Elementarmolekeln der Stoffe und die Verhältnisse, nach welchen sie in Verbindungen eintreten, zu bestimmen.
Zusammengefaßt mit Bd. 3 unter ***Bd. 3***

Band 11
G. Galilei
Unterredungen und mathematische Demonstrationen über zwei neue Wissenszweige, die Mechanik und die Fallgesetze betreffend (1. bis 6. Tag)
Reprint der Bände 11, 24 und 25
- Erster und zweiter Tag (1638), Bd. 11
- Dritter und vierter Tag (1638), Bd. 24
- Fünfter und sechster Tag, Bd. 25

Übersetzer und Herausgeber: A.J. v. Oettingen
1995, 338 S., 152 Abb., DM 38,-
ISBN 3-8171-3011-2

Band 21
J.W. Hittorf
Über die Wanderungen der Ionen während der Elektrolyse
Abhandlungen. 1853 - 1859
Reprint der Bände 21 und 23
- Erster Teil, Bd. 21
- Zweiter Teil, Bd. 23

Herausgeber: W. Ostwald
1986, 257 S., DM 24,80 ISBN 3-8171-3021-X

Band 23
J.W. Hittorf
Über die Wanderungen der Ionen während der Elektrolyse. Zweiter Teil
Zusammengefaßt mit Bd. 21 unter ***Bd. 21***

Band 24
G. Galilei
Unterredungen und mathematische Demonstrationen über zwei neue Wissenszweige, die Mechanik und die Fallgesetze betreffend. (Dritter und vierter Tag)
Zusammengefaßt mit Bd. 11 u. 25 unter ***Bd. 11***

Band 25
G. Galilei
Unterredungen und mathematische Demonstrationen über zwei neue Wissenszweige, die Mechanik und die Fallgesetze betreffend. (Fünfter und sechster Tag)
Zusammengefaßt mit Bd. 11 u. 24 unter ***Bd. 11***

Band 37
S. Carnot
Betrachtungen über die bewegende Kraft des Feuers und die zur Entwicklung dieser Kraft geeigneten Maschinen
Übersetzer und Herausgeber: W. Ostwald
1995, 72 S., 5 Abb., DM 14,80
ISBN 3-8171-3037-6

Band 45
H. Davy
Elektrochemische Untersuchungen
Vorgelesen in der königlichen Sozietät zu London als "Bakerian Lecture" am 20. November 1806 und am 19. November 1807
Herausgeber: W. Ostwald
1986, 92 S., 1 Tafel, DM 14,80
ISBN 3-8171-3045-7

Ostwalds Klassiker

Band 52
A. Galvani / A. Volta
Abhandlung über die Kräfte der Elektrizität bei der Muskelbewegung / Untersuchungen über den Galvanismus
Reprint der Bände 52 und 118
- Abhandlung über die Kräfte der Elektrizität bei der Muskelbewegung (1791), Bd. 52
- Untersuchungen über den Galvanismus (1796 - 1800), Bd. 118

Herausgeber: A.J. v. Oettingen
1996, 175 S., 25 Abb., 5 Tafeln, DM 24,-
ISBN 3-8171-3052-X

Band 59
Otto v. Guericke
Neue "Magdeburgische Versuche" über den leeren Raum. (1672)
Übers., Herausg. u. Anm.: F. Dannemann
1996, 116 S., 15 Abb., DM 16,80
ISBN 3-8171-3059-7

Band 66
J.W. Doebereiner
Die Anfänge des natürlichen Systemes der chemischen Elemente
Herausgeber: L. Meyer
1983, 34 S., DM 9,80, ISBN 3-8171-3066-X

Band 68
L. Meyer, D. Mendelejeff
Das natürliche System der chemischen Elemente. Abhandlungen. Herausgeber: K. Seubert
1996, 135 S., DM 24,-, ISBN 3-8171-3068-6

Band 69
J.C. Maxwell
Über Faradays Kraftlinien / Über physikalische Kraftlinien
Reprint der Bände 69 und 102
- Über Faradays Kraftlinien (1855 und 1856), Bd. 69
- Über physikalische Kraftlinien (1861/1862), Bd. 102

Herausgeber: L. Boltzmann
1995, 276 S., 14 Abb., DM 38,-
ISBN 3-8171-3069-4

Band 72
G. Kirchhoff / R. Bunsen
Chemische Analyse durch Spektralbeobachtungen/ Abhandlungen über Emission und Absorption
Reprint der Bände 72 und 100
- Chemische Analyse durch Spektralbeobachtungen (1860), Bd. 72*
- Abhandlungen über Emission und Absorption (1859-63)
- I. Über die Fraunhoferschen Linien (1859),Bd. 100**
- II. Über den Zusammenhang zwischen Emission und Absorption von Licht und Wärme (1859), Bd. 100**
- III. Über das Verhältnis zwischen dem Emissionsvermögen und dem Absorptionsvermögen der Körper für Wärme und Licht (1860-1862), Bd. 100**

*)Herausg.: W. Ostwald. **)Herausg.: M. Planck
1996, 115 S., 15 Abb., DM 19,80
ISBN 3-8171-3072-4

Band. 79
H. von Helmholtz
Zwei hydrodynamische Abhandlungen
*Zusammengefaßt mit Bd. 1 u. 80 unter **Bd. 1***

Band 80
H. von Helmholtz
Theorie der Luftschwingungen
*Zusammengefaßt mit Bd. 1 und 79 unter **Bd. 1***

Band 81
M. Faraday
Experimentaluntersuchungen über Elektrizität
I. und II. Reihe
Herausgeber: A.J. v. Oettingen
1985, 96 S., 41 Abb., DM 14,80
ISBN 3-8171-3081-3

Band 86
M. Faraday
Experimentaluntersuchungen über Elektrizität
III. bis V. Reihe
Herausgeber: A.J. v. Oettingen
1985, 104 S., 15 Abb., DM 14,80
ISBN 3-8171-3086-4

Band 87
M. Faraday
Experimentaluntersuchungen über Elektrizität
VI. bis VIII. Reihe
Herausgeber: A.J. v. Oettingen
1985, 180 S., 48 Abb. DM 19,80
ISBN 3-8171-3087-2

Band 96
I. Newton, Sir
Optik oder Abhandlung über Spiegelungen, Brechungen, Beugungen und Farben des Lichts (1.-3. Buch)
Reprint der Bände 96 und 97
- 1. Buch (1704), Bd. 96
- 2. und 3. Buch (1704), Bd. 97

Übersetzer und Herausgeber: W. Abendroth
1996, 188 S., 58 Abb., DM 24,-
ISBN 3-8171-3096-1

Band 97
I. Newton, Sir
Optik oder Abhandlung über Spiegelungen, Brechungen, Beugungen und Farben des Lichts (2. u. 3. Buch)
*Zusammengefaßt mit Bd. 96 unter **Bd. 96***

Band 99
R. Clausius
Über die bewegende Kraft der Wärme und die Gesetze, welche sich daraus für die Wärmelehre selbst ableiten lassen
Herausgeber: M. Planck
1996, 55 S., 4 Abb., DM12,80
ISBN 3-8171-3099-6

Band 100
G. Kirchhoff
Abhandlung über Emission und Absorption
*Zusammengefaßt mit Bd. 72 unter **Bd. 72***

Band 102
J.C. Maxwell
Über physikalische Kraftlinien
*Zusammengefaßt mit Bd. 69 unter **Bd. 69***

Band 118
A. Volta
Untersuchungen über den Galvanismus
*Zusammengefaßt mit Bd. 52 unter **Bd. 52***

Irrtümer und Preisänderungen vorbehalten
(Preise ab Januar 1996)

Ostwalds Klassiker

Band 121
G. Mendel
Versuche über Pflanzenhybriden
Zwei Abhandlungen 1866/1870
Herausgeber: E. v. Tschermak - Seysenegg
1995, 71 S., DM 14,80, ISBN 3-8171-3121-6

Bd. 126
M. Faraday
Experimentaluntersuchungen über Elektrizität
IX. bis XI. Reihe
Herausgeber: A.J. v. Oettingen
1985, 104 S., 15 Abb., DM 14,80
ISBN 3-8171-3126-7

Bd. 128
M. Faraday
Experimentaluntersuchungen über Elektrizität
XII. und XIII. Reihe
Herausgeber: A.J. v. Oettingen
1985, 133 S., 29 Abb., DM 16,80
ISBN 3-8171-3128-3

Band 131
M. Faraday
Experimentaluntersuchungen über Elektrizität
XIV. bis XIX. Reihe
Herausgeber: A.J. v. Oettingen
Reprint der Bände 131, 134 und 136
- Experimentaluntersuchungen über Elektrizität - XIV. und XV. Reihe, Bd. 131
- Experimentaluntersuchungen über Elektrizität - XVI. und XVII. Reihe, Bd. 134
- Experimentaluntersuchungen über Elektrizität - XVIII. und XIX. Reihe, Bd. 136

1988, 202 S., 31 Abb. DM 24,80
ISBN 3-8171-3131-3

Band 134
M. Faraday
Experimentaluntersuchungen über Elektrizität - XVI. und XVII. Reihe
Zusammengefaßt mit Bd. 131 und 136 unter ***Bd. 131***

Band 136
M. Faraday
Experimentaluntersuchungen über Elektrizität
XVIII. und XIX. Reihe
Zusammengefaßt mit Bd. 131 und 134 unter ***Bd. 131***

Band 140
M. Faraday
Experimentaluntersuchungen über Elektrizität
XX. bis XXIII. Reihe
Herausgeber: A.J. v. Oettingen
1988, 174 S., 11 Abb., DM 19,80
ISBN 3-8171-3140-2

Band 160
S. Arrhenius
Untersuchungen über die galvanische Leitfähigkeit der Elektrolyte
Übers.: A. Hamburger, Hrg.: O. Sackur
1986, 153 S., 6 Abb., DM 19,80
ISBN 3-8171-3160-7

Band 162
G.W. Leibniz / I. Newton, Sir
Über die Analysis des Unendlichen / Abhandlung über die Quadratur der Kurven
Reprint der Bände 162 und 164
- Über die Analysis des Unendlichen, Bd. 162
- Abhandlung über die Quadratur der Kurven (1704), Bd. 164

Übersetzer und Herausgeber: G. Kowalewski
1996, 150 S., 17 Abb., DM 24,-
ISBN 3-8171-3162-3

Band 164
I. Newton, Sir
Abhandlung über die Quadratur der Kurven
Zusammengefaßt mit Bd. 162 unter ***Bd. 162***

Band 180
R. Mayer
Die Mechanik der Wärme
Zwei Abhandlungen. Hrsg.: A.J. v. Oettingen
1982, 90 S., DM 12,80
ISBN 3-8171-3180-1

Band 199
A. Einstein
Untersuchungen über die Theorie der "Brownschen Bewegung"
Herausgeber und Anmerkungen: R. Fürth
1995, 72 S., 3 Abb., DM 14,80
ISBN 3-8171-3199-2

Band 201
Archimedes
Abhandlungen
Reprint der Bände 201, 202, 203, 210 und 213
- Über Spiralen, Bd. 201
- Kugel und Zylinder, Bd. 202
- Die Quadratur der Parabel, Bd. 203
- Über das Gleichgewicht ebener Flächen, Bd. 203
- Über Paraboloide, Hyperboloide und Ellipsoide, Bd. 210
- Über schwimmende Körper und die Sandzahl, Bd. 213

Übersetzung mit Anmerkungen und Anhang von A. Czwalina
1996, 370 S., 214 Abb., DM 48,-
ISBN 3-8171-3201-8

Band 202
Archimedes
Kugel und Zylinder
Zusammengefaßt mit Bd. 201, 203, 210 und 213 unter ***Bd. 201***

Band 203
Archimedes
Die Quadratur der Parabel/Über das Gleichgew. ebener Flächen
Zusammengefaßt mit Bd. 201, 202, 210 und 213 unter ***Bd. 201***

Irrtümer und Preisänderungen vorbehalten
(Preise ab Januar 1996)

Ostwalds Klassiker

Band 206
M. Planck
Die Ableitung des Strahlungsgesetzes
Sieben Abhandlungen aus dem Gebiete der elektromagnetischen Strahlungstheorie
Anmerkungen: F. Reiche
1995, 95 S., DM 14,80
ISBN 3-8171-3206-9

Band 210
Archimedes
Über Paraboloide, Hyperboloide und Ellipsoide
Zusammengefaßt mit Bd. 201, 202, 203, und 213 unter ***Bd. 201***

Band 213
Archimedes
Über schwimmende Körper und die Sandzahl
Zusammengefaßt mit Bd. 201, 203, und 210 unter ***Bd. 201***

Band 233
P.S. de Laplace
Philosophischer Versuch über die Wahrscheinlichkeit
Herausgeber: R.v. Mises
1996, 211 S., DM 28,-
ISBN 3-8171-3233-6

Band 235
Euklid
Die Elemente - Bücher I bis XIII
Reprint der Bände 235, 236, 240, 241 und 243
- Die Elemente. 1. Teil, Buch I bis III, Bd. 235
- Die Elemente. 2. Teil, Buch IV bis VI, Bd. 236
- Die Elemente. 3. Teil, Buch VII bis IX, Bd. 240
- Die Elemente. 4. Teil, Buch X, Bd. 241
- Die Elemente. 5. Teil, Buch XI bis XIII, Bd. 243

Nach *Heibergs* Text übersetzt und herausgegeben: C. Thaer
1996, 481 S., 180 Abb., DM 48,-
ISBN 3-8171-3235-2

Band 236
Euklid
Die Elemente - Buch IV bis VI
Zusammengefaßt mit Bd. 235, 240, 241 und 243 zu ***Bd. 235***

Band 240
Euklid
Die Elemente - Buch VII bis IX
Zusammengefaßt mit Bd. 235, 236, 241 und 243 unter Bd. 235

Band 241
Euklid
Die Elemente - Buch X
Zusammengefaßt mit Bd. 235, 236, 240, und 243 unter ***Bd. 235***

Band 243
Euklid
Die Elemente - Buch XI bis XIII
Zusammengefaßt mit Bd. 235, 236, 240, und 241 unter ***Bd. 235***

Band 244
G.S. Ohm/G.T. Fechner
Das Grundgesetz des elektrischen Stromes
Drei Abhandlungen (1825, 1826 und 1829)
Herausgeber: C. Piel
1996, 45 S., 3 Abb., DM 12,80
ISBN 3-8171-3244-1

Band 251
H. Hertz
Über sehr schnelle elektrische Schwingungen
Vier Arbeiten
Einleitung und Anmerkungen: G. Hertz
1996, 122 S., 13 Abb., DM 19,80
ISBN 3-8171-3251-4

Band 252
D. Hilbert
Die Hilbertschen Probleme
Vortrag "Mathematische Probleme" von David Hilbert, gehalten auf dem 2. Internationalen Mathematikerkongreß Paris 1900
Erläuterungen: P.S. Alexandrov u.a.
1983, 302 S., 3 Abb., DM 29,80
ISBN 3-8171-3252-2

Band 253
F. Klein
Das Erlanger Programm
Vergleichende Betrachtungen über neuere geometrische Forschungen
Einleitung und Anmerkungen: H. Wußing
1995, 84 S., DM 14,80
ISBN 3-8171-3253-0

Band 254
Molekulargenetik
Beiträge zu ihrer Entwicklung.
Übersetzung: E. Geißler, S. Scherneck, M. Theile
Auswahl, Einltg. und Kommentierung: E. Geißler.
1996, 188 S., 42 Abb., 19 Tabellen, DM 28,-
ISBN 3-8171-3254-9

Band 255
E. Hertzsprung
Zur Strahlung der Sterne
Drei Arbeiten
Einleitung und Anmerkung: D.B. Herrmann
1985, 94 S., 5 Abb., DM 12,80
ISBN 3-8171-3255-7

Band 256
C.F. Gauß
Mathematisches Tagebuch 1796 - 1814
Historische Einführung: K.-R. Biermann
Übers.: E. Schuhmann, Anm.: H. Wußing
1985, 103 S., 20 Abb., DM 12,80
ISBN 3-8171-3256-5

Irrtümer und Preisänderungen vorbehalten
(Preise ab Januar 1996)

Ostwalds Klassiker

Band 257
W. Ostwald
Gedanken zur Biosphäre
Sechs Essays
Einleitung und Anmerkungen: H. Berg
1996, 84 S., 3 Abb., DM 14,80
ISBN 3-8171-3257-3

Band 258
E.F.F. Chladni
Über den kosmischen Ursprung der Meteorite und Feuerkugeln
1996, 104 S., 5 Abb., DM 16,80
ISBN 3-8171-3258-1

Band 259
C. Schorlemmer
Der Ursprung und die Entwicklung der organischen Chemie
Einltg. und Anm.: Chr. Duschek, G. Fuchs
1984, 267 S., 4 Abb., DM 28,-
ISBN 3-8171-3259-X

Band 260
G. Harig
Physik und Renaissance
Zwei Arbeiten zum Entstehen der klassischen Naturwissenschaften in Europa
Einführung: H. Wußing
1984, 89 S., 7 Abb., DM 12,80
ISBN 3-8171-3260-3

Band 261
L. Euler
Zur Theorie komplexer Funktionen
Übers.: W. Purkert, H. Maser, H. Müller, R. Thiele, O. Neumann, A. Wangerin, E. Schuhmann.
Einleitung und Anmerkungen: A.P. Juschkewitsch
1996, 263 S., 6 Abb., DM 38,-
ISBN 3-8171-3261-1

Band 262
M. Volmer
Zur Kinetik der Phasenbildung und der Elektrodenreaktionen
8 Arbeiten von Max Volmer, teilweise zus. mit I. Estermann, A. Weber, G. Adhikari, T. Erdey - Gruz und E. Tohmfor
Einleitung und Anmerkungen: L. Dunsch
1983, 134 S., 29 Abb., DM 16,80
ISBN 3-8171-3262-X

Band 263
H. Hertz
Die Prinzipien der Mechanik in neuem Zusammenhange dargestellt
Mit drei Arbeiten von H. Hertz. Vorwort: H. von Helmholtz, Vorbem.: Philipp Lenard, Einlt. u. Anmerkungen: J. Kuczera
1996, 143 S., DM 24,80, ISBN 3-8171-3263-8

Band 264
M. von Ardenne
Arbeiten zur Elektronik
Erläuterungen: H. Berg und S. Reball
1996, 124 S., 52 Abb., DM 19,80
ISBN 3-8171-3264-6

Band 265
J.H. van't Hoff
Studien zur chemischen Dynamik
Übers., Einleitung und Anmerkungen: L. Dunsch
1985, 236 S., 29 Abb., DM 24,80
ISBN 3-8171-3265-4

Band 266
J. Heyrovsky
Polarographie
Übers.: W. Wanek. Einl. u. Anmerk.: J. Koryta und H. Berg
1985, 199 S., 60 Abb., DM 24,80
ISBN 3-8171-3266-2

Band 267
W. Ostwald
Zur Geschichte der Wissenschaft
Vier Manuskripte aus dem Nachlaß
Einführung und Anmerkungen: R. Zott
1985, 284 S., 5 Abb., DM 24,80
ISBN 3-8171-3267-0

Band 268
K. A. Möbius
Zum Biozönose - Begriff
Kapitel aus "Die Auster und die Austernwirtschaft"
Einleitung und Anmerkungen: G. Leps
1986, 112 S., 10 Abb., DM 12,80
ISBN 3-8171-3268-9

Band 269
P.S. Pallas
Über die Beschaffenheit der Gebirge und die Veränderungen der Erdkugel
Erläuterungen: F. Wendland
1986, 112 S., 3 Abb., DM 12,80
ISBN 3-8171-3269-7

Band 270
Dokumente zur Entwicklung der Toxikologie im 19. Jh.
Herausgeber: R. K. Müller
1986, 224 S., 12 Abb., DM 24,80
ISBN 3-8171-3270-0

Band 271
J.W. Ritter
Entdeckungen zur Elektrochemie, Bioelektrochemie und Photochemie
Auswahl, Einl. und Erläut.: H. Berg und K. Richter
1986, 135 S., 12 Abb.,DM 16,80
ISBN 3-8171-3271-9

Band 272
F.F. Runge, R.E. Liesegang, B.P. Belousov, A.M. Zhabotinsky
Selbstorganisation chemischer Strukturen
Auswahl, Einleitung und Kommentierung: L. Kuhnert und U. Niedersen
1987, 112 S.,18 Abb., DM 14,80
ISBN 3-8171-3272-7

Irrtümer und Preisänderungen vorbehalten
(Preise ab Januar 1996)

Ostwalds Klassiker

Band 274
H. Sachse, E. Mohr
Zur Konformation des Cyclohexans
2 Arbeiten von Hermann Sachse und 3 Arbeiten von Ernst Mohr
Einleitung und Anmerkungen: H. Remane
1987, 152 S., 58 Abb. DM 19,80
ISBN 3-8171-3274-3

Band 275
M.J. Schleiden, T. Schwann, M. Schultze
Klassische Schriften der Zellenlehre
Einleitung und Bearbeitung: I. Jahn
1987, 166 S., 3 Abb., DM 19,80
ISBN 3-8171-3275-1

Band 276
E. Abbe
Briefwechsel mit Adolf Ferdinand Weinhold
1990, 136 S., 24 Abb., DM 16,80
ISBN 3-8171-3276-X

Band 277
J. - P. de Lamarck
Zoologische Philosophie. Teil 1
1990, 268 S., 3 Abb., DM 28,-
ISBN 3-8171-3277-8

Band 278
J.-P. de Lamarck
Zoologische Philosophie. Teil 2
1991, 145 S., 1 Abb., DM 16,80
ISBN 3-8171-3278-6

Band 279
J.-P. de Lamarck
Zoologische Philosophie. Teil 3
1991, 219 S., 1 Abb., DM 19,80
ISBN 3-8171-3279-4

Band 280
P. Brosche
Astronomie der Goethezeit
Textsammlung aus Zeitschriften und Briefen
Franz Xaver von Zachs
1995. 236 S., zahlr. Abb., DM 38,-
ISBN 3-8171-3280-8

Band 281
M. Eigen
Die "unmeßbar" schnellen Reaktionen
Frühe Arbeiten
Vorwort und Einführung: R. Winkler-Oswatitsch
1996, 298 S., zahlr. Abb., DM 38,-
ISBN 3-8171-3281-6

Irrtümer und Preisänderungen vorbehalten
(Preise ab Januar 1996)

Guttentag'sche Sammlung
№ 33. Deutscher Reichsgesetze. № 33.
Text-Ausgaben mit Anmerkungen.

Das

Vereins- und Versammlungs-Recht in Deutschland.

Text-Ausgabe mit Anmerkungen und Sachregistern

von

Dr. Ernst Ball,
Rechtsanwalt am Landgericht Berlin I.

Berlin SW. 48.
J. Guttentag, Verlagsbuchhandlung.
1894.

Vorrede.

Die Bestimmungen über das Vereinswesen unterliegen nach der Reichsverfassung (Art. 4 Nr. 16) der Gesetzgebung des Reiches. Ein „Reichs-Vereinsgesetz" ist jedoch bisher nicht ergangen. Die Reichsgesetze enthalten nur vereinzelt Bestimmungen, welche das Vereinswesen betreffen. Abgesehen hiervon beruht das Vereins- und Versammlungs-Recht in Deutschland auf den in den einzelnen Bundesstaaten und dem Reichslande geltenden Landes-Gesetzen und Verordnungen.

Die nachfolgende Darstellung enthält im ersten Theile eine Zusammenstellung und Erläuterung der reichsrechtlichen Bestimmungen, im zweiten Theile die Vorschriften des Preußischen Rechtes nebst Kommentar, im dritten Theile das Recht der übrigen Deutschen Bundesstaaten und des Reichslandes. Die Anmerkungen in dem dritten Theile beschränken sich auf die Anführung der zu den einzelnen Landes-Vereinsgesetzen ergangenen abändernden oder ergänzenden Vorschriften. Indeß lassen sich die im zweiten Theile gebotenen Erläuterungen theilweise auch für den dritten Theil verwenden, da viele im Preußischen Recht vorkommende Begriffe und Vorschriften sich in dem Rechte der außerpreußischen Bundesstaaten wiederholen.

Von den beigegebenen Sachregistern umfaßt das erste das Reichs-Recht und das Preußische Recht, das zweite das Recht der übrigen Deutschen Bundesstaaten und des Reichslandes; ein alphabetisches Verzeichniß der Bundesstaaten ist am Schlusse beigefügt.

Obwohl das Vereins- und Versammlungs-Recht in Deutschland nur zum kleinen Theile auf der Gesetzgebung des Reiches beruht, erfolgt die Veröffentlichung der nachfolgenden Arbeit aus Zweckmäßigkeitsgründen in der Sammlung Deutscher Reichsgesetze, da eine besondere Sammlung von Zusammenstellungen der für einzelne Materien geltenden reichsrechtlichen und landesrechtlichen Vorschriften nicht existirt.

Berlin, im Sommer 1894.

Dr. Ball.

Inhaltsangabe.

Verzeichniß der wichtigsten Abkürzungen.

A. = Amtsgericht (Schöffengericht).

App. G. = Appellationsgericht.

Arndt = Dr. Adolf Arndt, die Verfassungs-Urkunde für den Preußischen Staat. 2. Aufl. 1889 (Nr. 1 der Guttentag'schen Samml. Preuß. Gesetze).

Bb. = Bundesbeschluß vom 13. Juli 1854.

Caspar = Dr. Paul Caspar, das Preußische Versammlungs- und Vereinsrecht systematisch dargestellt. Berlin 1894 (J. Guttentag, Verlagsbuchhandlung).

Delius = Dr. jur. Delius, das Preußische Vereins- und Versammlungsrecht. Berlin 1891.

Entsch. = Entscheidung.

Entsch. d. Ob. Trib. = Entscheidungen des Obertribunals, herausgegeben im amtlichen Auftrage.

G. A.*) = Entscheid. des Obertribunals in Goltdammer Archiv f. Pr. Strafrecht.

Gr. = Groschuff, Eichhorn und Delius: die Preuß. Strafgesetze (Seite 40—74: Verord. v. 11. 3. 50, erläutert von v. Groschuff). Berlin 1894.

Johow = Jahrbücher der Entscheidungen des Kammergerichts, herausgegeben v. Johow und Küntzel. Bd. 1—12.

Jur. Woch. = Juristische Wochenschrift, herausgegeben v. Kempner.

Kab. O. = Kabinetsordre.

---

*) Die sowohl in G. A. als auch in O. R. abgedruckten Entscheidungen sind nur einmal citirt, und zwar nur mit O. R., sofern nicht die Wiedergabe in G. A. ausführlicher ist als diejenige in O. R.

Kauffmann = Gustav Kauffmann, das Vereinsrecht. Ein Wort gegen Polizeimaßregeln. Berlin 1890.

K. G. = Kammergericht.

L. = Landgericht (Strafkammer).

L. bez. A. = Landgericht (Strafkammer) mit Ueberweisungsbefugniß, vgl. § 75 des Gerichtsverfassungsgesetzes.

Lisco = Dr. Hermann Lisco, die Deutschen Vereinsgesetze. Berlin, 2. Aufl. 1881.

Mascher = Dr. H. A. Mascher, das Versammlungs- und Vereinsrecht Deutschlands. Berlin 1888.

Min. Bl. = Ministerial-Blatt für die gesammte innere Verwaltung Preußens.

Min. Verf. = Ministerial-Verfügung.

O. R.*) = Oppenhoff, die Rechtsprechung des Obertribunals in Strafsachen.

O. V. G. = Entscheidungen des Kgl. Preuß. Ober-Verwaltungsgerichts. Bd. 1—25.

R. G. = Entscheidungen des Reichsgerichts in Strafsachen. Bd. 1—24.

Str. G. B. = Strafgesetzbuch.

Sw. = Schwurgericht.

Thilo = G. Thilo, das Preußische Vereins- und Versammlungsrecht. Breslau 1865.

Verhandl. I = Stenographische Berichte der ersten Kammer 1849/1850 (S. 2865—2866 u. S. 2873 Kommissionsbericht; S. 2866—2879 Berathung).

Verhandl. II = Stenographische Berichte der zweiten Kammer 1849/1850 (S. 2770—2778 Kommissionsbericht; S. 2779—2800 Berathung).

Vorwärts = Das Vereins- und Versammlungsrecht in Deutschland. Berlin 1892, Verlag der Expedition des „Vorwärts" Berliner Volksblatt (Th. Glocke).

---

*) Die sowohl in G. A. als auch in O. R. abgedruckten Entscheidungen sind nur einmal citirt, und zwar nur mit O. R., sofern nicht die Wiedergabe in G. A. ausführlicher ist als diejenige in O. R.

Erster Theil.

Die reichsrechtlichen Bestimmungen.

1. Verfassung des Deutschen Reichs.

Vom 16. April 1871 (B.G.Bl. S. 63).

Art. 3. Für ganz Deutschland besteht ein gemeinsames Indigenat mit der Wirkung, daß der Angehörige ... eines jeden Bundesstaates in jedem anderen Bundesstaate als Inländer zu behandeln und demgemäß ... zur Erlangung des Staatsbürgerrechtes und zum Genusse aller sonstigen bürgerlichen Rechte unter denselben Voraussetzungen wie der Einheimische zuzulassen ... ist ...[1])

1) Aus Art. 3 wird meistens gefolgert, daß die Angehörigen des einen Bundesstaates von der Theilnahme an Vereinen und Versammlungen in einem anderen Bundesstaate nicht ausgeschlossen werden dürfen (Delius S. 2, Vorwärts S. 2, Caspar S. 49). Art. 3 sagt jedoch nicht, daß jeder Angehörige eines Bundesstaates zugleich die Staatsangehörigkeit in jedem anderen Bundesstaate besitzt; wo also das Vereins- u. Versamml.-Recht landesgesetzlich an die Staatsangehörigkeit geknüpft ist (wie z. B. in Preußen, vgl. Preuß. Verfass. Titel II „Von den Rechten der Preußen" und Art. 29 u. 30, unten S. 27 ff.), ist es nicht durch Art. 3 der Reichsverfassung auf die Angehörigen der anderen deutschen Bundesstaaten ausgedehnt. (Ebenso: Arndt S. 49, 80, 81.)

Art. 4. Der Beaufsichtigung Seitens des Reichs und der Gesetzgebung desselben unterliegen .... 16) die Bestimmungen über ... das Vereinswesen ...[1])

1) Reichsvereinsgesetz nicht ergangen. Die Reichsgesetze enthalten nur die im Folgenden zusammengestellten einzelnen Bestimmungen über das Vereins- u. Versamml.-Recht. Das Reichsgesetz „gegen die gemeingefährl. Bestrebungen der Sozialdemokratie" vom 21. Okt. 1878 (R. G. Bl. S. 351) war nur für beschränkte Zeit erlassen und ist nach mehrfachen Verlängerungen seiner Gültigkeitsdauer mit dem 30. September 1890 außer Kraft getreten.

Art. 68.[1]) Der Kaiser kann, wenn die öffentliche Sicherheit in dem Bundesgebiete bedroht ist, einen jeden Theil desselben in Kriegszustand erklären. Bis zum Erlaß eines die Voraussetzungen, die Form der Verkündigung und die Wirkungen einer solchen Erklärung regelnden Reichsgesetzes[2]) gelten dafür die Vorschriften des Preußischen Gesetzes vom 4. Juni 1851 (Gesetz-Samml. für 1851. S. 451 ff.).[3])

1) Art. 68 gilt nicht für Bayern (Bündnißvertrag v. 23. Nov. 1870 unter III § 5, Reichsverfassung Schlußbestimmung zum XI. Abschnitt).

2) Reichsgesetz nicht ergangen.

3) Vgl. unten S. 33. a) Voraussetzungen: Die Erklärung in Kriegszustand ist zulässig 1. für den Fall eines Krieges in den von dem Feinde bedrohten oder theilweise schon besetzten Provinzen (§ 1 Preuß. Ges. v. 4. Juni 1851), 2. für den Fall eines Aufruhrs bei dringender Gefahr für die öffentliche Sicherheit sowohl in Kriegs- als in Friedenszeiten (§ 2 daselbst). Art. 68 enthält nicht eine dritte selbständige Voraussetzung (a. M. Caspar S. 122). — b) Form der Verkündigung: §§ 3 und 5 Preuß. Ges. v. 4. Juni 1851. — c) Wirkungen: u. A. können die in den einzelnen Bundesstaaten geltenden verfassungsmäßigen Bestimmungen über Vereins- u. Versamml.-Recht

zeit- und distriktsweise außer Kraft gesetzt werden (§ 5 daselbst; Allerh. Erlaß v. 22. Juli 1870 u. dagg. Westerkamp, über d. R. Verf. S. 67).

---

2. Strafgesetzbuch für das Deutsche Reich.*)
Vom 31. Mai 1870
(B. G. Bl. S. 195, vgl. R. G. Bl. 1871 S. 127).

§ 110. (L.) Wer öffentlich vor einer Menschenmenge . . . zum Ungehorsam gegen Gesetze[1]) oder rechtsgültige Verordnungen oder gegen die von der Obrigkeit innerhalb ihrer Zuständigkeit getroffenen Anordnungen auffordert, wird mit Geldstrafe bis zu sechshundert Mark oder mit Gefängniß bis zu zwei Jahren bestraft.

1) Auch bürgerl. Gesetze (R. G. 20 S. 63 u. 150; 21 S. 299 u. 304). — Vorausgesetzt ist die Aufforderung zu einer äußerlich bethätigten Weigerung, die Autorität eines gewissen Gesetzes ꝛc. überhaupt anzuerkennen; Aufforderung zu einem konkreten gesetzwidrigen Thun genügt nicht (R. G. 20 S. 154; 21 S. 196 u. 356; 24 S. 189).

§ 111. (Sw., L., bez. A.) Wer auf die vorbezeichnete Weise[1]) zur Begehung einer strafbaren Handlung[2]) auffordert, ist gleich dem Anstifter[3]) zu bestrafen, wenn die Aufforderung die strafbare Handlung oder einen strafbaren Versuch derselben zur Folge gehabt hat.

(L. bez. A.) Ist die Aufforderung ohne Erfolg geblieben, so tritt Geldstrafe bis zu sechshundert Mark

---

*) Die §§ 110, 111, 115, 116, 124, 125, 127 betreffen zwar nicht eigentlich das Vereins- u. Versamml.-Recht; jedoch erscheint ihr Abdruck zweckmäßig.

oder Gefängnißstrafe bis zu Einem Jahre ein. Die Strafe darf jedoch, der Art oder dem Maße nach, keine schwerere sein, als die auf die Handlung selbst angedrohte.

1) Verhältniß des § 111 zu § 110: R. G. 21 S. 196 u. 357.

2) Auch wenn die Handlung nur nach Landesrecht strafbar ist (R. G. 23 S. 174; vgl. das. über das Verhältniß des § 111 zu § 17 der Preuß. Verordn. v. 11. 3. 50).

3) § 48 Str. G. B.

§ 115. (L.) Wer an einer öffentlichen [1]) Zusammenrottung, bei welcher eine der in den §§. 113. und 114.[2]) bezeichneten Handlungen mit vereinten Kräften begangen wird, Theil nimmt, wird wegen Aufruhrs mit Gefängniß nicht unter sechs Monaten bestraft.

(Sw.) Die Rädelsführer, sowie diejenigen Aufrührer, welche eine der in den §§. 113. und 114. bezeichneten Handlungen begehen, werden mit Zuchthaus bis zu zehn Jahren bestraft; auch kann auf Zulässigkeit von Polizei-Aufsicht erkannt werden. Sind mildernde Umstände vorhanden, so tritt Gefängnißstrafe nicht unter sechs Monaten ein.

1) Oeffentlich ist eine Zusammenrottung, wenn die Betheiligung einer unbestimmten Personenmehrheit möglich ist; die Oeffentlichkeit des Ortes genügt nicht (R. G. 20 S. 300; 21 S. 370).

2) § 113 (Widerstand oder thätl. Angriff gegen Beamte) u. § 114 (Nöthigung zur Vornahme oder Unterlassung einer Amtshandlung) vgl. bei Rüdorff-Appelius, Strafgesetzbuch (Nr. 2 der Guttentag'schen Samml. deutscher Reichsgesetze).

§ 116. (L. bez. A.) Wird eine auf öffentlichen [1]) Wegen, Straßen oder Plätzen versammelte Menschenmenge von dem zuständigen Beamten oder Befehlshaber der bewaffneten Macht aufgefordert, sich zu entfernen, so wird jeder der Versammelten, welcher nach der dritten Aufforderung[2]) sich nicht entfernt, wegen Auflaufs mit Gefängniß bis zu drei Monaten oder mit Geldstrafe bis zu eintausendfünfhundert Mark bestraft.

Ist bei einem Auflaufe gegen die Beamten oder die bewaffnete Macht mit vereinten Kräften thätlicher Widerstand geleistet oder Gewalt verübt worden, so treten gegen diejenigen, welche an diesen Handlungen Theil genommen haben, die Strafen des Aufruhrs[3]) ein.

1) D. h. zur Zeit thatsächlich dem allgemeinen Verkehr freigegeben und dem Publikum allgemein zugänglich (R. G. 21 S. 13 u. 371).

2) Auch wenn er die Kenntniß von der dreimaligen Aufforderung nur durch Mittheilung Dritter erlangt hat (R. G. 21 S. 154).

3) Vgl. oben § 115.

§ 124. (L.) Wenn sich eine Menschenmenge öffentlich zusammenrottet[1]) und in der Absicht, Gewaltthätigkeiten gegen Personen oder Sachen mit vereinten Kräften zu begehen, in die Wohnung, in die Geschäftsräume oder in das befriedete Besitzthum eines Anderen oder in abgeschlossene Räume, welche zum öffentlichen Dienst bestimmt sind, widerrechtlich eindringt, so wird jeder, welcher an diesen Handlungen Theil nimmt, mit Gefängniß von Einem Monat bis zu zwei Jahren bestraft.

1) Zusammenrottung: R. G. 20 S. 406.

§ 125. (L.) Wenn sich eine Menschenmenge öffentlich zusammenrottet und mit vereinten Kräften [1]) gegen Personen oder Sachen Gewaltthätigkeiten begeht, so wird jeder, welcher an dieser Zusammenrottung Theil nimmt, [2]) wegen Landfriedensbruches mit Gefängniß nicht unter drei Monaten bestraft.

(Sw.) Die Rädelsführer, sowie diejenigen, welche Gewaltthätigkeiten gegen Personen begangen oder Sachen geplündert, vernichtet oder zerstört haben, werden mit Zuchthaus bis zu zehn Jahren bestraft; auch kann auf Zulässigkeit von Polizei-Aufsicht erkannt werden. Sind mildernde Umstände vorhanden, so tritt Gefängnißstrafe nicht unter sechs Monaten ein.

1) Das gemeinschaftliche Bewußtsein, daß mit vereinten Kräften Gewaltthätigkeiten begangen werden bezw. werden sollen, ist erforderlich; dagegen genügt es, daß die dem gemeinschaftlichen Zweck dienenden Handlungen nur von Einzelnen aus der Menge vorgenommen werden (R. G. 20 S. 304 u. 406).

2) Absicht der Selbstbegehung von Gewaltthätigkeiten ist nicht erforderlich. Auch Theilnahme aus Neugier ist strafbar, sofern der Neugierige weiß, daß er sich in einer zusammengerotteten, Gewaltthätigkeiten begehenden Menschenmenge befindet und willentlich als ein Theil dieser Menge darin bleibt (R. G. 20 S. 404 u. 406).

§ 127. Wer unbefugter Weise einen bewaffneten Haufen bildet oder befehligt oder eine Mannschaft, von der er weiß, daß sie ohne gesetzliche Befugniß gesammelt ist, mit Waffen oder Kriegsbedürfnissen versieht, wird mit Gefängniß bis zu zwei Jahren bestraft.

Wer sich einem solchen bewaffneten Haufen anschließt, wird mit Gefängniß bis zu Einem Jahre bestraft.

§ 128. (L.) Die Theilnahme[2]) an einer Verbindung,[1]) deren Dasein, Verfassung oder Zweck vor der Staatsregierung geheim gehalten werden soll,[3])[4]) oder in welcher gegen unbekannte Obere Gehorsam oder gegen bekannte Obere unbedingter Gehorsam versprochen wird, ist an den Mitgliedern[2]) mit Gefängniß bis zu sechs Monaten, an den Stiftern[2]) und Vorstehern der Verbindung mit Gefängniß von Einem Monat bis zu Einem Jahre zu bestrafen.

Gegen Beamte kann auf Verlust der Fähigkeit zur Bekleidung öffentlicher Aemter auf die Dauer von Einem bis zu fünf Jahren erkannt werden.

1) Verbindung setzt voraus: erstens die (in der Regel durch eine bestimmte Organisation verkörperte) Unterordnung des Einzelnen unter den irgendwie zum Ausdruck gebrachten Willen der Gesammtheit, und zweitens die Vereinigung auf längere (freilich nur in concreto zu bemessende R. G. 16 S. 294, 18 S. 173) Dauer (R. G. 13 S. 277, 21 S. 73, 24 S. 330). — Vgl. R. G. 13 S. 281 über den Unterschied v. Verbindung u. Komplott.

2) Mitgliedschaft erfordert gleichfalls die Unterordnung unter einen Gesammtwillen und eine gewisse Dauer des Verhältnisses (R. G. 24 S. 330). Einer ausdrücklichen Erklärung des Beitritts oder der Aufnahme bedarf es nicht (R. G. 13 S. 283, 17 S. 194, 24 S. 330). — Der Stifter ist strafbar, auch wenn er nicht Mitglied der Verbindung wird (R. G. 6 S. 216, vgl. aber 24 S. 330). — Personen, welche weder Mitglieder noch Stifter oder Vorsteher sind, können wegen Theilnahme an einer Verbindung gemäß §§ 128, 129 nicht bestraft werden (R. G. 24 S. 330; contra: Entsch. d. R. G.'s

v. 15. Jan. 1894, jur. Woch. S. 101: es genüge die Betheiligung, welche in der Beförderung der Verbindungszwecke gefunden werden könne).

3) § 128 wird nicht dadurch ausgeschlossen, daß die in Deutschland bestehende Verbindung, deren Dasein hier vor der Staatsregierung geheim gehalten werden soll, zugleich im Auslande besteht und dort nicht geheim gehalten werden soll (R. G. 16 S. 170: Theilnahme von Elsaß-Lothringern an der französischen Patriotenliga).

4) Ueber die Freimaurer-Logen vgl. (für Preußen) unten S. 27.

§ 129. (L.) Die Theilnahme[1]) an einer Verbindung,[1]) zu deren Zwecken oder Beschäftigungen gehört,[2]) Maßregeln der Verwaltung oder die Vollziehung[3]) von Gesetzen durch ungesetzliche[4]) Mittel zu verhindern oder zu entkräften, ist an den Mitgliedern mit Gefängniß bis zu Einem Jahre, an den Stiftern[1]) und Vorstehern der Verbindung mit Gefängniß von drei Monaten bis zu zwei Jahren zu bestrafen.

Gegen Beamte kann auf Verlust der Fähigkeit zur Bekleidung öffentlicher Aemter auf die Dauer von Einem bis zu fünf Jahren erkannt werden.

1) Vgl. Anm. 1 u. 2 zu § 128.

2) Auf einen Verein, der nur Erlaubtes (z. B. Stimmenwerbung bei Reichstagswahl) bezweckt, aber vorsätzlich die landesgesetzlich vorgeschriebene Anmeldung seiner Versammlungen unterläßt, ist § 129 nicht anwendbar (R. G. 16 S. 295).

3) Zur „Vollziehung" gehören alle Maßregeln, welche das Gesetz zur Erreichung seiner Zwecke anordnet (R. G. 11 S. 351).

4) Strafbarkeit der Mittel an sich ist nicht erforderlich (R. G. 19 S. 99).

3a. Reichs-Militärgesetz.

Vom 2. Mai 1874 (R. G. Bl. S. 45).

§ 49 (Abs. 2). Die Theilnahme an politischen Vereinen und Versammlungen ist den zum aktiven Heere gehörigen Militärpersonen [1]) untersagt. [2])

1) Vgl. § 38 R. Mil. Ges.

2) Strafbestimmungen: §§ 92, 93, 101 Mil. Str. G. B.

3b. Militär-Strafgesetzbuch für das Deutsche Reich.

Vom 20. Juni 1872 (R. G. Bl. S. 174).

§ 6. Personen des Beurlaubtenstandes [1]) unterliegen den Strafvorschriften dieses Gesetzes in der Zeit, in welcher sie sich im Dienst befinden; außerhalb dieser Zeit finden auf sie nur diejenigen Vorschriften Anwendung, welche in diesem Gesetze ausdrücklich auf Personen des Beurlaubtenstandes für anwendbar erklärt sind. [2])

1) Vgl. § 56 R. Mil. Ges., § 11 Ges. v. 11. Febr. 1888 (R. G. Bl. S. 11).

2) Vgl. § 113 Mil. Str. G. B.

§ 92. Ungehorsam gegen einen Befehl in Dienstsachen durch Nichtbefolgung oder durch eigenmächtige Abänderung oder Ueberschreitung desselben wird mit Arrest bestraft.

§ 93. Wird durch den Ungehorsam ein erheblicher Nachtheil verursacht, so tritt strenger Arrest nicht unter vierzehn Tagen oder Gefängniß oder Festungshaft bis zu zehn Jahren, im Felde Freiheitsstrafe nicht unter Einem Jahre oder lebenslängliche Freiheitsstrafe ein.

Wird durch den Ungehorsam die Gefahr eines erheblichen Nachtheils herbeigeführt, so tritt Freiheitsstrafe bis zu zwei Jahren, im Felde Freiheitsstrafe von drei Monaten bis zu drei Jahren ein.[1])

1) Vgl. zu §§ 92, 93: Preuß. Verordn. v. 11. 3. 50 § 22.

§ 101. Wer unbefugt eine Versammlung von Personen des Soldatenstandes behufs Berathung über militärische Angelegenheiten oder Einrichtungen veranstaltet . . ., wird mit Freiheitsstrafe bis zu drei Jahren bestraft; zugleich kann auf Dienstentlassung erkannt werden.

Die an einer solchen Versammlung . . . Betheiligten werden mit Freiheitsstrafe bis zu sechs Monaten bestraft.

§ 113. Eine Person des Beurlaubtenstandes[1]) wird, auch während sie sich nicht im Dienste befindet, nach den Vorschriften dieses Abschnitts bestraft, wenn sie dem §. 101 zuwiderhandelt . . . .

1) Vgl. Anm. 1 zu § 6.

---

4. Reichsgesetz, betreffend den Orden der Gesellschaft Jesu.

Vom 4. Juli 1872 (R. G. Bl. S. 253).

§ 1. Der Orden der Gesellschaft Jesu und die ihm verwandten Orden und ordensähnlichen Kongregationen sind vom Gebiet des Deutschen Reichs ausgeschlossen.

Die Errichtung von Niederlassungen derselben ist untersagt. Die zur Zeit bestehenden Niederlassungen sind binnen einer vom Bundesrath zu bestimmenden Frist, welche sechs Monate nicht übersteigen darf, aufzulösen.

§ 2. Die Angehörigen des Ordens der Gesellschaft Jesu oder der ihm verwandten Orden oder ordensähnlichen Kongregationen können, wenn sie Ausländer sind, aus dem Bundesgebiet ausgewiesen werden; wenn sie Inländer sind, kann ihnen der Aufenthalt in bestimmten Bezirken oder Orten versagt oder angewiesen werden.

§ 3. Die zur Ausführung und zur Sicherstellung des Vollzugs dieses Gesetzes erforderlichen Anordnungen werden vom Bundesrathe erlassen.[1])

1) Vgl. Bekanntmachungen v. 5. Juli 1872 (R. G. Bl. S. 254), v. 20. Mai 1873 (R. G. Bl. S. 109) u. v. 18. Juli 1894 (R. G. Bl. S. 503).

---

5. Wahlgesetz für den Deutschen Reichstag.

Vom 31. Mai 1869

(B. G. Bl. 1869 S. 145; vgl. R. G. Bl. 1873 S. 163).

§ 17. Die Wahlberechtigten haben das Recht, zum Betrieb der den Reichstag betreffenden Wahlangelegenheiten Vereine zu bilden und in geschlossenen Räumen unbewaffnet öffentliche Versammlungen zu veranstalten.

Die Bestimmungen der Landesgesetze über die Anzeige der Versammlungen und Vereine, sowie über die Ueberwachung derselben, bleiben unberührt.[1]) [2])

1) Spezialbestimmungen für Wahlversammlungen und Wahlvereine enthalten die Vereinsgesetze von Preußen (§ 21 Abs. 2), Bayern (Art. 26), Mecklenburg-Schwerin (Verordn. v. 2. 5. 77 § 3 Abs. 3), Mecklenburg-Strelitz (§ 4 Abs. 3) und Braunschweig (§ 1).

2) § 17 ist Seitens des Reichstags in den Regier.-Entwurf eingefügt, wesentlich mit Rücksicht auf den damaligen Rechtszustand in Meckl.-Schwerin u. Meckl.-Strelitz. Die Antragsteller (Abs. 1: Antrag Wiggers, Abs. 2: Antrag Friedenthal) betonten, daß für alle Bundesstaaten das Recht, zu Wahlbesprechungen Vereine u. Versamml. zu bilden, gewährleistet werden solle, die zum Schutze gegen den Mißbrauch dieses Rechtes landesgesetzlich bestehenden Ordnungsbestimmungen aber aufrecht erhalten werden sollten, so daß durch § 17 nicht mehr Freiheit in Mecklenb. erreicht werden solle, als z. B. in Preußen bereits bestehe. (Reichstagsverhandlungen 1869 S. 203 u. 979).

Wo daher z. B. landesgesetzlich eine für Wirthshäuser ꝛc. festgesetzte Polizeistunde auch die in solchen Lokalen abgehaltenen öffentlichen Versammlungen trifft (wie in Preußen, vgl. unten S. 51; Elsaß-Lothringen, Ges. v. 6./10. Juni 1868 Art. 3), gilt sie auch für die dort veranstalteten öffentlichen Wahl-Versammlungen. (Für Braunschweig: Ges. v. 4. Juli 1853 § 16 vbd. mit § 1.)

---

6. Gewerbeordnung für das Deutsche Reich.

Vom 21. Juni 1869 (B. G. Bl. S. 245).

[Redaktion vom 1. Juli 1883, R. G. Bl. S. 159.]

§§ 81 bis 104 o (Innungen von Gewerbetreibenden) siehe bei Berger, Reichs-Gewerbe-Ordnung, Nr. 6 der Guttentag'schen Sammlung Deutscher Reichsgesetze.

§ 152. Alle Verbote und Strafbestimmungen gegen Gewerbetreibende, gewerbliche Gehülfen, Gesellen oder Fabrikarbeiter wegen Verabredungen und Vereinigungen zum Behufe der Erlangung günstiger Lohn- und Arbeitsbedingungen, insbesondere mittelst Einstellung der Arbeit oder Entlassung der Arbeiter, werden aufgehoben.[1][2])

Jedem Theilnehmer steht der Rücktritt von solchen Vereinigungen und Verabredungen frei, und es findet aus letzteren weder Klage noch Einrede statt.

1) Die Koalitionsfreiheit erstreckt sich auch auf die Besitzer und Arbeiter von Bergwerken 2c. (vgl. unten § 154a), aber nicht auf Gesinde, Schiffsknechte und landwirthschaftliche Dienstleute oder Handarbeiter. Vgl. für die Letzteren das preuß. Ges. v. 24. April 1854, Anm. 2a IV zu Art. 30 der Preuß. Verfassung, unten S. 31.

2) Ueber das Verhältniß der durch § 152 gewährten ökonomischen Koalitionsfreiheit zu den landesgesetzlichen Beschränkungen politischer Vereine (z. B. § 8 der Preuß. Verordnung v. 11. 3. 50, unten S. 53) vgl. R.G. 16 S. 383, 22 S. 337. Danach werden gewerbliche Koalitionen zu politischen Vereinen und unterliegen deren Beschränkungen, sobald sie beabsichtigen, behufs Erlangung günstiger Lohn- oder Arbeitsbedingungen die Hilfe des Staates in Gesetzgebung oder Verwaltung für sich in Anspruch zu nehmen (u. nach preuß. Recht: dies in Versammlungen zu erörtern).

§ 153. (A.) Wer Andere durch Anwendung körperlichen Zwanges, durch Drohungen, durch Ehrverletzung oder durch Verrufserklärung bestimmt oder zu bestimmen versucht, an solchen Verabredungen (§. 152) Theil zu nehmen, oder ihnen Folge zu leisten, oder Andere durch gleiche Mittel hindert oder zu hindern versucht, von solchen Verabredungen zurückzutreten, wird mit Gefängniß bis zu drei Monaten bestraft, sofern nach dem allgemeinen Strafgesetz[1]) nicht eine härtere Strafe eintritt.

1) Vgl. § 240 Str. G. B.

§ 154a (Abs. 1).[1]) Die Bestimmungen der §§. ... 152 und 153 finden auf die Besitzer und Arbeiter von Bergwerken, Salinen, Aufbereitungsanstalten und unterirdisch betriebenen Brüchen oder Gruben entsprechende Anwendung.

1) Fassung gemäß Ges. v. 1. Juni 1891 (R. G. Bl. S. 261) Art. 7.

---

7. Reichsgesetz, betreffend die Erwerbs- und Wirthschaftsgenossenschaften.

Vom 1. Mai 1889 (R. G. Bl. S. 55).

§ 79. Wenn eine Genossenschaft sich gesetzwidriger Handlungen oder Unterlassungen schuldig macht, durch welche das Gemeinwohl gefährdet wird, oder wenn sie andere als die in diesem Gesetze (§. 1) bezeichneten geschäftlichen Zwecke verfolgt, [1]) so kann sie aufgelöst werden, ohne daß deshalb ein Anspruch auf Entschädigung stattfindet.

Das Verfahren und die Zuständigkeit der Behörden richtet sich nach den für streitige Verwaltungssachen landesgesetzlich geltenden Vorschriften. Wo ein Verwaltungsstreitverfahren nicht besteht, finden die Vorschriften in §§. 20, 21 der Gewerbeordnung mit der Maßgabe Anwendung, daß die Entscheidung in erster Instanz durch die höhere Verwaltungsbehörde erfolgt, in deren Bezirke die Genossenschaft ihren Sitz hat.

Von der Auflösung hat die in erster Instanz entscheidende Behörde dem Gerichte (§. 10) [2]) Mittheilung zu machen.

1) insbesondere politische Zwecke.

2) in dessen Bezirke die Genossenschaft ihren Sitz hat.

§ 143. (A.) Mitglieder des Vorstandes werden mit Geldstrafe bis zu sechshundert Mark bestraft, wenn ihre Handlungen auf andere als die im §. 1 erwähnten geschäftlichen Zwecke gerichtet sind, oder wenn sie in der Generalversammlung die Erörterung von Anträgen gestatten oder nicht hindern, welche auf öffentliche Angelegenheiten gerichtet sind, deren Erörterung unter die Gesetze über das Versammlungs- und Vereinsrecht fällt.

---

8. Reichsgesetz, betreffend die Gesellschaften mit beschränkter Haftung.

Vom 20. April 1892 (R. G. Bl. S. 477).

§ 62. Wenn eine Gesellschaft das Gemeinwohl dadurch gefährdet, daß die Gesellschafter gesetzwidrige Beschlüsse fassen oder gesetzwidrige Handlungen der Geschäftsführer wissentlich geschehen lassen,[1]) so kann sie aufgelöst werden, ohne daß deshalb ein Anspruch auf Entschädigung stattfindet.

Das Verfahren und die Zuständigkeit der Behörden richtet sich nach den für streitige Verwaltungssachen landesgesetzlich geltenden Vorschriften. Wo ein Verwaltungsstreitverfahren nicht besteht, kann die Auflösung nur durch gerichtliches Erkenntniß auf Betreiben der höheren Verwaltungsbehörde erfolgen. Ausschließlich zuständig ist in diesem Falle das Landgericht, in dessen Bezirk die Gesellschaft ihren Sitz hat.

1) Gesellschaften mit beschränkter Haftung können nach § 1 des Ges. v. 20. April 1892 zu jedem gesetzlich zulässigen Zwecke errichtet

werden, mithin auch zur Einwirkung auf öffentliche, insbes. politische Angelegenheiten, soweit landesgesetzlich Vereine zu solchen Zwecken zulässig sind. Die Gesellschaften und ihre Versammlungen unterliegen alsdann den öffentlich-rechtlichen Bestimmungen der Landesgesetze über das Vereins- u. Versamml.-Recht. Reichsgesetzlich kann die Auflösung gemäß dem obigen § 62 erfolgen.

---

9. Einführungs-Gesetz zum Strafgesetzbuch für das Deutsche Reich.

Vom 31. Mai 1870

(B. G. Bl. S. 195; vgl. R. G. Bl. 1871 S. 127).

§ 2 Abs. 2. In Kraft bleiben die besonderen Vorschriften des Reichs- und Landesstrafrechts, namentlich . . . über Mißbrauch des Vereins- und Versammlungsrechts. . .

---

10. Einführungsgesetz zur Strafprozeßordnung.

Vom 1. Februar 1877 (R. G. Bl. S. 346).

§ 6 Abs. 2. Unberührt bleiben die landesgesetzlichen Bestimmungen: . . . . .

2. über das Verfahren bei Zuwiderhandlungen gegen die Gesetze über das Vereins- und Versammlungsrecht. . .

Zweiter Theil.

Die Bestimmungen des Preußischen Rechts.

11. Verfassungs-Urkunde für den Preußischen Staat.

Vom 31. Januar 1850 (G.S. S.17).

Art. 29.[1] Alle Preußen[2] sind berechtigt,[3] sich ohne vorgängige obrigkeitliche Erlaubniß[4] friedlich[5] und ohne Waffen[6] in geschlossenen Räumen[7] zu versammeln.[8]

Diese Bestimmung bezieht sich nicht auf Versammlungen unter freiem Himmel,[9] welche auch in Bezug auf vorgängige obrigkeitliche Erlaubniß der Verfügung des Gesetzes unterworfen sind.

1) **Art. 29 (u. 30).** a. Frühere Spezialgesetze, welche einzelnen Personen oder Vereinen weitergehende Befugnisse als Art. 29 u. 30 gewährten, gelten fort, z. B. Kab. O. v. 22. 2. 42 betr. d. bestät. Kriegervereine (Min. Bl. 1842 S. 97, Entsch. d. O. V. G. v. 11. 12. 78 in Min. Bl. 1879 S. 73, Johow 11 S. 305, vgl. unten S. 59; etwas abweichend Entsch. d. K. G's. v. 13. 11. 93 betr. d. landwirthsch. Vereinswesen). — Dagegen sind aufgehoben alle das freie Vereinigungsrecht beschränkenden älteren Bestimmungen (Verordn. v. 6. April 1848 [G. S. S. 87] § 4), z. B. auch das Verbot (Edikt vom 20. Okt. 1798 [G. S. 1816 S. 7] §§ 3, 4) anderer Freimaurerlogen als der ausdrücklich tolerirten drei Mutter- und ihrer Tochterlogen (O. V. G. 25 S. 400).

b. Zeitweise Außerkraftsetzung der Art. 29 u. 30: vgl. oben S. 12, unten S. 33.

2) **Alle Preußen.** a. Ausnahmen: I. Militairpersonen, vgl. oben S. 19 f, unten S. 32. II. Frauenspersonen, Schüler und Lehrlinge dürfen den Versammlungen und Sitzungen politischer Vereine (Verordn. v. 11. 3. 50, § 8 Abs. 1) nicht beiwohnen (§ 8 Abs. 3 das., vgl. unten S. 53); im Uebrigen ist ihr Versammlungsrecht nicht beschränkt.

b. Nichtpreußen können sich auf Art. 29 nicht berufen (streitig hinsichtlich der Angehörigen anderer deutscher Bundesstaaten, vgl. oben S. 11); es giebt jedoch z. B. kein Gesetz, welches die Theilnahme von Nichtpreußen an Versamml. mit Strafe bedroht.

3) **Berechtigt.** Rechtsmittel gegen polizeil. Verfüg., welche das Versamml.-Recht verletzen: Ges. v. 30. Juli 1883 §§ 127—131 (unten S. 78).

4) **Ohne vorgängige obrigkeitliche Erlaubniß.** Daher ist auch ein vorgängiges Verbot der Versamml. (in geschloss. R.) aus versammlungsrechtlichen, insbes. politischen, Gründen nicht zulässig.

Dagegen bleiben alle anderweitigen (nicht-versammlungsrechtlichen) gesetzl. Bestimmungen auch den Versammlungen gegenüber in Kraft, insbes. das Strafgesetz und § 10 II. 17 A. L. R. (O. V. G. 1 S. 353; 6 S. 373; 11 S. 384; 23 S. 402 u. 412). Versammlungen können daher **verboten** werden z. B. aus gesundheitspolizeilichen Gründen, wenn das betr. Lokal von ansteck. Krankh. inficirt (O. V. G. 6 S. 373) oder bei Epidemie eine Menschenansammlung überhaupt nicht zu gestatten ist (O. V. G. 23 S. 413), desgl. aus baupolizeilichen Gründen bei drohendem Einsturz des Lokals (O. V. G. 6 S. 373). Vgl. auch O. V. G. 23 S. 399 (Polizeistunde); 11 S. 391, 18 S. 426 (öff. Lustbark.); 23 S. 409 (verkehrstörende Prozessionen).

Jedoch darf die Polizei aus sanitären Gründen erst bei offenbarer Gefahr für Leben und Gesundheit einschreiten, also z. B. wegen schlechter Ventilation des Lokals nicht die Versamml. im Voraus verbieten, sondern sie erst dann auflösen, wenn die sich bildende Luft offenb. Gefahr f. L. u. Ges. bietet (O. V. G. 11 S. 388). — Ebenso ist die polizeiliche Begrenzung der Theilnehmerzahl von vornherein nur dann zulässig, wenn der besondere bauliche Zustand des Lokals die Ansammlung von so viel Menschen, als an sich Platz hätten, gefährlich machen würde; andernfalls darf die Polizei nur das Nachdringen weiteren Publikums verhindern, sobald das Lokal gefüllt ist (O. V. G. 6 S. 373, 374, vgl. auch 11 S. 387).

Die bloße Möglichkeit, daß eine Versamml. Störungen der öff. Ordnung zur Folge haben kann, berechtigt nicht zum Verbot der Versamml. von vornherein (auch nicht zum präventiven Verbot eines einzelnen Redeakts, O. V. G. 21 S. 406); ebensowenig unlautere Motive des Unternehmers, wenn keine Bedenken dagegen obwalten, daß die Versamml. selbst unanstößig verlaufen wird (O. V. G. 11 S. 382). — Ueber das polizeil. Verbot des Entrollens und der Weihe einer rothen Fahne in einer sozialdemokratischen in geschloss. Räumen stattfindenden Versamml. vgl. O. V. G. 21 S. 400 ff., insbes. 408—410.

Eine Pol.-Verordn., welche das Abhalten von öff. Versamml. an Sonntagen während der Zeit des gewöhnl. Gottesdienstes verbietet, ist gültig, jedoch nicht anwendbar auf Versamml. einer Religionsgesellschaft (auch ohne Korpor.-Rechte) zwecks gemeinsamer Religionsübung (Johow 10 S. 250, vgl. Preuß. Verfass. Art. 12).

Ueber die Auflösung von Versamml. vgl. unten S. 49.

5) Und zu erlaubten Zwecken; vorgängige Mittheilung des Zwecks kann die Polizeibehörde jedoch nicht fordern (O. V. G. 20 S. 439).

6) Vgl. Verordnung v. 11. 3. 50 §§ 7 u. 18, unten S. 52 u. 75.

7) **Geschlossene Räume**, d. h. nach allen drei Dimensionen abgeschlossene, nicht nur gedeckte Räume; der Ausdruck für den Gegensatz: „unter freiem Himmel" ist schlecht gewählt, die Gefährlichkeit der Vers. u. fr. H. beruht nicht auf dem Herbeifliegen des Publikums. Daher ist jede Versammlung, welche nicht in einem nach Länge, Breite und Höhe geschlossenen Raume stattfindet, eine „Vers. u. fr. H.", also z. B. einerseits auch eine Vers. in einem ummauerten Hofe, anderer-

seits eine Vers. in einer bedeckten, aber an den Seiten offenen Halle. Vgl. auch Verhandl. II S. 650.

8) **Versammeln.** Unter „Versammlung" versteht der Sprachgebrauch im weiteren Sinne jede absichtliche Vereinigung Mehrerer an demselben Orte und zu einem (Allen?) gemeinsamen Zwecke; im engeren Sinne jede solche Vereinigung, deren Zweck nicht bloße Geselligkeit ist. Art. 29 hat nur diesen engeren Sinn im Auge (Caspar S. 7—14, O. V. G. 18 S. 426; anders O. V. G. 20 S. 436ff). Hieraus (in Verbindung mit § 6 lit. d. des Pol. Verw. G.'s v. 11. 3. 50) folgt die Zulässigkeit von Polizeiverordnungen, welche die Veranstaltung öffentlicher Lustbarkeiten an vorgängige polizeiliche Genehmigung knüpfen (O. V. G. 18 S. 426; vgl. auch 11 S. 391 und über Lustbark. geschlossener Gesellschaften: O. V. G. 1 S. 365 u. 375, 9 S. 407, 11 S. 391, 18 S. 422 u. unten S. 47).

9) Vgl. oben Anm. 7, sowie Verordn. v. 11. 3. 50 §§ 9, 10, 11, 17.

Art. 30.[1]) Alle Preußen[2]) haben das Recht,[3]) sich zu solchen Zwecken, welche den Strafgesetzen nicht zuwiderlaufen, in Gesellschaften zu vereinigen.[4])

Das Gesetz[5]) regelt, insbesondere zur Aufrechthaltung der öffentlichen Sicherheit, die Ausübung des in diesem und in dem vorstehenden Artikel (29.) gewährleisteten Rechts.

Politische Vereine[6]) können Beschränkungen und vorübergehenden Verboten im Wege der Gesetzgebung unterworfen werden.

1) Vgl. Anm. 1 zu Art. 29.

2) **Alle Preußen.** a. Ausnahmen und Beschränkungen: I. Militairpersonen, vgl. oben S. 19 unten S. 32. — II. Jesuiten von Deutschland ausgeschlossen, vgl. oben S. 20; andere geistl. Orden der kath. Kirche von Preußen ausgeschl. bezw. beschränkt gemäß Preuß. Ges. v. 31. Mai 1875 (G. S. S. 217) nebst Abänderungsges. vom

14. Juli 1880 (G. S. S. 285) Art. 6, v. 21. Mai 1886 (G. S. S. 147) Art. 13 u. v. 29. April 1887 (G. S. S. 127) Art. 5. — III. Beamte sollen sich an Vereinen, „welche statutenmäßig oder faktisch eine der Staatsregierung feindliche Tendenz verfolgen, eine systematische Opposition gegen dieselbe unterhalten, den bestehenden verfassungsmäßigen Zustand zu untergraben suchen, die Pflicht der Treue gegen den König gering achten und anstatt die Regierung zu unterstützen, ihr hemmend entgegenzutreten bemüht sind" nicht betheiligen (Min. Beschluß, Min. Bl. 1850 S. 122, vgl. S. 96). Zuwiderhandl. sind nur im Dienstaufsichtsverfahren zu rügen, vgl. Caspar S. 52. — Vgl. auch Ges. v. 10. Juni 1874 (G. S. S. 244) betr. die Betheil. der Staatsbeamten bei der Gründung und Verwaltung von Aktien= rc. Gesellschaften. — IV. Gesinde, Schiffsknechte, ländl. Dienstleute (sog. Instleute rc.) und solche Handarbeiter, welche sich zu bestimmten land= oder forstwirthschaftl. Arbeiten verdungen haben, werden mit Gefängniß bis 1 Jahr bestraft, wenn sie „die Arbeitgeber oder die Obrigkeit zu gewissen Handlungen oder Zugeständnissen dadurch zu bestimmen suchen, daß sie die Einstellung der Arbeit oder die Verhinderung derselben bei einzelnen oder mehreren Arbeitgebern verabreden, oder zu einer solchen Verabredung Andere auffordern", Preuß. Ges. v. 24. April 1854 (G. S. S. 214). — V. Fortgefallen sind die Koalitionsverbote für Gewerbetreibende, gewerbl. Gehülfen, Gesellen und Fabrikarbeiter (Reichs=Gew. O. § 152, vgl. oben S. 22). Vgl. ferner oben S. 12 (Sozialdem.), S. 27 (Freimaurer). — VI. Vgl. Reichs=Straf. G. B. §§ 128, 129 (oben S. 17). — VII. Frauen, Schüler und Lehrlinge dürfen politische Vereine (§ 8 der Verordn. v. 11. 3. 50) nicht bilden oder in solche aufgenommen werden (vgl. unten S. 55).

b. Nichtpreußen können sich auf Art. 30 nicht berufen (streitig hinsichtlich der Angehörigen anderer deutscher Bundesstaaten, vgl. oben S. 11); es giebt jedoch z. B. kein Gesetz, welches die Theilnahme von Nichtpreußen an Vereinen mit Strafe bedroht.

3) Rechtsmittel gegen polizeil. Verfüg., welche das Verein.=Recht verletzen: Ges. v. 30. Juli 1883 §§ 127—131 u. Verordn. v. 11. März 1850 § 16 (unten S. 78 u. 66).

4) und zwar ohne obrigkeitl. Erlaubniß. Staatl. Genehmigung kann jedoch erforderlich sein, wenn ein Verein besondere Vorrechte beansprucht (z. B. Kriegervereine laut Kab. O. v. 22. 2. 42, vgl. oben S. 27). Für Versich. Gesellsch. vgl. Ges. v. 17. 5. 53 (G. S. S. 293) und Reichs-Straf. G. B. § 360 Ziff. 9.

5) Vgl. die Verordn. v. 11. 3. 50 (unten S. 35 ff.), welche jedoch nur gewisse Arten von Vereinen (§§ 2, 8 das.) betrifft.

6) **Politische Vereine** im Allg. sind Vereine, welche sich mit politischen Gegenständen befassen, d. h. solchen, die den Staat als lebendigen Organismus und seine Einrichtungen betreffen. Man dachte bei Berathung der Verfassung indeß wohl nur an die damaligen sog. „politischen Klubs" (Verhandl. II S. 632, Caspar S. 29). Die in Ausführung des Art. 30 Abs. 3, angeordneten Beschränkungen (Verordn. v. 11. 3. 50 § 8, unten S. 53) erstrecken sich jedenfalls nicht auf alle pol. Vereine im obigen Sinne, sondern nur auf diejenigen, welche bezwecken, pol. Gegenstände *in Versamml. zu erörtern*, also nicht z. B. auf pol. Vereine, welche nur durch schriftl. Mittheil. einwirken wollen (Verhandl. II S. 2773; O. V. G. 20 S. 442).

Art. 38. Die bewaffnete Macht darf weder in noch außer dem Dienste berathschlagen, oder sich anders, als auf Befehl versammeln. Versammlungen und Vereine der Landwehr zur Berathung militairischer Einrichtungen, Befehle und Anordnungen sind auch dann, wenn dieselbe nicht zusammenberufen ist, untersagt.[1])

1) Strafbestimmungen: früher Preuß. Verordn. v. 11. 3. 50 § 22 (unten S. 77), jetzt Milit. Str. G. B. für das Deutsche Reich §§ 92, 93, 101, 113 (oben S. 19).

Art. 39. Auf das Heer finden die in den Artikeln . . . 29. 30. . . . enthaltenen Bestimmungen nur in soweit Anwendung, als die militairischen

Gesetze[1]) und Disziplinarvorschriften nicht entgegenstehen.

1) Vgl. oben Art. 38, sowie Reichs-Militärgesetz § 49 (oben S. 19).

Art. 111. Für den Fall eines Krieges oder Aufruhrs können bei dringender Gefahr für die öffentliche Sicherheit die Artikel . . . 29. 30. . . . der Verfassungs-Urkunde zeit- und distriktsweise außer Kraft gesetzt werden. Das Nähere bestimmt das Gesetz.[1])

1) Ges. über den Belagerungszustand. V. 4. Juni 1851 (G. S. S. 451). Für das Vereins- u. Versamml.-Recht kommen in Betracht:

§ 1. Für den Fall eines Krieges ist in den, von dem Feinde bedrohten oder theilweise schon besetzten Provinzen *jeder Festungskommandant befugt, die ihm anvertraute Festung mit ihrem Rayonbezirke, der kommandirende General aber den Bezirk des Armeekorps oder einzelne Theile desselben zum Zweck der Vertheidigung in Belagerungszustand zu erklären.*

§ 2. Auch für den Fall eines Aufruhrs kann, bei dringender Gefahr für die öffentliche Sicherheit, der Belagerungszustand sowohl in Kriegs- als in Friedenszeiten erklärt werden. — *Die Erklärung des Belagerungszustandes geht alsdann vom Staats-Ministerium aus, kann aber provisorisch und vorbehaltlich der sofortigen Bestätigung oder Beseitigung durch dasselbe, in dringenden Fällen, rücksichtlich einzelner Orte und Distrikte, durch den obersten Militairbefehlshaber in denselben, auf den Antrag des Verwaltungchefs des Regierungsbezirks, wenn aber Gefahr im Verzuge ist, auch ohne diesen Antrag erfolgen. — In Festungen geht die provisorische Erklärung des Belagerungszustandes von dem Festungskommandanten aus.*

§ 3. Die Erklärung des Belagerungszustandes ist bei Trommelschlag oder Trompetenschall zu verkünden, und außerdem durch Mittheilung an die Gemeindebehörde, durch Anschlag an öffentlichen Plätzen und durch öffentliche Blätter ohne Verzug zur allgemeinen Kenntniß zu bringen. — Die Aufhebung des Belagerungszustandes wird durch Anzeige an die Gemeindebehörde und durch die öffentlichen Blätter zur allgemeinen Kenntniß gebracht.

§ 5. Wird bei Erklärung des Belagerungszustandes für erforderlich erachtet, die Artikel ... 29., 30. ... der Verfassungs-Urkunde, oder einzelne derselben, zeit- und distriktweise außer Kraft zu setzen, so müssen die Bestimmungen darüber ausdrücklich in die Bekanntmachung über die Erklärung des Belagerungszustandes aufgenommen, oder in einer besonderen, unter der nämlichen Form (§. 3.) bekannt zu machenden Verordnung verkündet werden. — Die Suspension der erwähnten Artikel oder eines derselben ist nur für den Bezirk zulässig, der in Belagerungszustand erklärt ist und nur für die Dauer des Belagerungszustandes.

§ 16. Auch wenn der Belagerungszustand nicht erklärt ist, können im Falle des Krieges oder Aufruhrs, bei dringender Gefahr für die öffentliche Sicherheit die Artikel ... 29., 30. ... der Verfassungs-Urkunde oder einzelne derselben vom Staatsministerium zeit- und distriktweise außer Kraft gesetzt werden.

Die Erklärung des Belagerungszustandes (Kriegszustandes) steht jetzt für das ganze Bundesgebiet (außer Bayern) dem Kaiser allein zu (vgl. Reichs-Verf. Art. 68 oben S. 12). Die vorstehenden §§ 1 u. 2 sind daher *insoweit obsolet*, als sie gewisse Behörden zur Erkl. des Bel.-Zustandes ermächtigen (Laband, Reichsstaatsr. II S. 537; a. M. Rönne, Reichsstaatsr. I S. 84). — Dagegen ist § 16 noch in Geltung, da die danach zulässige Außerkraftsetzung einzelner Verfassungsbestimmungen durch das Staatsmin. nicht von der Erkl. des Belagerungszustandes abhängig ist.

12. Verordnung[1]) über die Verhütung eines die gesetzliche Freiheit und Ordnung gefährdenden Mißbrauchs[2]) des Versammlungs- und Vereinigungsrechtes.

Vom 11. März 1850 (G. S. S. 277).[3])

1) Richtiger „Gesetz" (gemäß Verfass. Art. 62); vgl. auch § 23.

2) Die Verordn. soll nicht das verfassungsmäßige Versammlungs- u. Vereinigungsrecht (Verfass. Art. 29 u. 30) erschöpfend ordnen, sondern nur zur Verhinderung von Mißbräuchen einzelne Arten seiner Ausübung regeln (O. V. G. 20 S. 439; abweich. Entsch. d. K. G. v. 13. 11. 93).

3) Gültig für den ganzen Umfang der Monarchie: vgl. Verordn. v. 25. 6. 67 (G. S. S. 921, neue Landestheile 1866) Art. II, v. 13. 5. 67 u. 20. 9. 67 (G. S. S. 700 u. 1534, Meisenheim), v. 22. 5. 67 (G. S. S. 729, Kaulsdorf), v. 23. 6. 76 (G. S. S. 169, Lauenburg) § 10; Ges. v. 18. 2. 91 (G. S. S. 11, Helgoland) § 5.

§ 1.

Von allen Versammlungen,[1]) in welchen öffentliche Angelegenheiten[2]) erörtert oder berathen werden sollen,[3]) hat der Unternehmer[4]) mindestens vierundzwanzig Stunden vor dem Beginne der Versammlung, unter Angabe des Ortes und der Zeit derselben, Anzeige[5]) bei der Ortspolizeibehörde[6]) zu machen. Diese Behörde hat darüber sofort eine Bescheinigung[7]) zu ertheilen.

Beginnt[8]) die Versammlung nicht spätestens eine Stunde nach der in der Anzeige angegebenen Zeit, so ist die später beginnende Versammlung als vorschriftsmäßig angezeigt nicht anzusehen. Dasselbe gilt, wenn eine Versammlung die länger als eine Stunde ausgesetzten Verhandlungen wieder aufnimmt.

1) **Versammlungen.** a. Begriff vgl. oben S. 30 (Anm. 8 zu Verfass. Art. 29). Versammlungen zum Zwecke des geselligen Verkehrs unterliegen dem § 1 nicht, auch wenn in ihnen gelegentlich politisirt &c. wird; es sei denn, daß die Geselligkeit als Zweck nur vorgeschoben ist (vgl. unten Anm. 3). Die Entstehungsgeschichte ergiebt ferner, daß dem § 1 „nicht jede kleine, selbst in einem Privathause zur Besprechung irgend eines Gegenstandes von öff. Interesse sich zusammenfindende Gesellschaft" unterworfen sein sollte (Verhandl. I S. 2877 fg.); vgl. O. V. G. 20 S. 441, 23 S. 408 (quaestio facti, ob Versamml. nach § 1 oder bloße Privatgesellschaft), Johow 11 S. 303 (auch Privatzusammenkünfte können unter § 1 fallen). Vorausgesetzt ist in § 1 jedenfalls „eine nicht allzu klein an Zahl bemessene Personenmehrheit" (R. G. 21 S. 73; vgl. Caspar S. 15). — Andererseits ist § 1 nicht auf öffentliche Versamml. beschränkt (O. R. 15 S. 794; Johow 6 S. 246); auch sog. vertrauliche Besprechungen können hierher gehören (Johow 6 S. 249 Vertrauensmännerversamml.; Entsch. d. K. G.'s v. 12. Januar u. 2. März 1893, cit. bei Gr. S. 42). Desgl. ist eine besondere Organisation (Büreauwahl &c.) nicht vorausgesetzt (R. G. 6 S. 217, 21 S. 73; Johow 6 S. 243 u. 246).

b. Besondere Bestimmungen: I. für die regelmäß. Vereinsversamml. § 3 (vgl. Anm. zu § 3 über Vereinsversamml. überhaupt u. Vorstandssitzungen); II. für die Versamml. u. Sitzungen politischer Vereine § 8 Abs. 3; III. für die Versamml. kirchlicher u. religiöser Vereine mit Korp.-Rechten § 2 Abs. 3; IV. für die öff. Versamml. unter fr. Himmel §§ 9—11; V. für die gebotenen Versamml. § 21.

2) **Oeffentliche Angelegenheiten** sind diejenigen, welche nicht ausschließlich einzelne (physische oder juristische) Personen u. deren Privatinteressen, sondern die Gesammtheit des Gemeinwesens u. das gesammte öff. Interesse berühren (R. G. 22 S. 338; vgl. auch Johow 11 S. 309: auch Angel., welche einzelne Bevölkerungsklassen angehen); es sei denn, daß die Angel. rein wissenschaftlich ohne Beziehung auf

gegenwärtige Verhältnisse erörtert werden. — Oeff. Angel. sind insbes. auch:

a. politische Angel. (unten S. 54; vgl. auch K. G. in Goltd. Arch. 39 S. 452: Säkularfeier der Poln. Konstitution);

b. religiöse Angel. (G. A. 24 S. 63 u. 675, O. R. 17 S. 565), auch innere kirchl. Angel. einer einzelnen Kirchengemeinde (Johow 9 S. 274), ferner Religionsübungen u. das Anhören einer Predigt (Johow 5 S. 272, vgl. 10 S. 250); — die Versamml. der mit Korp.-Rechten ausgestatteten kirchl. u. relig. Vereine unterliegen jedoch dem § 1 nicht, vgl. § 2 Abs. 3;

c. sozialpolitische Angel. (G. A. 8 S. 101, Johow 11 S. 307), z. B.: Hebung des Arbeiterstandes (G. A. 26 S. 579) oder eines einzelnen Gewerbes (Johow 10 S. 246); Regelung der Arbeitsbedingungen für einen ganzen Berufsstand, nicht nur für die Angehörigen eines einzelnen Vereins (R. G. 22 S. 338; vgl. Johow 3 S. 304, 11 S. 307); Besprechung von allg. Fachangel. in einem Fachverein (Johow 11 S. 309); die Besteuerung der Landwirthschaft (Entsch. d. K. G. v. 13. 11. 93) u. s. w.;

d. Gemeinde-Angel. (O. R. 8 S. 290);

e. auch Vertrauensmänner-Versamml. zur vertraul. Besprechung von Wahlvorbereitungen zählt das K. G. hierher (Johow 6 S. 246, vgl. oben Anm. 1a).

3) **Erörtert oder berathen werden sollen.** Als Erörterung gilt auch ein einseitiger Vortrag, z. B. eine Predigt (Johow 5 S. 276; vgl. Min. Bl. 1864 S. 210). Nicht erforderlich ist, daß die Erörterung ꝛc. von öff. Angel. den Hauptgegenstand der Versamml. bilde (Johow 11 S. 309).

Die Absicht des Unternehmers, öff. Ang. zur Erörterung ꝛc. zu bringen, entscheidet (O. R. 18 S. 318). Daher ist § 1 (u. § 12) anwendbar auch wenn demnächst solche Erört. gar nicht stattgefunden hat (G. A. 27 S. 143), desgl. wenn der Unternehmer den Zusammenberufenen diesen Zweck vorher nicht mitgetheilt oder einen fingirten Zweck angegeben hat (Johow 6 S. 243). — Andererseits ist § 1 (u. § 12) unanwendbar, wenn in einer zu einem andern Zweck veranstalteten Versamml. von Einzelnen gelegentlich politisirt wird (O. R. 15 S. 749:

polit. Toast in einem Kriegerverein; Entsch. d. K. G.'s v. 18. 12. 93, cit. bei Gr. S. 44). Wenn es jedoch nicht bei einer gelegentl. Abschweifung bleibt, sondern in einer zu einem and. Zweck veranstalteten Versamml. thatsächl. öff. Ang. unter Duldung der Leiter ꝛc. erörtert werden, so werden nunmehr die Bestimmungen der Verordn. v. 11. 3. 50, insbes. §§ 1, 4, 12 anwendbar (O. V. G. 23 S. 407 fg.; a. M. Caspar S. 68, 75, vgl. auch Johow 12 S. 235); desgl. wenn Personen, welche in einem Lokal sich zufällig zusammengefunden hatten, zur Anhörung eines Vortrags über öff. Ang. oder zur gemeinsamen Erörterung v. öff. Ang. sich vereinigen (R. G. 21 S. 75, Entsch. d. K. G.'s bei G. A. 39 S. 206).

Petitionen unter einem Gesammtnamen sind nur Behörden und Korporationen gestattet (Preuß. Verfass. Art. 32).

4) **Unternehmer** (Einberufer). a. Nur Anzeigepflicht, nicht Pflicht zur persönl. Eröffnung der Versamml. oder zur Theilnahme (Johow 11 S. 299).

b) Eintrittsgeld und Tellersammlungen. Ein festes Eintrittsgeld für eine Versammlung zu erheben ist unzweifelhaft zulässig (Johow 12 S. 243; Min. Verf. im Min. Bl. 1890 S. 201, 1891 S. 231; vgl. auch R. G. 21 S. 195).

Dagegen ist fraglich, wie das Erheben eines beliebigen Eintrittsgeldes und das Einsammeln freiwilliger Beiträge in der Versammlung (sog. Tellersammlung) zu behandeln ist. Man hat in doppelter Weise versucht, hierfür behördliche Genehmigung zu zu fordern. Man sah darin zunächst die Ausschreibung einer öffentlichen Kollekte (sofern die Versamml. selbst öffentl.) und forderte gemäß § 11 Ziff. 4, e der Instruktion f. d. Oberpr. v. 31. Dez. 1825 (G. S. 1826 S. 1) die Genehmigung des Oberpräsidenten. Durch Min. Verf. v. 10. Juli 1890 (Min. Bl. S. 201) wurde diese Auffassung jedoch zurückgewiesen, da von „Ausschreibung" nicht die Rede sei; behördliche Genehmigung sei daher im Allg. nicht gesetzlich vorgeschrieben; wohl aber sei es (gemäß einer Entsch. d. K. G.'s v. 21. Okt. 1889) zulässig, gemäß §§ 6 d und 11 des Ges. über die Polizeiverwaltung vom 11. März 1850 (G. S. S. 265) die Tellersammlungen ꝛc. durch besondere Polizeiverordnungen von der Genehmigung durch die Ortspolizeibehörde abhängig zu machen. (Vgl. auch Min. Bl. 1891 S. 231.) Nun ergingen, wie z. Th. schon vorher, solche Pol. Verordn. in den meisten Regierungsbezirken; dieselben wurden jedoch vom K. G. in beständiger Praxis für ungültig erklärt, da sie unzulässige Einschränkungen des verfassungsmäßigen Versamml. Rechts darstellen (Johow 12 S. 177 und ungedruckte Entsch. d. K. G's vom 14. Mai 1891 ·/. Pützfeld, v. 5. Nov. 1891 ·/. Miethke, v. Dez. 1891 ·/. Priebe in dem Aktenstück „Tellersamml." des Kgl. Pol.-Präs. Berlin). Hiervon hat der Min. des Innern durch Circular v. 10. März 1892 (Min. Bl. S. 193) den Regierungs-Präsidenten Kenntniß gegeben, worauf die betr. Pol. Verordn. zumeist wieder aufgehoben wurden. — Dafür griff man aber wieder auf den Begriff der „öffentl. Kollekte" zurück, und das K. G. erachtete in mehreren Entsch. die Genehm. des Oberpräsidenten für erforderlich, da die Veranstaltung einer öff. Koll. vorliege, ohne jedoch zu erörtern, ob eine „Ausschreibung" der Koll. (vgl. oben) vorliege (ungedr. Entsch. d. K. G's v. 18. Sept. 1891 ·/. Kühn, v. 21. Nov. 1892 ·/. Hammerschmidt [in dem Aktenstück „Tellersamml."]; vgl. auch R. G. 21 S. 193, Johow 12 S. 248). Hiernach können also z. B. solche Tellersamml. 2c., wenn die Genehm. des Oberpräs. fehlt, nach den in den einzelnen Reg. Bezirken geltenden Pol. Verordn. über „öffentl. Kollekten" bestraft werden. Für Berlin käme die Pol. Verordn. v. 19. Febr. 1867 (Geldbuße v. 1 bis 10 Thaler event. Haft) in Betracht; jedoch wird in Berlin die Tellersamml. thatsächlich z. B. unbeanstandet gelassen.

Für Hannover vgl. Johow 12 S. 244.

c. Der Einberufer und Leiter einer Versamml., welchem ein Gastwirth in seinem Gasthause eine Räumlichkeit für die Abhaltung der Versamml. zur Verfügung gestellt hat, ist zur Ausübung des Hausrechts (§ 123 Str. G. B.) in dieser Räumlichkeit befugt (R. G. 24 S. 194).

5) Die **Anzeige** (mündl. od. schriftl.) muß Ort und (Anfangs-) Zeit der Versamml. enthalten. Angabe des Zweckes darf nicht verlangt werden (O. V. G. 20 S. 439). — Strafvorschrift § 12.

Das Ausfallen einer angezeigten Versamml. bedarf keiner Anzeige (Verhandl. II S. 2772).

6) **Ortspolizeibehörde**, d. h. a. auf dem Lande in den Provinzen der Kreis-O. v. 13. Dez. 1872 (außer Posen) sowie in Schleswig-Holstein der Amtsvorsteher, in Posen der Distriktskommissar, in Hannover der Landrath, in Hessen-Nassau der Bürgermeister bezw. nach speziellen Vorschriften ein anderer (Staats-) Beamter, in Westfalen der Amtmann, in der Rheinprovinz der Bürgermeister; b. in den Städten mit Kgl. Polizeiverwaltung (und im Landkreise Frankfurt a. M.) der Polizeipräsident bezw. Polizeidirektor; c. in den übrigen Städten der Bürgermeister, (Provinz Hannover der Magistrat).

Anzeige an falscher Stelle (z. B. im Bereiche der Kreis-O. v. 13. Dez. 1872: bei dem Gutsvorsteher oder Gemeindevorsteher) genügt nicht und schützt nicht vor Strafe (O. R. 8 S. 681; Jochow 4 S. 302).

7) **Sofort eine Bescheinigung.** Die Beschein. ist stempelfrei (Min. Verf. im Min. Bl. 1851 S. 168 und 1869 S. 28). Sie muß sofort ertheilt werden, auch außerhalb der Dienststunden, falls der Beamte von dem Unternehmer angetroffen wird (Verhandl. II S. 2771), und unter dieser Bedingung auch an Sonn- und Feiertagen (O. R. 19 S. 325). Sie muß Ort und Zeit der angemeldeten Versamml. enthalten (O. V. G. 22 S. 408). — Rechtsmittel gegen die Vorenthaltung einer gehörigen Bescheinigung: Landesverw. Ges. v. 30. Juli 1883 §§ 127 ff. (unten S. 78; vgl. O. V. G. 22 S. 407).

Jede Versamml., bezüglich deren die Beschein. der erfolgten Anzeige nicht vorgelegt werden kann, kann polizeilich aufgelöst werden (unten § 5). Ein Beamter jedoch, welcher die Beschein. gesetzwidrig verweigert und demnächst die Versamml. wegen Mangels der Beschein. auflöst, ist strafbar (§ 339 Str. G. B.; O. R. 19 S. 325).

Die Beschein. ist keine Erlaubniß; trotz Ertheilung der Beschein. kann daher die Versamml. in den geeigneten Fällen (vgl. oben S. 28) aus allgemeinen polizeilichen Gründen verboten werden.

8) Ueber die **Dauer** der Versamml. enthält die Verordn. v. 11. 3. 50 keine Bestimmung; die für einen bestimmten Tag angemeldete Versamml. braucht nicht unter allen Umständen mit dem Ablaufe dieses Tages (12 Uhr Nachts) zu enden (Min. Verf. im Min. Bl. 1891 S. 156).

Die Polizeistunde, welche für das zur Versamml. gewählte öffentliche Lokal etwa besteht, trifft auch die darin abgehaltene Versammlung. Ist das Lokal jedoch (von einem Einzelnen oder einem Vereine) für die Dauer der Versamml. besonders gemiethet und die Versamml. selbst keine öffentliche, so daß nur ein individuell begrenzter Personenkreis (individuell Eingeladene, bezw. Vereinsmitglieder und besonders eingeführte Gäste) Zutritt hat, so ist das Lokal für die Dauer der Versamml. nicht als öffentliches anzusehen und unterliegt nicht der Polizeistunde, mag es auch sonst als Schankstube ꝛc. zu dienen pflegen (O. V. G. 22 S. 413 ff., 23 S. 399 ff.)

§ 2.

Die Vorsteher [1]) von Vereinen, [2]) welche eine Einwirkung [3]) auf öffentliche Angelegenheiten [4]) bezwecken, [5]) sind verpflichtet, Statuten [6]) des Vereins und das Verzeichniß der Mitglieder binnen drei Tagen nach Stiftung des Vereins, und jede Aenderung der Statuten oder der Vereinsmitglieder binnen drei Tagen, nachdem sie eingetreten ist, der Ortspolizeibehörde [7]) zur Kenntnißnahme einzureichen, derselben auch auf Erfordern jede darauf bezügliche Auskunft [8]) zu ertheilen. [9])

Die Ortspolizeibehörde hat über die erfolgte Einreichung der Statuten und der Verzeichnisse, oder der Abänderungen derselben, sofort eine Bescheinigung [10]) zu ertheilen.

Die Bestimmungen dieses und des vorhergehenden Paragraphen beziehen sich nicht auf kirchliche und religiöse Vereine und deren Versammlungen, wenn diese Vereine Korporationsrechte haben. [11])

1) **Vorsteher**, d. h. die thatsächlichen, wenn auch nicht durch die Statuten bestimmten (O. R. 14 S. 225); bei ständigem Wechsel der Vereinsleitung die jeweilig fungirenden (O. R. 17 S. 259).

2) **Verein**. a. V. ist jede mehr oder weniger organisirte, auf längere Dauer berechnete Vereinigung Mehrerer zur Verfolgung bestimmter gemeinschaftlicher Zwecke (O. R. 10 S. 279; R. G. 13 S. 277, 18 S. 172, 21 S. 73, 22 S. 338). Dauer in concreto zu bemessen; Beispiele R. G. 16 S. 294 (6—8 Wochen), 18 S. 173 (mehrtägiger Kongreß kein Verein; wohl aber kann ein von einem Kongreß zur Ausführung seiner Beschlüsse gewählter u. auf längere Dauer zusammentretender Ausschuß als Verein angesehen werden). — Irgend eine Art von Organisation ist vorausgesetzt (R. G. 18 S. 172, 24 S. 247; and. Mein. Caspar S. 27, Entsch. d. K. G.'s v. 18. Jan. 1894, cit. bei Gr. S. 46; vgl. auch R. G. 21 S. 73).

Bestimmte Mitgliederzahl ist nicht vorgeschrieben. Die Bildung eines V.'s kann, ohne daß dessen Mitgl. äußerlich in Berührung kommen, durch Dritte vermittelt werden (G. A. 23 S. 232); insbes. durch die als Gründer u. event. Leiter Hervortretenden, wobei nicht erforderlich, daß sämmtl. Beitretenden von den speziellen Vereinszwecken &c. nähere Kenntniß haben (O. R. 16 S. 452). — Statuten sind zwar vorgeschrieben (vgl. unten Anm. 6), aber nicht Bedingung für die Existenz des V.'s (O. R. 18 S. 158; ungenau Johow 3 S. 316).

b. Lokale Begrenzung. Es ist vorausgesetzt, daß jeder Verein einen bestimmten Sitz hat, d. h. einen Ortspolizeibezirk, in welchem er thätig sein will. Nicht erforderl. ist, daß alle Vereinsmitgl. in diesem Bezirk wohnen (Verhandl. I S. 2873); Statut u. Mitgl. Verzeichniß sind nur an dem Vereinssitze einzureichen, nicht auch da, wo auswärtige Mitgl. nur wohnen (O. R. 15 S. 230; Johow 7 S. 263). — Bilden sich dagegen Zweigvereine, oder wollen die auswärt. Mitgl. in ihrem Bezirk eine besondere örtliche Vereinsthätigkeit entwickeln, so sind Statuten u. Mitgl. Verz. auch bei der betr. Lokalpolizeibehörde einzureichen (O. R. 15 S. 230; Johow 7 S. 263), und die lokale Vereinigung gilt im Sinne der Verordn. v. 11. 3. 50 (§§ 2, 8) als ein besonderer Verein, ohne Rücksicht auf seine statutenmäßige Stellung zu dem Hauptverein (O. R. 11

S. 346, 15 S. 230; G. A. 25 S. 250; wichtig für das Koalitions-Verbot in § 8 Abs. 1 b). Beispiele örtlicher Vereinsbildung: O. R. 10 S. 56; G. A. 17 S. 522, 23 S. 628; Entsch. d. K. G.'s v. 9. Juni, 30. Juni u. 14. Nov. 1892 (cit. bei Gr. S. 47); — andererseits O. R. 15 S. 786 u. 790; G. A. 25 S. 384 (Veranstaltung einer auswärt. Volksvers. durch den Vereinsvorsteher gilt noch nicht als örtl. Vereinsbildg.)

3) **Einwirkung** kann auch ohne „Erörterg. in Versamml." (§§ 1 u. 8) geschehen, z. B. schriftlich (O. R. 19 S. 552) oder durch Theatervorstellungen (O. V. G. 23 S. 406).

Petitionen unter einem Gesammtnamen sind nur Behörden und Korporationen gestattet (Preuß. Verfass. Art. 32).

4) **Oeffentliche Angelegenheiten.** Gleichgültig ist, ob die öff. Ang. zugleich das Privatinteresse der Vereinsmitgl. berühren (O. R. 18 S. 593; Johow 11 S. 307; R. G. 22 S. 338; K. G. Entsch. v. 13. Nov. 1893). — Begriff der „öff. Ang." vgl. oben S. 36. Dem § 2 unterliegen insbes. auch alle kirchl. u. relig. Vereine, welche keine Korp. Rechte haben (vgl. § 2 Abs. 3; Verhandl. II S. 2771; O. R. 17 S. 14 u. 476); ferner Wahlvereine (vgl. § 21, u. oben S. 21); desgl., sofern sie eine Einw. auf öff. Ang. bezwecken: Studentenverbindungen, Gesellsch. m. beschr. Haftg. (vgl. oben S. 25), landwirthschaftl. Vereine (K. G. Entsch. v. 13. Nov. 1893 „Bund der Landwirthe", s. auch Johow 3 S. 304) u. s. w.

5) **Bezwecken** = beabsichtigen (R. G. 22 S. 339). Alles, was ein Verein als solcher thut, ist als von ihm bezweckt anzusehen. Es ist gleichgültig, ob die Einwirk. auf öff. Ang. von vornherein als statutenmäßiger Vereinszweck vorgesehen ist; aus einer thatsächlichen Einwirkung in einzelnen Fällen kann ohne Rechtsirrthum gefolgert werden, daß der Verein event. von nun an solche Einwirk. bezweckt (O. R. 18 S. 593; Johow 11 S. 307; vgl. auch R. G. 15 S. 307). — Dagegen ist eine gelegentliche, nur für den einzelnen Fall gewollte, Einwirk. auf öff. Ang. nicht ausreichend, um einen Verein dem § 2 (u. § 8) zu unterwerfen; im § 2 (u. § 8) ist an den dauernden Vereinszweck (Haupt- oder Nebenzweck) gedacht (ähnlich: Caspar S. 37 ff.; anders: Johow 10 S. 246, App. G. Entsch. im Min. Bl. 1864 S. 208, Delius S. 29; vgl. auch O. V. G. 20 S. 437 Anm.).

6) **Statuten und Mitgliederverzeichniß** sind in deutscher Sprache einzureichen (O. R. 17 S. 103). — Aus § 2 folgt, daß Vereine, welche eine Einwirk. auf öff. Ang. bezw., Statuten haben sollen (O. R. 14 S. 224); jedoch ist die Existenz des V.'s dadurch nicht bedingt (vgl. Anm. 2a), u. für die Frage nach Vorstandschaft, Mitgliedschaft, Zweck sind nicht die formell zu Grunde gelegten Statuten, sondern die thatsächlichen Verhältnisse entscheidend (O. R. 14 S. 224; G. A. 23 S. 470, 25 S. 248).

7) **Ortspolizeibehörde**: vgl. Anm. 6 zu § 1 und Anm. 2b zu § 2.

8) **Auskunft**, d. h. über Zweck u. Organisation, Mitgl.=Bestand, Vorstand. — Zur Einsicht der Vereinsurkunden (außer Statut u. Mitgl.=Verz.) ist die Polizei nicht befugt, abgesehen von § 94 Str. Pr. O. (Beschlagnahme).

Ueber das Recht der Polizei, zwecks Ueberwachung der öff. Ordnung die Statuten u. d. Mitgl.=Verz. auch solcher Vereine einzusehen, die keine Einw. auf öff. Ang. bezwecken, vgl. O. V. G. 11 S. 389.

9) **Bei Zuwiderhandlungen**: a. Strafvorschriften § 13. b. Zwangsbefugnisse der Polizei gemäß Ges. v. 30. Juli 1883 § 132: Androhung u. Festsetzung v. Geldstr. event. Haft (bis 150 M. event. 2 Wochen Seitens der Landräthe, sowie der Polizeibeh. u. Gemeindevorst. in Stadtkreisen, bis 60 M. event. 1 Woche Seitens der Ortspolizeibeh. u. der städtische Gemeindevorst. in Landkreisen). Die Rechtsmitel gegen die Androhung sind dieselben, wie überhaupt gegen ortspol. Verfügungen (§§ 127 ff., vgl. unten S. 78); gegen die Festsetzung u. Ausführung nur Beschwerde im Aufsichtswege binnen 2 Wochen (§ 133 a. a. O.).

10) **Bescheinigung.** Vgl. Anm. 7 zu § 1. Inhalt der Bescheinig.: O. V. G. 22 S. 408. Das Fehlen dieser Bescheinig. (anders bei § 1) ist unschädlich, sofern thatsächlich die Statuten ꝛc. eingereicht sind.

11) **Kirchliche u. religiöse Vereine** ohne Korp.=Rechte unterliegen dem § 2, vgl. oben Anm. 4.

Die Ausnahmebestimmung § 2 Abs. 3 ist nur anwendbar, wenn der einzelne Verein Korp.=R. besitzt; es genügt nicht, daß die Religionsgesellschaft, welcher er angehört, Korp.=R. hat (Verhandl. II

S. 2786, 2787). — Die Befreiung erstreckt sich nur auf §§ 1 u. 2 (u. folglich §§ 3; 5 Satz 1; 12; 13); nicht aber auf §§ 4; 5 Satz 2; 6; 7; 9 (Abweich. Johow 12 S. 179 betr. § 9?).

§ 3.

Wenn für die Versammlungen eines Vereines,[1][2]) welcher eine Einwirkung auf öffentliche Angelegenheiten bezweckt, Zeit und Ort statutenmäßig oder durch einen besonderen Beschluß im Voraus feststeht, und dieses wenigstens vierundzwanzig Stunden vor der ersten Versammlung zur Kenntniß der Ortspolizeibehörde gebracht[3]) worden ist, so bedarf es einer besonderen Anzeige, wie sie der §. 1. erfordert, für die einzelnen Versammlungen[4])[5]) nicht.

1) **Vereinsversammlungen überhaupt.** a. Die Tragweite des § 3 ist streitig. Das Kammergericht (Min. Bl. 1883 S. 48 u. Johow 12 S. 245 Ueberschrift; ähnlich Caspar S. 70 fg.) folgert per arg. e contr., daß alle Versammlungen eines Vereins, welcher e. E. auf öff. Ang. bezweckt, der Anzeige bedürfen, sofern nicht Zeit und Ort im Voraus feststeht, also auch diej. Vers., in welchen nicht öff. Ang. erörtert werden sollen. Dagegen meint das Ober-Verwaltungsgericht (O. V. G. 23 S. 399 fg., insbes. 407), daß die dem § 2 unterliegenden Vereine nur diejenigen von ihnen veranstalteten Versammlungen anzumelden brauchen, welche der Erörterung von öff. Ang. dienen. — Die letztere Ansicht entspricht der Entstehungsgeschichte (Verhandl. II S. 2772, weil § 3 nur unnöthige Belästigung verhindern soll) und dem Wortlaut (Anzeige, „wie sie der § 1 erfordert"). Uebrigens scheint das K. G. (Johow 12 S. 245 Gründe) wenigstens den Gegenbeweis zuzulassen, daß durch die betr. Versamml. nicht auf öff. Ang. eingewirkt werden soll; auch mit dieser Einschränkung ist aber die Ansicht des K. G's. unrichtig, weil es für die Anzeigepflicht (§ 1) nicht auf „Einwirkung", sondern auf „Erörterung oder Berathung" ankommt.

b. Versammlung eines politischen Vereins: unten § 8 und Anm. 6 dazu.

c. Legitimirt zur Wahrung des Versammlungsrechts eines Vereins gegen polizeil. Verfügungen ist sowohl der Verein, wenn er als solcher vor Gericht auftreten kann, als auch jedes einzelne Vereinsmitglied (O. V. G. 23 S. 411).

2) **Sitzungen des Vorstandes** oder sonstiger Organe sind zwar (wenn die Theilnehmerzahl „nicht allzuklein" ist, vgl. R. G. 21 S. 73, oben S. 36) immer auch Versammlungen (etwas anders: O. V. G. 20 S. 441; 23 S. 408 quaestio facti); anzeigepflichtig sind sie aber nur, wenn in ihnen öffentliche Ang. (§ 1) erörtert werden sollen, nicht nur innere Vereinsangelegenheiten, wie z. B. das Kassenwesen.

Sitzungen eines politischen Vereins: unten § 8 Abs. 3 und Anm. 6 dazu.

3) Bescheinigung der Ortspolizeibehörde: O. V. G. 22 S. 408.

4) Die **regelmäßigen** Vereinsversamml. sind nur von der besonderen Anzeige (§ 1) befreit, aber nicht von der polizeilichen Ueberwachung (§§ 4 fg.) oder dem etwa aus besonderen Gründen (oben S. 28) zulässigen polizeil. Einschreiten (O. V. G. 23 S. 413). — Das Ausfallen einer regelm. Vereinsvers. bedarf keiner Anzeige (Verhandl. II S. 2772).

5) **Gäste** dürfen zu den regelm. Vereinsvers. zugezogen werden (O. R. 18 S. 761), auch als Redner. Erfolgt jedoch die Zuziehung von Gästen in solchem Maaße, daß der Charakter der Versamml. überhaupt geändert wird, so hört die Versamml. auf, eine „regelm. Vereinsversamml." zu sein, und unterliegt ohne besondere Anzeige der Auflösung nach § 5 (Min. Verf., Min. Bl. 1890 S. 200).

§ 4.[1])

Die Ortspolizeibehörde[2]) ist befugt,[3]) in jede Versammlung, in welcher öffentliche Angelegenheiten erörtert oder berathen werden sollen,[4]) einen oder zwei[5]) Polizeibeamte oder eine oder zwei andere[5]) Personen als Abgeordnete zu senden.[6])

Die Abgeordneten dürfen, wenn sie Polizeibeamte sind, nur in ihrer Dienstkleidung oder unter ausdrücklicher Kundgebung[7]) ihrer dienstlichen Eigenschaft erscheinen. Sind sie nicht Polizeibeamte, so müssen sie durch besondere Abzeichen erkennbar sein.[8])

Den Abgeordneten muß ein angemessener Platz eingeräumt,[9]) ihnen auch auf Erfordern durch den Vorsitzenden Auskunft über die Person der Redner[10]) gegeben werden.[11])

1) § 4 ermächtigt die Polizeibehörde rein präventiv zur Ueberwachung der Versammlungen im Sinne des § 1. Daneben besteht die Befugniß der Pol., sobald ihr die Begehung strafbarer Handlungen in einer Versamml. glaubhaft bekannt wird, gemäß § 17 II 10 A. L. R. ihre Organe an den Ort der wahrscheinl. Strafthat zu senden, natürlich unter Beachtung der ihr überhaupt (vgl. z. B. §§ 7—9 Ges. über die persönl. Freiheit v. 12. Febr. 1850, O. V. G. 1 S. 375 ff., 380) gezogenen Schranken (O. V. G. 23 S. 408).

Die gemäß § 4 entsendeten Abgeordneten vertreten die Polizeibehörde nicht nur gemäß §§ 5, 6, sondern zugleich in ihren allgem. Funktionen (R. G. in G. A. 38 S. 385).

2) An Stelle der Ortspol. kann deren vorgesetzte Behörde diese Befugniß ausüben (O. R. 5 S. 273), aber nicht die Staatsanwaltschaft. Vgl. Anm. 3.

3) Befugt, nicht verpflichtet. Letzteres auch nicht auf Requis. der Staatsanwaltschaft; jedoch soll die Ortspol., wenn sie der Requis. der St. A. nicht genügen will, die Gründe mittheilen (Min. Reskr., Min. Bl. 1850 S. 378).

4) Versammlung rc. vgl. bei § 1; auch Vereins=Versamml., indeß nur, wenn darin öff. Ang. erörtert werden sollen (O. V. G. 23 S. 405 ff.) — Die polizeil. Ueberwachung der geselligen Zusammenkünfte geschlossener Gesellschaften, insbes. das Eindringen von Polizeibeamten in die von solchen Gesellsch. benutzten Räume,

ist unzulässig, sofern nicht die Voraussetzungen zum Einbringen in „Wohnungen", Ges. v. 12. Febr. 1850, vorliegen (O. V. G. 1 S. 375). — Nicht öffentliche Versamml. in geschlossenen Räumen stehen, sofern in ihnen nicht öff. Ang. erörtert werden sollen, in polizeil. Beziehung den Privatgesellschaften im Privathause gleich (O. V. G. 9 S. 411). — Ueberwachung öffentlicher Lustbarkeiten: O. V. G. 18 S. 426 u. oben S. 30.

5) Erscheinen mehr als zwei Abgg. der Pol., so muß sich die Ueberzahl auf Aufforderung des zum Hausrecht Befugten (vgl. § 1 Anm. 4c) entfernen. Welche 2 Abgg. bleiben sollen, haben die Abgg. zu bestimmen. Entfernen die übrigen sich nicht, so begehen sie Hausfriedensbruch. Wird eine Bestimmung, wer bleiben und wer sich entfernen soll, gar nicht getroffen, so machen sich sämmtl. Abgg. des Hausfr. schuldig, weil keiner von ihnen berechtigt ist, gemeinschaftlich mit 2 anderen anwesend zu bleiben. — Nach Auflösg. einer Versamml. ist die Zuziehung von mehr als 2 Pol. Beamten, insbes. zur Durchführung der Auflösg., statthaft.

6) Der Verwalter der Ortspol. kann auch sich selbst in die Versamml. delegiren (analog O. R. 5 S. 201).

7) Diese ausdrückliche Kundgebung kann auch durch konkludente Handlungen erfolgen, welche das Erscheinen in dienstl. Eigenschaft unzeifelhaft kundgeben (O. R. 18 S. 61).

8) Und sich auf Erfordern als Abgg. der Pol. legitimiren (Delius S. 22 u. A.).

9) Die Wahl des Platzes ist nicht den Abgg. überlassen. Ob der eingeräumte Platz angemessen war, entscheidet nachher event. (§ 14) der Strafrichter (Verhandl. II S. 2772). Die Verweigerung eines angemessenen Platzes berechtigt die Abgg. nicht zur Auflösung der Versamml. (arg. § 5).

10) Auskunft, d. h. über Namen, Stand und Wohnung (Delius S. 45 u. A.). — Die Auskunft ist in der für den Geschäftsverkehr mit Behörden anzuwendenden (d. i. deutschen) Sprache zu ertheilen (O. V. G. 1 S. 356); indeß darf der Abg. sich mit einer anderssprachigen ihm verständlichen Auskunft begnügen. Die Erörterungen

in der Versamml. selbst brauchen nicht in deutscher Sprache geführt zu werden (O. V. G. 1 S. 347 ff.; vgl. S. 359 über dolose Wahl einer den Abgg. unverständlichen Sprache).

11) Strafbestimmung: § 14.

§ 5.

Die Abgeordneten der Polizeibehörde sind, vorbehaltlich des gegen die Betheiligten gesetzlich einzuleitenden Strafverfahrens, befugt, sofort jede Versammlung[1]) aufzulösen,[2—5]) bezüglich deren die Bescheinigung der erfolgten Anzeige (§§. 1. und 3.) nicht vorgelegt werden kann.[2a]) Ein Gleiches gilt, wenn in der Versammlung Anträge oder Vorschläge erörtert werden, die eine Aufforderung oder Anreizung zu strafbaren Handlungen enthalten;[2b]) oder wenn in der Versammlung Bewaffnete erscheinen, die der Aufforderung des Abgeordneten der Obrigkeit entgegen, nicht entfernt werden.[2c])

1) **Versammlung.** a. § 5 bezieht sich nur auf Versamml. im Sinne des § 1 (in welchen öff. Ang. erörtert 2c. werden sollen) u. gemäß §§ 9 i. f. u. 10 auf öff. Vers. u. fr. H. und öff. Aufzüge; denn unter den „Abgg. der Pol." sind offenbar die nach § 4 entsendeten Abgg. gemeint, und diese dürfen nach §§ 4, 9 i. f. nur in die bezeichneten Versamml. entsendet werden. — Eine Auflösung anderer Versamml. durch Polizeibeamte (vgl. § 4 Anm. 1) kann daher nicht auf § 5, sondern nur auf die allg. Bestimm. (§ 10 II 17 A. L. R., s. Anm. 3) gestützt werden. Vgl. auch O. V. G. 23 S. 407.

b. Auch eine von dem Vorsitzenden bereits geschlossene Versamml. kann noch für aufgelöst erklärt werden, falls sie trotz der formellen Schluß-Erklärung des Vors. weiter tagt (Johow 6 S. 252). Dies ergiebt sich schon daraus, daß in dem weiteren Tagen der Zusammengebliebenen eine neue Versamml. liegt, für welche es nun an der Bescheinigung (§ 1) fehlt (ähnlich: K. G. in G. A. 39 S. 206, 40 S. 373).

c. Eine Umgehung des Gesetzes durch Anmeldung von zwei auf einander folgenden Versamml. für dasselbe Lokal, um bei Auflös. der ersten Versamml. sogleich die zweite abzuhalten, ist unstatthaft; bildet die zweite Versamml. nur eine Fortsetzung der aufgelösten ersten, so kann sie deshalb ohne Weiteres aufgelöst werden (Min. Reskript 25. 4. 78, bei Delius S. 23).

2) **Die Auflösungsgründe nach der Verordnung v. 11. 3. 50:**

a. Fehlen der Anzeige-Bescheinigung § 1; vgl. auch § 1 Abs. 2 (verspäteter Beginn u. übermäßige Pause).

b. Erörterung von Anträgen 2c., die eine Aufforderung oder Anreizung zu strafb. Handl. enthalten. Vgl. auch Str. G. B. §§ 110, 111 (oben S. 13). Als Erörterung gilt nicht schon die Stellung eines Antrages, wohl aber die Befürwortung durch den Antragsteller, sowie die Abstimmung. — Zur Auflösung gemäß § 5 genügt nicht, daß ein Theilnehmer der Versamml. (mag dies auch der Redner sein) selbst eine strafb. Handl. begeht (Entsch. d. O. V. G. u. Min. Verf., Min. Bl. 1890 S. 1; vgl. Anm. 3).

c. Nicht-Entfernung von (auch nur einem) Bewaffneten.

d. Nicht-Entfernung von Frauenspersonen, Schülern u. Lehrlingen aus den Versamml. u. Sitzungen politischer Vereine (§ 8 Abs. 3, unten S. 53) mit Ausnahme der Wahlvereine (§ 21, unten S. 76).

3) **Auflösung aus anderen Gründen** kann erfolgen auf Grund der allgemeinen Bestimmungen, insbes. gemäß § 10 II 17 A. L. R. „zur Erhaltung der öff. Ruhe, Sicherheit u. Ordnung und zur Abwendung der dem Publiko, oder einzelnen Mitgliedern desselben bevorstehenden Gefahr" (O. V. G. 1 S. 353, 11 S. 388), jedoch nur dann, wenn die Auflösung nicht bloß ein geeignetes, sondern das nothwendige Mittel zu diesem Zwecke ist, also nicht schon bei Begehung irgend einer strafb. Handl. in der Versamml. (Entsch. d. O. V. G. u. Min. Verf., Min. Bl. 1890 S. 1).

Gebrauch einer fremden Sprache in der Versamml. ist kein Aufl.-Grund (O. V. G. 1 S. 347 ff.).

Eine für Wirthshäuser rc. überhaupt festgesetzte Polizeistunde trifft auch die in solchen Lokalen abgehaltenen öffentlichen (vgl. oben S. 41) Versamml., einschließlich der öffentl. Vereins-Versamml., und berechtigt die Polizei zur Schließung bezw. Auflösung der Versamml. (O. V. G. 23 S. 399).

Ueber das Recht der Polizei, Versamml. im Voraus zu verbieten, vgl. oben S 28.

4) Die **Auflösungserklärung** muß unzweideutig und den Anwesenden verständlich sein; bestimmte Worte sind nicht vorgeschrieben (R. G. 11 S. 374) und der Gebrauch der deutschen Sprache wohl nicht unbedingt erforderlich (a. M.: O. V. G. 1 S. 356). — Den Grund der Auflösung braucht der Beamte bei der Aufl.-Erklärung nicht anzugeben (O. R. 9 S. 722).

5) **Rechtsmittel** gegen unbegründete Auflösung: Beschwerde bei der Behörde, welche den betr. Beamten abgeordnet hatte, u. gegen deren Bescheid event. die Rechtsmittel §§ 127 ff. Ges. v. 30. Juli 1883 (unten S. 78).

§ 6.

Sobald ein Abgeordneter der Polizeibehörde die Versammlung für aufgelöst erklärt hat,[1]) sind alle Anwesenden verpflichtet, sich sofort[2]) zu entfernen.[3]) Diese Erklärung kann nöthigenfalls durch die bewaffnete Macht[4]) zur Ausführung gebracht werden.

1) Auch wenn die Auflösung ohne gesetzlichen Grund erfolgt ist (O. R. 9 S. 720).

2) d. h. mit thunlichster Beschleunigung (Johow 6 S. 254).

3) Ohne besondere Aufforderung (anders bei § 116 Str. G. B., oben S. 14). — Soll nach der Versamml. eine gesellige Zusammenkunft stattfinden, so müssen sich die Betheiligten doch zuvor entfernen (Entsch. d. K. G.'s v. 13. Nov. 1893, cit. bei Gr. zu § 15). — Strafbestimmung: § 15.

4) Vgl. Preuß. Verfass. Art. 36, Reichsverfass. Art. 66 Abs. 2, Preuß. Ges. v. 20. März 1837 (G. S. S. 60) über den Waffengebrauch des Militärs.

§ 7.

Niemand darf in einer Versammlung[1]) bewaffnet[2]) erscheinen,[3]) mit Ausnahme[4]) der im Dienste befindlichen Polizeibeamten.

1) Das Waffenverbot folgt schon aus Art. 29 der Preuß. Verfass. für alle Versammlungen, auf welche sich Art. 29 bezieht, also auf alle nicht bloß geselligen (vgl. oben S. 30). Der § 7 wiederholt dies verfassungsmäßige Verbot (Verhandl. II S. 2773) aber nur für die in § 1 erwähnte Art von Versammlungen, und außerdem gemäß § 9 i. f. und § 10 für die öff. Vers. u. fr. Himmel und die öff. Aufzüge; daher ist die Strafbestimmung § 18 nur auf das bewaffnete Erscheinen in derartigen Versammlungen anzuwenden (a. M.: O. V. G. 20 S. 440, 23 S. 407: § 7 treffe alle Versammlungen; Gr. S. 57 wie O. V. G. — Dagegen spricht aber der Zusammenhang sowie die Erwähnung in § 9 i. f., welche bei der Ansicht des O. V. G. unnöthig gewesen wäre).

2) Waffe ist ein zur Zufügung von Verletzungen bei Angriff oder Abwehr geeigneter und hierzu entweder nach seinem natürlichen Zwecke oder in concreto nach dem Willen des Trägers bestimmter Gegenstand (ähnlich: O. R. 4 S. 433, Delius S. 28, Caspar S. 61). — Ehrendegen, Rappiere 2c. gelten daher nur dann als Waffen, wenn sie zu Angriffs- oder Abwehr-Zwecken mitgebracht werden, nicht aber wenn sie als Schmuck- oder Uebungs-Geräth, Kostümstücke 2c. dienen sollen (O. V. G. 20 S. 440, Entsch. d. R. G.'s v. 16. Febr. 1893 cit. bei Gr.). Vgl. O. R. 4 S. 433 (Paradeschläger bei Kommersen keine „Waffe").

3) Bei Zuwiderhandlung: a. Strafbestimmungen §§ 18, 19. b) Befugniß zur Auflösung der Versamml., wenn die Bewaffneten trotz Aufforderung des Abg. der Obrigkeit nicht entfernt werden (§ 5).

4) Waffenprivileg für die milit. Leichenbegängnisse bestätigter Kriegervereine: Kab. O. v. 22. Febr. 1842 (Min. Bl. S. 97; noch gültig, vgl. Johow 11 S. 305 u. oben S. 27).

§ 8.

Für Vereine, welche bezwecken, politische Gegenstände in Versammlungen zu erörtern,[1]) gelten außer vorstehenden Bestimmungen nachstehende Beschränkungen:

a. sie dürfen keine Frauenspersonen, Schüler und Lehrlinge als Mitglieder aufnehmen;[2])

b. sie dürfen nicht mit anderen Vereinen gleicher Art zu gemeinsamen Zwecken in Verbindung treten, insbesondere nicht durch Komite's, Ausschüsse, Central-Organe oder ähnliche Einrichtungen oder durch gegenseitigen Schriftwechsel.[3])

Werden diese Beschränkungen überschritten, so ist die Ortspolizeibehörde[4]) berechtigt, vorbehaltlich des gegen die Betheiligten gesetzlich einzuleitenden Strafverfahrens, den Verein bis zur ergehenden richterlichen Entscheidung (§. 16.) zu schließen.[5])

Frauenspersonen, Schüler und Lehrlinge dürfen den Versammlungen und Sitzungen solcher politischen Vereine nicht beiwohnen. Werden dieselben auf die Aufforderung des anwesenden Abgeordneten der Obrigkeit nicht entfernt, so ist Grund zur Auflösung der Versammlung oder der Sitzung (§§. 5. 6.) vorhanden.[6])

1) **Vereine, welche bezwecken, politische Gegenstände in Versammlungen zu erörtern.** a. „Vereine". Begriff § 2 Anm. 2 (oben S. 42). Die Vereine des § 8 bilden keine Unterart der Vereine des § 2; ihr Begriff ist theils enger (§ 2 öff. Ang., § 8 polit. Ggst.; § 2 Einwirkung jeder Art, § 8 Einw. durch Erört. in Versamml.), theils weiter (§ 2 Einwirkung, § 8 Erört. auch ohne Einwirkungszweck). Sie unterliegen indeß denselben Ordnungsvorschriften wie jene (verba: außer vorst. Bestimm.), und außerdem den besonderen Beschränkungen des § 8. — Auf Wahlvereine ist § 8 nicht anzuwenden (§ 21 Abs. 2, unten S. 76).

b. „Welche bezwecken": vgl. § 2 Anm. 5 (oben S. 43).

c. „Politische Gegenstände" (Unterart der öff. Ang.) sind diej., welche den Staat als lebendigen Organismus oder seine Einrichtungen betreffen (so: Lippe'sches Vereinsges. § 19, unten S. 210). Vgl. O. R. 17 S. 79, Johow 4 S. 295 u. 8 S. 215 (Sozialpolitik); R. G. 16 S. 383 ff. u. 22 S. 339 ff. (oben S. 23); Entsch. d. K. G's. v. 13. Dez. 1893 (Besteuerung der Landwirthsch., „Bund der Landwirthe").

d. „In Versammlungen zu erörtern". „Versamml." vgl. § 1 Anm. 1. „In Versamml.", d. h. in Versamml. der Mitglieder, mit oder ohne Zuziehung von Gästen. Dagegen fällt ein Verein, der nur bezweckt, Versamml. v. Nichtmitgl. zur Erört. v. polit. Ggst. herbeizuführen, nicht unter § 8 (A. M. Caspar S. 47; § 8 sagt jedoch „zu erörtern", nicht „erörtern zu lassen", vgl. auch Abs. 3 „Vers. u. Sitz. solcher polit. Vereine"). — Als „Erörterung" gilt auch einseitiger Vortrag (oben S. 37). — Die Absicht theoretischer Erört. ohne Einwirkungszweck genügt (Verhandl. II S. 2773, Entsch. d. Ob. Trib. 25 S. 358, O. V. G. 20 S. 436 Anm.). — Andererseits unterliegt ein Verein, welcher ohne Versamml. nur durch die Presse auf polit. Ggst. einwirken will, dem § 8 nicht (oben S. 32); nach O. V. G. 20 S. 442 selbst dann nicht, wenn ein solcher Preßverein „in bloßen Privat-Zusammenkünften (Sitzungen) seiner Vorsteher und sonstigen Organe sein künftiges Vorgehen und damit polit. Ggst. beräth"; indeß werden diese Sitzungen, wenn die Theilnehmerzahl „nicht allzu klein" ist, als „Versamml." gelten müssen (vgl. oben S. 46).

2) **Beschränkung a: Verbot der Aufnahme von Frauenspersonen, Schülern und Lehrlingen.** Polit. Vereine im Sinne des § 8 dürfen daher auch nicht ausschließlich aus Frauen &c. bestehen (R. G. 15 S. 307).

3) **Beschränkung b: Koalitionsverbot.** a. Lokale Begrenzung eines Vereins: § 2 Anm. 2b (oben S. 42).

b. Verhältniß zu § 152 der Reichsgewerbeordnung: oben S. 23.

c. „Vereine gleicher Art", d. h. Vereine, welche ebenfalls bezwecken, pol. Ggst. in Versamml. zu erörtern (O. R. 14 S. 172).

d. „Zu gemeinsamen Zwecken". Auf die Art des Zwecks (politisch oder nicht) kommt es nicht an (R. G. 16 S. 386).

e. „In Verbindung treten". Vgl. O. R. 14 S. 173, 18 S. 197, Johow 4 S. 296. Einseitiges Anbahnen von Beziehungen fällt nicht darunter (G. A. 23 S. 472; vgl. § 8b „gegenseit. Schriftwechsel").

4) Vgl. § 2 Anm. 7.

5) Strafbestimmungen und Schließungsverfahren § 16.

6) **Verbot der Theilnahme von Frauen &c. an den Versammlungen und Sitzungen politischer Vereine.** a. Unter „Sitzungen" versteht O. V. G. 20 S. 442 wohl mit Recht die von Vereinswegen veranstalteten Zusammenkünfte der Vorsteher oder sonstiger Organe zur Besprechung von Vereinsang. (and. Mein. Caspar S. 45). — Rein gesellige Zusammenkünfte (Vergnügungsabende, Bälle &c.) sind im Sinne der Verfassung (Art. 29) und der Verordn. v. 11. 3. 50 (§§ 1, 3, 8) keine „Versammlungen" (vgl. oben S. 30, 36) und nach dem Sprachgebrauch auch keine „Sitzungen"; daher ist die Theilnahme von Frauen &c. daran auch dann zulässig, wenn diese Zusammenkünfte von Vereinswegen veranstaltet werden (anderer Meinung: O. V. G. 20 S. 444, Caspar S. 46; vgl. auch Johow 12 S. 245, oben S. 45; in der Praxis sind derartige Vergnügungsabende vielfach üblich).

b. Nur die Auflösungsbefugniß des in zulässiger Weise in der Versamml. anwesenden Ueberwachungsbeamten ist durch § 8 Abs. 3 erweitert; ob ein solcher Beamter — auch ohne besonderen Anlaß zum polizeil. Einschreiten — in die Versamml. entsendet werden darf, bestimmt lediglich § 4 (O. V. G. 23 S. 405; and. Mein. Delius S. 31).

c. Die Nichtentfernung der Frauen ꝛc. berechtigt, wenn diese nicht zugleich Mitglieder des Vereins sind, die Polizei nur zur Auflösung der Versammlung, aber nicht zur Schließung des Vereins (Verhandl. II S. 2773).

§ 9.

Oeffentliche Versammlungen unter freiem Himmel [1]) bedürfen der vorgängigen schriftlichen Genehmigung der Ortspolizeibehörde. [2])

Die Genehmigung ist von dem Unternehmer, Vorsteher, Ordner oder Leiter derselben mindestens achtundvierzig Stunden vor der Zusammenkunft nachzusuchen, [2]) und darf nur versagt [3]) werden, wenn aus Abhaltung der Versammlung Gefahr für die öffentliche Sicherheit oder Ordnung zu befürchten ist. [3])

Soll die Versammlung auf öffentlichen Plätzen [4a]) in Städten und Ortschaften, oder auf öffentlichen Straßen stattfinden, so hat die Ortspolizeibehörde bei Ertheilung der Erlaubniß auch alle, dem Verkehr schuldige Rücksichten [4]) zu beachten.

Im Uebrigen finden auf solche Versammlungen die Bestimmungen der §§. 1. 4. 5. 6. und 7. Anwendung. [5])

1) **Oeffentliche Versammlungen unter freiem Himmel.** a. Der Zweck der Versamml. ist gleichgültig; insbes. ist nicht erforderlich, daß Erört. v. öff. Ang. bezweckt wird (O. R. 3 S. 49, Johow 5 S. 285, O. V. G. 20 S. 440). — Rein gesellige Zusammenkünfte gehören jedoch wohl nicht hierher (vgl. oben S. 30 u. Caspar S. 56); and. Mein.: Johow 2 S. 249 (zählt hierher Schulfeste u. fr. H. bei Zulassung Erwachsener in unbestimmter Zahl, sofern nicht Anordnung der vorgesetzten Behörde, § 21, vorliege; — gegen Johow vgl. auch Kauffmann S. 45).

b. Oeffentlich ist eine Versamml., zu welcher nicht nur ein individuell begrenzter Personenkreis (insbes. die Mitgl. eines Vereins), sondern Jedermann oder doch ganze Gesellschaftskategorien (Berufs- oder Parteigenossen ꝛc.) Zutritt haben (O. V. G. 23 S. 403). Oeffentlichkeit der Einladung allein genügt nicht (and. Mein. Thilo Note 2 zu § 9 u. A.).

c. Nicht-öffentliche Versamml. u. fr. H. fallen, wenn sie die Erört. oder Berath. v. öff. Ang. bezwecken, unter § 1; andernfalls unterliegen sie der Verordn. v. 11. März 1850 überhaupt nicht.

d. Unter freiem Himmel: vgl. oben S. 29.

2) **Genehmigung** ist hier erforderlich, nicht bloße Anmeldung (vgl. Preuß. Verfass. Art. 29 Abs. 2, oben S. 27). — Mündl. Genehm. genügt nicht u. schützt nicht vor den Strafen des § 17 (O. R. 18 S. 553). — Ortspol.: vgl. oben S. 40. — Bei Nachsuchung der Genehm. sind Ort u. Zeit der Versamml. anzugeben. — Strafvorschriften: § 17.

3) **Versagung** darf nur bei zu befürchtender (nicht nothwendig „dringender", Verhandl. II S. 2774) Gefahr für die öff. Sich. od. Ordn. (u. im Fall des Abs. 3 außerdem aus Verkehrsrücksichten, vgl. Anm. 4 b) erfolgen; besondere Motivirung dieser Befürchtung ist jedoch nicht vorgeschrieben. — Statt der Versagung darf die Polizei die Genehm. aus denselben Gründen an Bedingungen knüpfen. — Rechtsmittel gegen Versagung oder nur bedingte Genehm.: Ges. v. 30. Juli 1883 §§ 127 ff. unten S. 78). — Eine Frist für die Ertheil. oder Versag. der Genehm. ist nicht ausdrücklich vorgeschrieben; der Bescheid der Polizei muß jedenfalls so zeitig erfolgen, daß die Aufforderung zur Theilnahme an der Versamml. noch möglich ist (arg. § 17 Abs. 2; vgl. Caspar S. 86).

Nachträgliches Verbot einer bereits genehmigten Versamml. ist zulässig (arg. § 17 a. E.), sofern nach der Genehm. die gesetzl. Bedingungen der Versag. eintreten oder der Polizei bekannt werden.

4) **Verkehrsrücksichten.** a. Im amtl. Text ist hinter „Plätzen" ein sinnstörendes u. in den Materialien (Verhandl. II S. 2774, 2779; I S. 2875) fehlendes Komma. Der Abs. 3 beschränkt im Verkehrsinteresse diejenigen Versammlungen, welche α. innerhalb der Städte ꝛc. auf öff. Plätzen oder öff. Straßen, oder β. außerhalb der Städte ꝛc. auf öff. Straßen stattfinden sollen (Verhandl. II S. 2774).

b. Diese Versamml. will Abs. 3 einer weitergehenden Beschränkung als Abs. 2 unterwerfen (Verhandl. II S. 2774); daher ist hier aus Verkehrsrücksichten die Versagung zulässig, auch wenn nicht gerade die öff. Sich. oder Ordn. gefährdet würden (Aehnlich: Thilo Anm. 9, Delius S. 35, O. V. G. u. Min. Verf. im Min. Bl. 1892 S. 192, O. V. G. 23 S. 414; a. M. Caspar S. 86).

5) **Anwendung der §§ 1, 4, 5, 6 u. 7.** a. Vor „Im Uebrigen" ist im amtl. Text kein Absatz, wohl aber in den Materialien (Verhandl. II S. 2779, I S. 2875). Das Fehlen des Absatzes kann sinnstörend wirken; der Schlußsatz (verba: „solche" Versamml.) bezieht sich auf alle öff. Versamml. u. fr. H., nicht nur auf die des Abs. 3.

b. Anmeldung (§ 1) der öff. Versamml. u. fr. H. außer der Genehmigungsnachsuchung ist nicht erforderlich (a. M. Caspar S. 87 u. 94). — § 2 Abs. 3 ist auf öff. Versamml. u. fr. H. nicht anwendbar, vgl. oben S. 45.

§ 10.

Den in dem*) vorhergehenden Paragraphen erwähnten Versammlungen werden öffentliche Aufzüge[1]) in Städten und Ortschaften oder auf öffentlichen Straßen[2]) gleichgestellt.[3]) Bei Einholung der Genehmigung ist der beabsichtigte Weg anzugeben.[4]) Gewöhnliche Leichenbegängnisse,[6]) sowie Züge der Hochzeits-Versammlungen, wo diese hergebracht sind,[7]) kirchliche Prozessionen, Wallfahrten und Bittgänge, wenn sie in der hergebrachten Art stattfinden,[8]) bedürfen einer vorgängigen Genehmigung und selbst einer Anzeige nicht.[5])

1) **Oeffentliche Aufzüge** sind vereinigte Menschenmengen, welche sich zu irgend einem Zwecke (als geschlossenes Ganze? vgl. unten)

---

*) Im amtl. Text „den"; Druckfehler berichtigt in G. S. 1850 S. 516.

fortbewegen und dabei durch die auffallende Weise ihres Auftretens die Aufmerksamkeit des Publikums zu erregen geeignet sind (ähnlich: O. R. 18 S. 553; Entsch. des R. G.'s v. 27. 4. 93; O. V. G. u. Min. Verf. im Min. Bl. 1892 S. 192). Das Bewegungsmittel (Fuß, Pferd, Wagen, Veloziped, Kahn 2c.) ist gleichgültig (Entsch. des R. G.'s v. 27. 4. 93). Die Vertheilung der aufziehenden Menschenmenge in einzelne in Abständen sich bewegende Gruppen schließt nach der Ansicht des R. G.'s (21. Nov. 1892, cit. bei Gr.) den Begriff „Aufzug" nicht aus. — Auch eine öffentlich aufziehende Festversammlung fällt unter § 10; es ist nicht erforderlich, daß durch den Aufzug ein Versamml.= oder Verein.=Recht ausgeübt werden soll (O. R. 18 S. 553).

2) **Oeffentliche Straßen** d. h. die außerhalb der Städte und Ortschaften befindlichen, zu Jedermanns Benutzung stehenden Wege, auch wenn sie über Privatboden führen, mit Einschluß der Fußwege (Entsch. des Ob. Trib. 26 S. 157 steht nicht entgegen; Mißverständniß bei Vorwärts S. 84, Caspar S. 94 im Anschluß an Delius S. 36). Wasserstraßen gehören nicht hierher (O. R. 7 S. 310; anders bei Aufzügen in Städten 2c., sofern die Wasserstraße zum Weichbilde der Stadt gehört, Entsch. des R. G.'s v. 27. 4. 93).

3) **Gleichgestellt**: vgl. § 9 u. Anm. dazu. Insbesondere auch § 7 anwendbar (Johow 5 S. 282; vgl. aber unten Anm. 5b). — Verbot einer rothen Fahne bei einem öff. Aufzuge: O. V. G. und Min. Verf. im Min. Bl. 1892 S. 192.

4) Führt der **Weg** durch mehrere Polizeibezirke, so bedarf es der Genehmigung der Ortspol.=Beh. eines jeden Bezirks (Min. Verf., Min. Bl. 1874 S. 201 unter b). — Abweichung von dem genehmigten Wege macht den Aufzug zu einem ungenehmigten.

5) **Ausnahmen.** Im Allgemeinen: a. Nur die drei in § 10 ausdrücklich genannten Arten von regelmäß. öff. Aufzügen (vgl. Anm. 6, 7, 8) sind von dem Erforderniß der Genehm. 2c. ausgenommen. Keine Ausdehnung auf andere regelmäß. öff. Aufzüge, z. B. Schützenzüge (O. R. 18 S. 553, Johow 2 S. 250). — Privileg für die milit. Leichenbegängnisse bestätigter Kriegervereine (nur Anzeige, nicht Genehm.): Kab. O. v. 22. 2. 42 (Min. Bl. S. 97; noch gültig, vgl. Johow 11 S. 305 u. oben S. 27).

b. Nur Genehmigung (§ 9 Abs. 1) und Anzeige (§ 1 u. § 5 Satz 1) sind für entbehrlich erklärt; dagegen sind anwendbar §§ 4; 5 Satz 2; 6; 7. Für § 7 and. Mein. (falls Tragen von Waffen bei der Prozession rc. hergebracht) G. A. 1 S. 379 u. Lisco Anm. 2. Uebrigens sind die sg. Waffen bei Prozessionen rc. oft, wie bei G. A. 1 S. 379, nur Dekorationsstücke und fallen alsdann nicht unter § 7 (ebenso: Caspar S. 95). — § 10 Satz 2 schließt nicht aus, daß den hergebrachten Prozessionen rc. auf Grund anderweiter gesetzlicher Bestimmungen polizeilich entgegengetreten wird z. B. aus gesundheitspolizeil. Gründen (Min. Verf. im Min. Bl. 1874 S. 201 unter f, O. V. G. 23 S. 413) oder aus sicherheits- oder verkehrspolizeil. Gründen, wenn ausnahmsweise durch die hergebrachte Prozession rc. die öff. Sich. oder Ord. gefährdet oder der Verkehr gehemmt wird (Min. Bl. a. a. O. unter c, O. V. G. 23 S. 409 ff. insbes. 413, 414). Vgl. auch oben S. 28.

6) **Gewöhnliche Leichenbegängnisse.** „Ungewöhnlich" ist ein Leichenbegängniß, bei welchem entw. eine über den Zweck der Leichenbestattung hinausgehende Absicht verfolgt oder durch die besondere Weise der Ausführung die öff. Ordnung gefährdet wird (Johow 12 S. 238; vgl. auch G. A. 7 S. 90, O. R. 18 S. 468 u. 20 S. 106). Das Fehlen eines Geistlichen macht das Leichenbeg. nicht zu einem ungewöhnlichen (O. R. 20 S. 106), wohl aber unter Umständen das Halten von Grabreden durch Laien (Johow 10 S. 253 u. 12 S. 239; vgl. auch Johow 3 S. 306 u. 12 S. 179, O. V. G. 16 S. 386 über das Verbot von Laien-Grabreden. Als „Grabrede" erachtet Johow 12 S. 239 schon die Worte: „Im Namen der Sozialdemokratie widmen wir diesen Kranz").

7) **Züge der Hochzeitsversammlungen, wo diese hergebracht sind,** bedürfen keiner Genehmigung oder Anzeige, selbst wenn sie nicht in der hergebrachten Art stattfinden (G. A. 1 S. 381; anders bei Prozessionen rc., vgl. Anm. 8). — Bildung eines Herkommens noch nach dem 11. 3. 50 zulässig? Vgl. Anm. 8.

8) **Kirchliche Prozessionen rc., wenn sie in der hergebrachten Art stattfinden:** d. h. wenn sie nach Zeit, Ort, Form und Bedeutung hergebracht sind (O. R. 3 S. 513, Johow 2 S. 245 u. a.; vgl. insbes.

für „Zeit" O. R. 3 S. 513, für „Ort" O. R. 16 S. 234, G. A. 23 S. 376 u. 24 S. 490, für „Form" Johow 10 S. 252; ferner Min. Verf. v. 26. 8. 74, Min. Bl. S. 201).

Ein Herkommen kann sich auch nach dem 11. 3. 50 bilden (Johow 2 S. 245, Entsch. d. K. G.'s v. 1. Juni 1893 cit. bei Gr.; and. M.: O. R. 19 S. 298, Delius S. 39, Caspar S. 97).

§ 11.

Innerhalb zweier Meilen von dem Orte der jedesmaligen Residenz [1]) des Königs, oder von dem Orte des Sitzes beider Kammern dürfen Volksversammlungen [2]) unter freiem Himmel von der Ortspolizeibehörde nicht gestattet werden. [3]) [4]) Das letztere Verbot besteht nur für die Dauer der Sitzungsperiode der Kammern.

1) Ort = Ortschaft; Residenz = Aufenthalt.

2) Volksversammlung ist eine öff. Versammlung, welche sich als Vertretung des Volkswillens aufwirft (arg. Verhandl. II S. 2775; ähnlich Caspar S. 23).

3) Die Ortspol. hat zu ermessen, ob eine angekündigte Versamml. den Charakter einer Volksversamml. annehmen werde. — Gewinnt eine genehmigte öff. Vers. u. fr. H. in ihrem Verlaufe diesen Charakter, so ist sie aufzulösen.

4) Strafbestimmungen: § 17.

§ 12.

(A.) Wenn eine Versammlung ohne die in §. 1. vorgeschriebene [1]) Anzeige stattgefunden [2]) hat, so trifft den Unternehmer [3]) eine Geldbuße von fünf bis funfzig Thalern oder *Gefängniss*strafe [3]) von acht [4]) Tagen bis zu sechs Wochen. Derjenige, der den Platz dazu eingeräumt hat, [5]) und Jeder, welcher in der Versammlung als Vorsteher, Ordner, Leiter oder Redner aufgetreten ist,[5])[6]) hat eine Geldbuße von fünf bis funfzig Thalern verwirkt.[7])

1) Vgl. die Anm. zu § 1. — Wenn in einer nicht zur Erörterung von öff. Ang. veranstalteten (u. deshalb mit Recht nicht angezeigten) Versamml. bennoch thatsächlich solche Ang. unter Duldung der Vorsteher ꝛc. erörtert werden (vgl. Anm. 3 zu § 1), so sind die Strafbestimm. des § 12 anwendbar auf die Redner, welche die öff. Ang. erörtert, u. auf die Vorsteher ꝛc., welche die Duldung geübt haben, sowie auf alle Diejenigen, welche nach dem Zeitpunkte dieser Duldung als Vorsteher ꝛc. oder Redner in der Versamml. aufgetreten sind; dagegen nicht anwendbar auf den Unternehmer als solchen, auf den Platz=Einräumer u. auf diejenigen, welche nur vorher als Vorsteher ꝛc. oder Redner aufgetreten waren (and. Mein.: Delius S. 43 [§ 12 unterschiedslos anwendbar], Caspar S. 95 [§ 12 gar nicht anwendbar]).

2) Die erzielte Vereinigung einer Anzahl Menschen an dem bestimmten Ort u. zu dem bestimmten Zweck genügt; gleichgültig ist, ob es schon zur Eröffnung oder Konstituirung der Versamml. gekommen ist (O. R. 19 S. 411, Johow 11 S. 304).

3) Streitig ist, ob die strafb. Handl. des Unternehmers ein Vergehen ist (so: Lisco S. 41, Mascher S. 34, Gr. S. 66) oder eine Uebertretung (so: Arndt zu § 12, Delius S. 42, Caspar S. 75). Letzteres erscheint zutreffend, vgl. Einführ.=Ges. § VIII zum Preuß. Str. G. B. v. 14. April 1851. Daher ist statt auf Gefängniß jetzt auf Haft zu erkennen (analog: O. R. 15 S. 278, Johow 12 S. 250); Verjährung in 3 Monaten; Umwandl. einer erkannten Geldstr. in Haft, § 28 Abs. 1 u. § 29 Str. G. B.

4) D. h. sieben (Reskr. v. 20. 8. 27 u. 20. 6 31, cit. bei Thilo S. 79).

5) Irrthum (z. B. Unkenntniß des Platz=Einräumers vom Zwecke der Versamml., Johow 10 S. 249; guter Glaube des Platz=Einräumers, Redners, Vorstehers ꝛc., die erforderl. Anzeige sei erfolgt, O. R. 3 S. 152, Johow 11 S. 300 u. 301) schützt nur dann vor Strafe, wenn der Irrthum nicht durch Fahrlässigkeit verschuldet ist, § 59

Abs. 2 Str. G. B. Wer den Platz zu einer anzeigepflichtigen Versamml. einräumen oder darin als Vorsteher ꝛc. oder Redner auftreten will, muß sich über die erfolgte Anzeige glaubhaft vergewissern u. sich hierzu entw. die amtl. Beschein. (§ 1) vorlegen lassen oder selbst die nöthige Erkundigung bei der zuständigen Polizeibehörde einziehen; andernfalls handelt er fahrlässig (Johow 11 S. 300 u. 801).

Anzeige bei einer unrichtigen Behörde: § 1 Anm. 6.

6) Bloße Theilnehmer sind straflos.

7) Uebertretung; Verjährung in 3 Monaten. Umwandl. der Geldstr. in Haft, § 28 Abs. 1 u. § 29 Str. G. B.

§ 13.

(A.) Wenn, der Vorschrift des §. 2.[1]) entgegen, die Statuten eines Vereins oder das Verzeichniß der Mitglieder, oder die eingetretenen Aenderungen in der bestimmten Frist zur Kenntniß der Ortspolizeibehörde nicht gebracht worden sind, oder wenn eine von der Ortspolizeibehörde erforderte Auskunft nicht ertheilt worden ist, so wird jeder Vorsteher[2])[3]) des Vereins mit Geldbuße von fünf bis funfzig Thalern bestraft,[4]) insofern er nicht nachweisen kann, daß die Anzeige[5]) oder die Einreichung des Verzeichnisses ganz ohne sein Verschulden[3]) unterblieben ist. Dieser Strafe tritt eine Gefängnißstrafe[6]) von acht[7]) Tagen bis sechs Wochen hinzu, wenn die Vorsteher wissentlich unrichtige Statuten oder Verzeichnisse eingereicht, oder wissentlich unrichtige Auskunft ertheilt haben.[6])

1) Vgl. die Anm. zu § 2.

2) Als Vorsteher unterliegt dem § 13 der örtliche thatsächliche Leiter auch dann, wenn er nach dem Statut nur im Auftrage und als Vertreter des Präsidenten eines auswärtigen größeren Vereins=

verbandes, welchem der betr. örtliche Verein angehört, handelt (O. R. 11 S. 346).

3) Jeder Vorsteher ist, vorbehaltlich des ihm obliegenden Unschuldsbeweises, für die in § 13 Satz 1 genannten Unterlassungen verantwortlich. Auf die „interne Geschäftsordnung" des Vorstandes kommt es nicht an; erhält ein Vorsteher den Auftrag zur Einreichung der Statuten 2c., unterläßt dies jedoch, so sind sämmtliche Vorsteher nach § 13 Satz 1 strafbar, wenn sie sich nicht darum gekümmert haben, ob ihr Auftrag auch thatsächlich ausgeführt ist (Entsch. d. K. G.'s v. 30. Juni 1892 u. 16. Nov. 1893, cit. bei Gr. S. 66).

4) Uebertretung; Umwandl. der Geldstr. in Haft, § 28 Satz 1 u. § 29 Str. G. B. — Verjährung in drei Monaten; die Verjährung beginnt (da es sich um ein Unterlassungsdelikt handelt, O. R. 20 S. 257) erst mit dem Zeitpunkte, wo die Einreichung der Statuten 2c. vorgenommen ist oder wo die Verpflichtung dazu erloschen ist, weil der Verein aufgehört hat zu bestehen oder die Einwirkung auf öff. Ang. zu bezwecken.

5) Das Wort „Anzeige" ist ungenau; gemeint ist die Einreichung der Statuten und ihrer Aenderungen, sowie die Auskunftsertheilung (Thilo S. 82 u. A.).

6) Zur Anwendung des § 13 Satz 2 muß dem Vorsteher nachgewiesen werden, daß er wissentlich gehandelt hat. — Das Delikt § 13 Satz 2 ist ein Vergehen (ebenso: Caspar S. 106 u. A.; a. M. Delius S. 45); daher Verjährung in drei Jahren (Beginn der Verjährung mit Einreichung der unrichtigen Anzeige 2c.); Umwandl. der Geldstr. in Gefängniß, § 28 Satz 1 u. § 29 Str. G. B.

7) d. h. sieben, vgl. Anm. 4 zu § 12.

§ 14.

(L. bezw. A.) Wenn in einer Versammlung, der Vorschrift des §. 4. entgegen, den Abgeordneten der Ortspolizeibehörde der Zutritt oder die Einräumung eines angemessenen Platzes verweigert worden ist, so trifft den Unternehmer und Jeden, welcher in der Versammlung als Vorsteher, Ordner oder Leiter aufgetreten ist, Geldbuße von zehn bis Einhundert Thalern oder Gefängniß von vierzehn Tagen bis zu sechs Monaten. Dieselbe Strafe hat der Vorsitzende verwirkt, wenn er sich weigert, den Abgeordneten der Polizeibehörde Auskunft über die Person der Redner zu geben, oder wenn er wissentlich unrichtige Auskunft ertheilt.[1])

1) Zuwiderhandl. gegen § 14 sind Vergehen. Verjährung in 5 Jahren. Umwandl. der Geldstr. in Gefängniß oder Haft, § 28 Abs. 2 u. § 29 Str. G. B. — Vgl. im Uebrigen die Anm. zu § 4.

§ 15.

(A.) Wer sich nicht sofort entfernt, nachdem der Abgeordnete der Ortspolizei-Behörde die Versammlung für aufgelöst erklärt hat (§§. 5., 6., 8.)[1]) wird mit Geldbuße von fünf bis zu funfzig Thalern oder mit Gefängniß von acht[2]) Tagen bis zu drei Monaten bestraft.[3])

1) Die Strafe ist auch dann verwirkt, wenn jene Auflösung nicht aus einem der Gründe erklärt war, aus welchem das Gesetz (§§ 5 u. 8) ausdrücklich die Auflösung gestattet (O. R. 9 S. 720). — Vgl. im Uebrigen die Anm. zu §§ 5 u. 6.

2) d. h. sieben, vgl. Anm. 4 zu § 12.

3) Vergehen; Verjährung in drei Jahren. Umwandl. der Geldstr. in Gefängniß oder Haft, § 28 Abs. 2 u. § 29 Str. G. B.

§ 16.*)

(L.)**) Wenn ein politischer Verein die in §. 8. zu a. und b. gezogenen Beschränkungen überschreitet,[1]) so

*) § 16 behandelt die Folgen des Zuwiderhandelns gegen § 8 Abs. 1. Vgl. die Anm. zu § 8.

**) Vgl. unten Anm. 5.

haben Vorsteher, Ordner und Leiter, die diesen Bestimmungen entgegen gehandelt haben,[2]) eine Geldbuße von fünf bis funfzig Thalern oder Gefängnißstrafe von acht[3]) Tagen bis zu drei Monaten verwirkt.[4])[5]) Der Richter kann außerdem nach der Schwere der Umstände auf Schließung des Vereins[6]) erkennen. Auf diese Schließung muß erkannt werden, wenn Vorsteher, Ordner oder Leiter sich wiederholt strafbar gemacht haben.[7])

(A.) Wer sich bei einem auch nur vorläufig (§. 8.)[8]) geschlossenen politischen Vereine[9]) als Mitglied ferner betheiligt,[10]) wird mit Geldstrafe von fünf bis zu funfzig Thalern oder Gefängnißstrafe von acht Tagen bis zu drei Monaten belegt.[11])

(A.) Wer der Vorschrift des §. 8. a. entgegen sich als Mitglied aufnehmen läßt, hat eine Geldbuße von fünf bis zu funfzig Thalern verwirkt.[12])

Wenn die Polizeibehörde einen politischen Verein vorläufig geschlossen hat[13]) (§. 8.), so ist sie gehalten, binnen achtundvierzig Stunden nach der Schließung davon und von den Gesetzwidrigkeiten, welche zur Schließung Anlaß gegeben haben, der Staatsanwaltschaft Anzeige zu machen.[14]) Findet die Staatsanwaltschaft[15]) die angeblichen Gesetzwidrigkeiten nicht geeignet, eine Anklage darauf zu gründen, so hat die Ortspolizeibehörde auf die ihr durch die Staatsanwaltschaft binnen weiteren acht Tagen zu ertheilende Nachricht die Schließung des Vereins aufzuheben.[16]) Anderenfalls muß die Staatsanwaltschaft ebenfalls binnen acht Tagen entweder die Anklage erheben oder binnen gleicher Frist die Voruntersuchung beantragen.[17]) Alsdann ist vom Gerichte sofort Beschluß darüber zu fassen, ob die vorläufige Schließung des Vereins bis zum Erkenntnisse in der Hauptsache fortdauern soll.[18])[19])

Anm. 1—5. Bestrafung der Vorsteher, Ordner und Leiter.

1) Objektiv ist vorausgesetzt, daß ein „politischer Verein" (im Sinne des § 8, vgl. Anm. 1 zu § 8) Frauenspersonen, Schüler oder Lehrlinge als Mitgl. aufgenommen hat (§ 8a) oder mit einem anderen polit. V. zu gemeinſ. Zwecken in Vbdg. getreten ist (§ 8b). — Schon die Konstituirung politischer Vereine, welche in verbotener organischer Vbdg. stehen, macht strafbar, auch wenn noch keine Versammlungen zur Erört. v. öff. Ang. stattgefunden haben (O. R. 19 S. 151). — Ein Verein überschreitet die Beschränkungen auch dann, wenn er die von seinen Vorstehern zunächst eigenmächtig, in Erwartung der Genehm. des Vereins, bewirkten Ueberschreitungshandlungen nachträglich, ausdrückl. od. stillschw., genehmigt (Johow 4 S. 295).

2) Subjektiv gehört zur Bestrafung eines Vorstehers ꝛc., daß gerade er dem § 8a oder b entgegengehandelt hat, aktiv oder durch schuldhaftes (auch fahrlässiges, K. G. in G. A. 39 S. 453) Unterlassen oder Dulden. — Es genügt, wenn der Vorsteher ꝛc. wußte, daß der Verein die Erört. gewisser Gegenstände bezwecke, sofern diese im Sinne des Gesetzes „politische" sind; irrthüml. Annahme des Vorstehers, die betr. Gegenstände seien „nicht-politische", schützt nicht vor Strafe (R. G. 15 S. 309).

3) d. h. sieben, vgl. Anm. 4 zu § 12.

4) Vergehen. Verjährung in drei Jahren; die Verjährung beginnt mit der Beendigung der gesetzwidrigen Mitgliedschaft bezw. Verbindung. Umwandl. der Geldstr. in Gefängniß oder Haft, § 28 Abs. 2 u. § 29 Str. G. B.

5) Die Zuständigkeit ist streitig. Nach der Höhe der angedrohten Strafe (Gef. bis zu 3 Mon.) würde das Schöffengericht zu-

ständig sein (Ger. Verf. Ges. § 27 Ziff. 2). Da jedoch außerdem auf Schließung des Vereins erkannt werden kann bezw. muß, und hierfür das Schöffengericht nicht für zuständig erklärt ist (§ 27 Ziff. 2 a. a. O. „nur"), während die Strafkammer des Landgerichts für die Vergehen, „welche nicht zur Zuständigkeit der Schöffengerichte gehören" unbeschränkt zuständig ist (§ 73 Ziff. 1 a. a. O.) und also auch auf Schließung erkennen kann, so ist zur Entscheidung im Falle des § 16 Abs. 1 nur die Strafkammer des Landgerichts zuständig (ebenso: Entsch. d. K. G.'s v. 6. Aug. 1886, cit. bei Gr. S. 69 u. Gr. selbst; anderer Mein.: Lisco S. 48, Delius S. 49, Caspar S. 113). — Wird die Strafkammer für zuständig erachtet, so werden dadurch zugleich Zweifel und Anomalien vermieden, welche sonst eintreten (unten Anm. 18 a). Vgl. aber auch Anm. 19.

Anm. 6—7. Schließung des Vereins durch gerichtliches Erkenntniß.

6) a. Die angedrohte definitive Schließung ist nicht Strafe, sondern eine Schutzmaßregel, welche nach positiver Bestimmung nur in Verbindung mit einem Strafverfahren und durch das Organ der Strafrechtspflege (vgl. aber auch Anm. 19) erfolgen soll. Da die Schließung nicht „Strafe" ist, so kann (trotz § 6 E. G. zum Str. G. B.) auch jetzt noch darauf erkannt werden (R. G. 15 S. 307). — Zuständigkeit: Vgl. Anm. 5.

b. Vorläufige polizeil. Schließung (§ 8 Abs. 2, § 16 Abs. 4) kann (nicht: muß) der Schließung durch gerichtl. Erkenntniß vorhergehen.

c. Die Schließung durch gerichtl. Erk. setzt voraus, daß wenigstens ein Vorsteher ꝛc. aus § 16 Abs. 1 zu Strafe verurtheilt wird („außerdem"; unklar O. R. 14 S. 172, vgl. auch S. 732), und daß eine gewisse „Schwere der Umstände" vorliegt. Ob bei Vorhandensein dieser Voraussetzungen auf Schließung zu erkennen ist, unterliegt dem Ermessen des Gerichts, außer in dem Falle Anm. 7.

d. Auch nach freiwilliger Auflösung eines Vereins kann auf dessen Schließung erkannt werden (O. R. 14 S. 731; wichtig wegen der Verhinderung der Wiedereröffnung).

e. Schließung für das Gebiet Preußens, wenn der Vorstand des Vereins außerhalb Preußens residirt: O. R. 16 S. 719.

f. Rechtsmittel gegen die gerichtl. Schließung können nur die verurtheilten Vorsteher rc. einlegen (O. R. 14 S. 731).

7) Obligatorisch ist die Schließung, wenn ein polit. Verein bereits einmal eine der Beschränkungen § 8a oder b überschritten hat, deshalb die Bestrafung (G. A. 3 S. 255) eines seiner Vorsteher rc. erfolgt ist, demnächst der Verein zum zweiten Male eine der Beschränk. überschritten und einer seiner Vorsteher rc. sich dabei nach § 16 Abs. 1 strafbar gemacht hat. Daß beidemal dieselbe Person sich als Vorsteher rc. strafbar gemacht habe, ist nicht erforderlich. Andererseits liegt der Fall obligatorischer Schließung nicht vor, wenn der gegenwärtige Vorsteher rc., welcher dem § 8 entgegen gehandelt hat, bereits früher aus § 16 Abs. 1 bestraft worden ist, jedoch als Vorsteher rc. eines anderen Vereins.

Anm. 8—11. Bestrafung der ferneren Betheiligung an geschlossenen Vereinen.

8) Vorläufig geschlossen, d. h. polizeilich (§ 8 Abs. 2), nicht aber lediglich durch ein noch nicht rechtskräftiges gerichtliches Urtheil (O. R. 20 S. 82).

9) Der Richter, welcher über die fernere Betheil. zu urtheilen hat, hat nur zu prüfen, ob der geschlossene Verein fortgebauert hat, bezw. ob die als Fortläufer inkriminirten Vereinsformen mit dem geschlossenen V. identisch sind. Ob die Schließung mit Recht erfolgt ist oder dabei ein Irrthum (z. B. über den Begriff der polit. Gegenst.) geschehen ist, darf er nicht nachprüfen. Wohl aber darf er bei Prüfung der Identität der Vereinszwecke im Zweifel auch darauf Gewicht legen, daß der jetzt vorliegende Verein ausschließlich nichtpolitische Tendenzen verfolge, und daraus thatsächlich auf die Nichtidentität des Vereinszweckes u. des Vereins selbst zurückschließen (R. G. 24 S. 248).

10) Die Betheiligung an einem geschloss. polit. V. ist auch an denjenigen, gegen welche früher eine Verurtheilung nicht ergangen war, strafbar (O. R. 13 S. 663).

Um eine Betheil. an einem geschloss. polit. V. festzustellen — wozu natürlich zunächst die Feststellung erforderlich ist, daß der Verein als solcher trotz der Schließung seine Thätigkeit fortgesetzt hat — bedarf es nicht des Nachweises, daß der V. fortgefahren hat, Versamml. abzuhalten u. in denselben polit. Gegenst. zu erörtern. Es genügt hierzu vielmehr der Nachweis überhaupt irgend welcher Vereinsthätigkeit (z. B. Vertheilung von Zeitschriften) und einer Betheiligung hierbei, z. B. durch Weiterzahlung des Vereinsbeitrags (O. R. 18 S. 344, 20 S. 141; Vorwärts S. 42).

11) Vergehen. Verjährung in 3 Jahren; die Verjährung beginnt mit der Beendigung des gesetzwidrigen Zustandes, d. h. der Betheiligung. Umwandl. der Geldstr. in Gefängniß oder Haft, § 28 Abs. 2 u. § 29 Str. G. B. — Zuständig ist das Schöffengericht, § 27 Ziff. 2 Ger. Verf. Gesetz.

Anm. 12. **Bestrafung der aufgenommenen Frauenspersonen, Schüler und Lehrlinge.** Uebertretung. Verjährung in 3 Monaten; die Verjährung beginnt mit der Beendigung der gesetzwidrigen Mitgliedschaft. Umwandl. der Geldstr. in Haft, § 28 Abs. 1 u. § 29 Str. G. B. — Zuständig ist das Schöffengericht, § 27 Ziff. 1 Ger. Verf. Gesetz.

Anm. 13—18. **Schließungs-Verfahren bis zur Schließung durch gerichtliches Erkenntniß** (vgl. Anm. 6 Abs. b).

13) Vorläufige Schließung durch die Ortspolizeibehörde (§ 8 Abs. 2). Eine Form hierfür ist nicht vorgeschrieben. Mittheilung an den Verein bezw. dessen Vorstand, sowie öffentliche Bekanntmachung sind üblich, letztere wegen § 16 Abs. 2 rathsam. Beschwerde ist nicht zulässig, da die Entscheidung über die Rechtmäßigkeit der Schließung in dem besonderen Verfahren § 16 Abs. 4 erfolgt (a. M. Caspar S. 112; unklar Delius S. 33 u. 52).

14) Anzeige der Ortspolizeibehörde an die Staatsanwaltschaft binnen 48 Stunden von der Schließung rc. Bei Fristversäumniß: Beschwerde bezw. Klage gemäß §§ 127 ff. Ges. v. 30. Juli 1883 (unten S. 78); das Rechtsmittel erledigt sich jedoch, sobald die vorgeschriebene Anzeige an die Staatsanwaltschaft, wenn auch verspätet, erfolgt (and. Mein. Gr. S. 71: „die Verzögerung der Anzeige zieht eine Aufhebung der vorläuf. Schließung ohne Weiteres nach sich"; unklar). Legitimirt zur Beschwerde bezw. Klage ist jedes

einzelne Vereinsmitglied (analog: O. V. G. 23 S. 411, vgl. Anm. 1c zu § 3).

(Anm. 15—17. Entscheidung der Staatsanwaltschaft.)

15) Die Staatsanwaltschaft muß binnen weiteren acht Tagen eine Entscheidung (Anm. 16 oder 17) treffen. Bei Fristversäumniß: Beschwerde an den Oberstaatsanwalt, event. an den Justizminister. Die Beschwerde erledigt sich, sobald die Entscheid. der Staatsanwaltschaft, wenn auch verspätet, erfolgt (and. Mein. Gr. S. 71: „die Verzög. der Entscheid. der Staatsanwaltschaft zieht eine Aufheb. d. vorl. Schl. ohne Weiteres nach sich"). Legitimation zur Beschwerde: wie Anm. 14.

16) Findet die Staatsanwaltschaft keinen Anlaß zur Erhebung der Anklage, so muß sie (binnen 8 Tagen, Anm. 15) die Ortspol. hiervon benachrichtigen, und diese muß sofort die Schließung aufheben. Unterläßt die Ortspol. die sofortige Wiederaufhebung der Schließung, so Rechtsmittel wie Anm. 14. — Sehr fraglich ist, ob die Ortspol. ein Beschwerderecht hat, falls die Staatsanwaltschaft die Erhebung der Klage ablehnt. Bei der Berathung der Verordn. v. 11. März 1850 wurde angenommen, daß die Ortspol. die Schließung nur als Organ der Staatsanwaltschaft vornimmt; hierzu würde das Beschwerderecht nicht passen. Andererseits ging man ausdrücklich davon aus, daß der Ortspol. die Beschwerde an den Oberstaatsanwalt zustehe (Verhandl. II S. 2776). Man wird daher die Ortspol. als „Verletzte" auffassen müssen und ihr das Recht auf Beschwerde an den Oberstaatsanwalt u. event. den Antrag auf gerichtl. Entscheidung (§§ 169, 170 Str. Pr. O.) zugestehen müssen, sowie im geeigneten Falle die Beschwerde im Aufsichtswege an den Oberstaatsanwalt u. event. an den Justizminister.

17) Findet die Staatsanwaltschaft Anlaß zur Erhebung der Anklage, so muß sie (binnen 8 Tagen, Anm. 15) die Anklage erheben, unmittelbar oder durch Antrag auf Voruntersuchung. Zuständigkeit: oben Anm. 5; auch bei Zuständ. des Schöffengerichts würde übrigens eine Voruntersuchung trotz § 176 Str. Pr. O. zulässig sein, vgl. § 6 Einf. Ges. zur Str. Pr. O. (oben S. 26).

18) Beschluß des Gerichts (sofort) über die Fortdauer der vorläufigen Schließung.

a. Gericht, d. h. der Untersuchungsrichter, falls Voruntersuch. beantragt ist; sonst die Beschlußkammer des Landgerichts (vgl. oben Anm. 5; wird das Schöffengericht als zuständig erachtet, so ergeben sich hier erhebliche Zweifel, vgl. Delius S. 51, Caspar S. 113 Anm. 249 u. andererseits Gr. S. 70).

b. Sofortige Beschlußfassung ist nur instruktionell vorgeschrieben (Entsch. des R. G.'s v. 6. Aug. 1886, cit. bei Gr. S. 70).

c. Der Beschluß präjudizirt dem Endurtheil (§ 16 Abs. 1) nicht.

d. Wird Aufhebung der vorläufigen Schließung beschlossen, so gilt diese Aufhebung als durch den Gerichtsbeschluß bewirkt (arg. § 16 Abs. 1 „auf Schließung erkennen") ohne daß es wie nach Anm. 16 der Mitwirkung der Ortspol. bedarf. Gegen den Aufhebungsbeschluß steht der Staatsanwaltschaft kein Rechtsmittel zu (Gr. S. 71 wegen § 347 Str. Pr. O.; and. Mein.: Delius S. 51, Caspar S. 114 u. A.).

e. Wird Fortdauer der vorläufigen Schließung beschlossen, so ist in dem Endurtheile die vorläufige Schließung aufzuheben, falls nicht auf (definitive) Schließung erkannt wird. Gegen den die Fortdauer anordnenden Beschluß steht den angeklagten Vorstehern 2c. kein Rechtsmittel zu (Gr. S. 71 wegen § 347 Str. Pr. O., Thilo S. 96, Lisco S. 49; and. Mein.: Delius S. 51 wegen Verhandl. I S. 2876 u. Caspar S. 114).

19) **Schlußbemerkung.** Bei obiger Erläuterung des § 16 ist die Auffassung (oben Anm. 6 a) zu Grunde gelegt, daß die definitive Schließung eines Vereins, wiewohl Schutzmaßregel und nicht Strafe darstellend, auch jetzt noch nur in Verbindung mit einem Strafverfahren und durch das Organ der Strafrechtspflege zu erfolgen habe.

Dabei ergeben sich jedoch Mißstände. Die Schließung trifft alle Mitglieder des Vereins, während die Wahrung der Interessen des Vereins in dem Strafverfahren, insbes. die Einlegung von Rechtsmitteln, nur den angeklagten bezw. verurtheilten Vorstehern 2c. möglich ist (Anm. 6 f). Der Strafrichter hat Zweckmäßigkeitsfragen zu ermessen (Anm. 6 c), die verwaltungsrechtlicher Natur sind und seinem Erfahrungsgebiete fern liegen. Andererseits kann die Schließung nur erfolgen, wenn zugleich wenigstens gegen einen Vorsteher auf Strafe erkannt wird (Anm. 6c); ein objektives Schließungsverfahren ist nicht gegeben, so daß nach dem Tode der schuldigen Vorsteher nicht mehr auf Schließung erkannt werden kann.

Diese Mißstände ließen sich vermeiden, wenn man den § 16 insoweit, als danach das Schließungsverfahren nur in Verbindung mit einem Strafverfahren und durch das Organ der Strafrechtspflege zu erfolgen hat, als antiquirt betrachten könnte. Neben das Strafverfahren gegen die schuldigen Vorsteher rc. vor dem Organe der Strafrechtspflege (Schöffengericht, § 27 Ziff. 2 G. V. G.) würde dann ein selbständiges Schließungsverfahren im Wege des Verwaltungsstreitverfahrens zu setzen sein, bei welchem der Verein als solcher, bezw. alle interessirten Mitglieder als Partei erscheinen würden. Die Bestimmung, daß die Schließung bei einmaliger Ueberschreitung des § 8 Seitens des Vereins fakultativ, bei rückfälliger Ueberschreitung obligatorisch ist, könnte in Geltung bleiben. — Durch § 6 Abs. 2 Ziff. 2 Einf. Ges. zur Str. Pr. O. (oben S. 26) ist diese Auffassung jedoch m. E. de lege lata ausgeschlossen.

§ 17.

(A.) Wer an einem Aufzuge[1]) oder an einer Versammlung unter freiem Himmel[2]) Theil nimmt, zu welcher die nach dem gegenwärtigen Gesetze erforderliche Genehmigung nicht ertheilt ist,[3]) wird mit einer Geldbuße von Einem bis fünf Thalern bestraft.[4])

(A.) Wer zu einer solchen Versammlung oder zu einem solchen Aufzuge vor Eingang der obrigkeitlichen[5]) Erlaubniß auffordert[6]) oder auffordern läßt, oder darin als Ordner, Leiter oder Redner[7]) thätig ist, wird mit Geldbuße von fünf bis funfzig Thalern oder mit Gefängniß von acht[8]) Tagen bis zu drei Monaten bestraft.[9])

Diese Strafen sind jederzeit[10]) verwirkt, wenn die Versammlung oder der Aufzug in Städten und Ortschaften oder auf öffentlichen Straßen, oder wenn eine Volksversammlung in den Fällen des §. 11. stattgefunden hat. In allen anderen Fällen[11]) sind die Theilnehmer und selbst diejenigen, welche als Redner aufgetreten sind, nur dann strafbar, wenn die Versagung der Genehmigung oder das nachträgliche Verbot vorher öffentlich oder den Theilnehmern besonders bekannt gemacht[12]) war. Wird die Nichtgenehmigung oder das Verbot während[13]) der Versammlung oder während des Aufzuges selbst bekannt gemacht, so kann sich wegen seiner späteren Betheiligung Niemand mit Unkenntniß der Nichtgenehmigung oder des Verbotes entschuldigen.

1) Vgl. § 10.

2) Vgl. §§ 9 u. 11.

3) Der Strafrichter hat nicht zu prüfen, ob die Genehm. mit Recht versagt war (O. R. 14 S. 340).

4) Uebertretung; Verjährung in 3 Monaten. Umwandl. der Geldstr. in Haft, § 28 Abs. 1 u. § 29 Str. G. B.

5) Und zwar schriftlichen (O. R. 18 S. 553).

6) Aufforderung strafbar, auch wenn die Versamml. od. der Aufzug gar nicht stattgefunden hat (O. R. 3 S. 49, Johow 12 S. 241). Aufford. durch Plakate: Preuß. Ges. v. 12. 5. 1851 (G. S. S. 273) §§ 9 u. 41 (vgl. O. V. G. 5 S. 413). Aufford. durch die Presse: Reichsges. v. 7. 5. 1874 (R. G. Bl. S. 65) § 20 (vgl. Johow 12 S. 241). — Nimmt der Auffordernde nachher an der nicht genehm. Vers. Theil, so liegt Realkonkurrenz (§ 74 Str. G. B.) zwischen § 17 Abs. 1 u. § 17 Abs. 2 (Johow 5 S. 283), bezw., falls der Auffordernde nachher als Ordner ꝛc. thätig ist, Realkonkurrenz zwischen den beiden Alternativen in § 17 Abs. 2 vor.

7) Vgl. Johow 10 S. 253 (Laie als Grabredner bei einem nicht gewöhnl. Leichenbegängniß).

8) D. h. sieben, vgl. Anm. 4 zu § 12.

9) Vergehen; Verjährung in 3 Jahren. Umwandl. der Geldstr. in Gefängniß oder Haft, § 28 Abs. 2 u. § 29 Str. G. B.

10) Also auch bei Nichtkenntniß der Nichtgenehmigung (O. R. 16 S. 510).

11) D. h. bei den — eine verschwindende Ausnahme bildenden — Versamml. u. fr. H., welche außerhalb von Städten u. Ortschaften u. nicht auf öff. Straßen stattfinden. Für Aufzüge ist diese Bestimmung völlig gegenstandslos, da nur diejenigen Aufzüge der Genehm. bedürfen, welche „in Städten und Ortschaften oder auf öff. Straßen" stattfinden (§ 10).

12) Wer an einer Vers. u. fr. H. mit der Kenntniß, daß sie nicht genehmigt ist, Theil nimmt, kann sich nicht darauf berufen, daß die Versag. der Genehm. nicht öffentlich oder besonders bekannt gemacht sei; dies gilt auch, wenn die Genehm. gar nicht nachgesucht ist (Johow 10 S. 247; and. Mein. Caspar S. 91: d. Theilnehmer sei straflos, falls die Genehm. gar nicht nachgesucht sei).

13) D. h. an die Versammelten.

§ 18.

(L. bez. A.) Wer gegen das Verbot des §. 7. in einer Versammlung bewaffnet erscheint,[1]) wird mit Gefängniß von vierzehn Tagen bis zu sechs Monaten bestraft.[2])

1) Vgl. oben § 7 (Anm. 1, 2, 4), § 9 i. f., § 10 (Anm. 3 u. 5 b).

2) Vergehen; Verjährung in fünf Jahren.

§ 19.

(L.) Wer auffordert, in einer Versammlung mit Waffen zu erscheinen,[1]) oder die Aufforderung hierzu verbreiten läßt, oder in einer Versammlung Waffen austheilt,[2]) wird mit Gefängniß von sechs Wochen bis zu Einem Jahre bestraft.[3])

1) Vgl. Anm. 1 zu § 18.

2) Vgl. auch Reichsstrafgesetzbuch § 127 (oben S. 16).

3) Vergehen; Verjährung in fünf Jahren.

§ 20.

(Veraltet; § 20 betraf die Zuständigkeit. Jetzt ist das Gerichtsverfassungsgesetz v. 27. Januar 1877 maßgebend.)

§ 21.

Auf die durch das Gesetz oder die gesetzlichen Autoritäten angeordneten Versammlungen[1]) und die Versammlungen der Mitglieder beider Kammern[2]) während der Dauer der Sitzungsperiode finden die vorstehenden Bestimmungen keine Anwendung.

Wahlvereine unterliegen den Beschränkungen des §. 8. nicht.[3])

1) Gesetzlich oder durch die gesetzlichen Autoritäten angeordnet sind die Versammlungen aller dem öff. Rechte angehörigen Verbände der Gemeinden, Kreise, Bezirke und Provinzen, sodann gewisse Versammlungen derjenigen Vereine, welche zwar dem öff. Rechte nicht angehören, aber durch Gesetz oder Anordnung der Staatsregierung jenen gleichgestellt sind: Religionsgesellschaften, Aktiengesellschaften, Hilfskassen ꝛc. (ähnlich: Entsch. d. K. G's. v. 13. Nov. 1893 cit. bei Gr. S. 72 im Anschluß an Delius S. 55, desgl. Caspar S. 64).

Vorausgesetzt ist dabei, daß die betr. Versamml. auch in gesetzl. Weise zusammenberufen ist. — Andernfalls, z. B. bei Zusammenberufung einer Stadtverordnetenversamml. durch einen Anderen als den Vorsitzenden oder dessen Stellvertreter, sind §§ 1 ff. anwendbar

(Entsch. d. K. G's. vom 2. März 1893 cit. bei Gr. S. 73); ebenso, wenn Nichtmitglieder zu solchen Versamml. (z. B. zu Innungsversamml., § 104 Abs. 4 u. 5 Gew. O.) zugezogen werden (Johow 12 S. 247).

Ueber „Schulfeste" vgl. Johow 2 S. 249 u. Anm. 1 zu § 9 (oben S. 56).

2) Nicht nur die eigentl. Sitzungen, sondern auch die sog. Fraktionsversammlungen gehören hierher.

3) Wahlvereine im Sinne des § 21 sind nur diejen., welche lediglich in Beziehung auf konkrete bevorstehende Wahlen (O. R. 10 S. 56, 16 S. 800) zum Landtag, zum Reichstag oder zu anderen öffentlich-rechtlichen Vertretungen politischer Art eine Wirksamkeit entfalten.

Diese Wahlvereine sind an sich politische Vereine (R. G. 16 S. 295) und nur den Beschränkungen des § 8 entzogen, während die sonstigen Ordnungsvorschriften (§§ 1—7, 9, 11), insbes. die Anzeigepflicht, auch für Wahlvereine und deren Versamml. gelten. Vgl. auch § 17 Abs. 2 des Wahlgesetzes für den Deutschen Reichstag (oben S. 21).

Streitig ist, ob Wahlvereine nur von der Beschränkung § 8b oder auch von der Beschränkung § 8a befreit sind; für Letzteres spricht die allgemeine Fassung des § 21 Abs. 2 (and. Mein.: Thilo S. 110 u. Gr. S. 74 wegen Verhandl. II S. 2777; wie hier: Delius S. 57, Caspar S. 119). Für Reichstagswahlen gewährleistet § 17 Abs. 1 a. a. O. (oben S. 21) für ganz Deutschland zwar nur den Wahlberechtigten das Vereins- u. Versamml.-Recht; jedoch ist nach der weitergehenden Bestimmung des § 21 Abs. 2 für Preußen auch die Mitgliedschaft von Nicht-Wahlberechtigten (Frauen ꝛc.) zulässig.

§ 22.

Zuwiderhandlung gegen die Vorschrift des Artikels 38. der Verfassungs-Urkunde vom 31. Januar 1850., welcher also lautet:

„Die bewaffnete Macht darf weder in noch außer dem Dienste berathschlagen, oder sich anders, als auf Befehl versammeln. Versammlungen und Vereine der Landwehr zur Berathung militairischer Einrichtungen, Befehle und Anordnungen sind auch dann, wenn dieselbe nicht zusammenberufen ist, untersagt."

wird nach den Bestimmungen des §. *125. des ersten Theiles des Militair-Strafgesetzbuches* [1]) bestraft.

1) An Stelle dieses § 125 sind die §§ 92 u. 93 (vgl. auch § 101) des Mil.-Strafgesetzbuches für das Deutsche Reich v. 20. Juni 1872 getreten, f. oben S. 19.

§ 23.

Gegenwärtiges Gesetz tritt an die Stelle der Verordnung vom 29. Juni 1849. (Gesetz-Sammlung S. 221—225.).

12a. Zusatz.

Gesetz über die allgemeine Landesverwaltung.

Vom 30. Juli 1883 (G. S. S. 195).

Vierter Titel.

Rechtsmittel gegen polizeiliche Verfügungen.

§ 127. Gegen polizeiliche Verfügungen der Orts- und Kreispolizeibehörden findet, soweit das Gesetz nicht ausdrücklich Anderes bestimmt, die Beschwerde statt, und zwar:

a) gegen die Verfügungen der Ortspolizeibehörden auf dem Lande oder einer zu einem Landkreise gehörigen Stadt, deren Einwohnerzahl bis zu

10000 Einwohnern beträgt, an den Landrath und gegen dessen Bescheid an den Regierungspräsidenten;

b) gegen die Verfügungen der Ortspolizeibehörden eines Stadtkreises, mit Ausnahme von Berlin, einer zu einem Landkreise gehörigen Stadt mit mehr als 10000 Einwohnern, oder des Landraths an den Regierungspräsidenten, und gegen dessen Bescheid an den Oberpräsidenten;

c) gegen ortspolizeiliche Verfügungen in Berlin an den Oberpräsidenten.

Gegen den in letzter Instanz ergangenen Bescheid des Regierungspräsidenten beziehungsweise des Oberpräsidenten findet die Klage bei dem Oberverwaltungsgerichte statt.

Die Klage kann nur darauf gestützt werden,

1) daß der angefochtene Bescheid durch Nichtanwendung oder unrichtige Anwendung des bestehenden Rechts, insbesondere auch der von den Behörden innerhalb ihrer Zuständigkeit erlassenen Verordnungen den Kläger in seinen Rechten verletze;

2) daß die thatsächlichen Voraussetzungen nicht vorhanden seien, welche die Polizeibehörde zum Erlasse der Verfügung berechtigt haben würden.

Die Prüfung der Gesetzmäßigkeit der angefochtenen polizeilichen Verfügung erstreckt sich auch auf diejenigen Fälle, in welchen bisher nach §. 2 des Gesetzes vom

11. Mai 1842 (Gesetz-Samml. S. 192) der ordentliche Rechtsweg zulässig war.

Die Entscheidung ist endgültig, unbeschadet aller privatrechlichen Verhältnisse.

§ 128. An Stelle der Beschwerde in allen Fällen des §. 127 findet die Klage statt und zwar:

a) gegen die Verfügungen der Ortspolizeibehörden auf dem Lande oder einer zu einem Landkreise gehörigen Stadt, deren Einwohnerzahl bis zu 10000 Einwohnern beträgt, bei dem Kreisausschusse;

b) gegen die Verfügungen des Landraths oder der Ortspolizeibehörden eines Stadtkreises oder einer zu einem Landkreise gehörigen Stadt mit mehr als 10000 Einwohnern bei dem Bezirksausschusse.

Die Klage kann nur auf die gleichen Behauptungen gestützt werden, wie die Klage bei dem Oberverwaltungsgerichte (§. 127 Absatz 3 und 4).

§ 129. Die Beschwerde im Falle des §. 127 Absatz 1 und die Klage im Falle des §. 128 sind bei derjenigen Behörde anzubringen, gegen deren Verfügung sie gerichtet sind.

Die Behörde, bei welcher die Beschwerde oder Klage angebracht ist, hat dieselbe an diejenige Behörde abzugeben, welche darüber zu beschließen oder zu entscheiden hat. Der Beschwerdeführer beziehungsweise Kläger ist hiervon in Kenntniß zu setzen.

Die Frist zur Einlegung der Beschwerde und zur Anbringung der Klage gegen die polizeiliche Verfügung, sowie gegen den auf Beschwerde ergangenen Bescheid beträgt zwei Wochen.

Die Anbringung des einen Rechtsmittels schließt das andere aus. Ist die Schrift, mittelst deren das Rechtsmittel angebracht wird, nicht als Klage bezeichnet oder enthält dieselbe nicht ausdrücklich den Antrag auf Entscheidung im Verwaltungsstreitverfahren, so gilt dieselbe als Beschwerde. Bei gleichzeitiger Anbringung beider Rechtsmittel ist nur der Beschwerde Fortgang zu geben. Das hiernach unzulässigerweise angebrachte Rechtsmittel ist durch Verfügung der im Absatz 1 bezeichneten Behörde zurückzuweisen. Gegen die zurückweisende Verfügung findet innerhalb zwei Wochen die Beschwerde an die zur Entscheidung auf die Klage berufene Behörde statt.

Wird die Beschwerde oder Klage der Vorschrift des ersten Absatzes zuwider innerhalb der gesetzlichen Frist bei derjenigen Behörde angebracht, welche zur Beschlußfassung oder Entscheidung darüber zuständig ist, so gilt die Frist als gewahrt. Die Beschwerde oder Klage ist in solchen Fällen von der angerufenen Behörde zur weiteren Veranlassung an diejenige Behörde abzugeben, gegen deren Beschluß sie gerichtet ist.

§ 130. Gegen polizeiliche Verfügungen des Regierungspräsidenten findet innerhalb zwei Wochen die Beschwerde an den Oberpräsidenten und gegen den vom

Oberpräsidenten auf die Beschwerde erlassenen Bescheid innerhalb gleicher Frist die Klage bei dem Oberverwaltungsgerichte nach Maßgabe der Bestimmungen des §. 127 Absatz 3 und 4 statt.

Gegen polizeiliche Verfügungen des Regierungspräsidenten in Sigmaringen findet innerhalb zwei Wochen unmittelbar die Klage bei dem Oberverwaltungsgerichte statt.

Gegen die Landesverweisung steht Personen, welche nicht Reichsangehörige sind, die Klage nicht zu.

§ 131. Der §. 6 [1]) des Gesetzes vom 11. Mai 1842 (Gesetz-Samml. S. 192) findet auch Anwendung, wenn eine polizeiliche Verfügung im Verwaltungsstreitverfahren durch rechtskräftiges Endurtheil aufgehoben worden ist.

1) Derselbe lautet: „Wird eine polizeiliche Verfügung im Wege der Beschwerde als gesetzwidrig oder unzulässig aufgehoben, so bleiben dem Betheiligten seine Gerechtsame nach den allgemeinen gesetzlichen Bestimmungen über die Vertretungsverbindlichkeit der Beamten vorbehalten."

Dritter Theil.

Das Vereins- und Versammlungs-Recht in den übrigen Deutschen Bundesstaaten und dem Reichslande.

13. Königreich Bayern.

Gesetz, die Versammlungen und Vereine betr.
Vom 26. Februar 1850 (Ges.-Bl. S. 53).*)

Abschnitt I.

Von den Versammlungen.

Art. 1. Alle Staatsangehörigen haben das Recht, sich friedlich und ohne Waffen zu versammeln; einer besonderen Erlaubniß dazu bedarf es nicht.

Art. 2. Wer zu einer Versammlung, in welcher öffentliche Angelegenheiten erörtert werden sollen, öffentliche oder allgemeine Einladungen erläßt, und wer den Platz zu deren Abhaltung einräumt, ist verpflichtet, mindestens 24 Stunden vor dem Beginne der Versammlung unter Angabe des Ortes, der Zeit und des Zweckes derselben Anzeige bei der Ortspolizeibehörde zu

*) Hierzu Vollz.-Instr. v. 3. März 1850.

machen, welche darüber sofort eine Bescheinigung zu ertheilen und ohne Säumniß der Königlichen Distriktspolizeibehörde Nachricht zu geben hat.

Alle Einladungen oder Aufforderungen zu solchen Versammlungen, mögen sie in öffentlichen Anschlägen enthalten, oder in öffentlichen Blättern eingerückt, oder sonst durch Schrift oder Druck verbreitet sein, müssen mit den Unterschriften Derjenigen, welche sie ergehen lassen, versehen werden.

Art. 3. Versammlungen, welche unter freiem Himmel abgehalten werden sollen, können bei dringender Gefahr für die öffentliche Ordnung und Sicherheit durch schriftlichen Erlaß der Distriktspolizeibehörde verboten werden.

Art. 4. Zu Versammlungen, welche auf öffentlichen Plätzen und Straßen in Städten und Ortschaften stattfinden sollen, sowie zu öffentlichen Aufzügen*) in Städten und Ortschaften hat der Unternehmer, Leiter oder Ordner die Zustimmung der betreffenden Gemeindeverwaltung zu erholen und sodann die Genehmigung der Distriktspolizeibehörde nachzusuchen, welche den Bescheid möglichst schleunig und spätestens am folgenden Tage schriftlich zu ertheilen hat.

Herkömmliche kirchliche Prozessionen, Wallfahrten und Bittgänge, gewöhnliche Leichenbegängnisse, Züge

*) Für Maskenzüge vgl. Art. 32 Abs. 1 Nr. 1, Art. 36 Nr. 2, 3 des Polizeistrafgesetzbuchs v. 26. Dez. 1871 (Ges.-Bl. S. 9), für Fackelzüge § 12 der Verordnung v. 27. Juni 1862 (Reg.-Bl. S. 1573).

der Hochzeitsversammlungen und hergebrachte Umzüge der Innungen unterliegen dieser Bestimmung nicht.

Art. 5. Den Ordnern, Leitern einer Versammlung liegt ob, für Aufrechterhaltung der Ordnung und des Gesetzes Sorge zu tragen. Sie haben Sprechern, welche durch ihren Vortrag das Gesetz verletzen oder zu Gesetzesverletzungen auffordern, das Wort zu entziehen, und, wenn ihren Anordnungen zur Aufrechthaltung des Gesetzes keine Folge gegeben wird, die Versammlung aufzuheben.

Art. 6. Den Versammlungen ist nicht gestattet, Adressen oder Petitionen in Masse zu überbringen, oder durch Abordnung von mehr als zehn Personen zu übersenden.

Art. 7. Die Polizeibehörde ist befugt, zu jeder Versammlung einen oder zwei Polizeibeamte oder durch besondere Abzeichen erkennbare Abgeordnete zu senden, denen ein angemessener Platz einzuräumen ist.

Art. 8. Die Abgeordneten der Polizeibehörde sind befugt, zu verlangen, daß Versammlungen, in denen Vorträge gehalten, Anträge oder Vorschläge erörtert werden, mittelst welcher zu Gesetzesverletzungen aufgefordert oder aufgereizt wird, sofort durch die Ordner oder Leiter aufgehoben werden, unbeschadet des gegen die Uebertreter des Gesetzes einzuleitenden Strafverfahrens.

Art. 9. Wird dem Verlangen der Abgeordneten der Polizeibehörde nicht augenblicklich entsprochen, so erklären diese die Versammlung für aufgelöst und alle Anwesenden sind verpflichtet, sich sogleich zu entfernen.

Wird dieser Verpflichtung nicht nachgekommen und einer wiederholten Aufforderung nicht Folge geleistet, so kann die Auflösung durch bewaffnete Macht zur Ausführung gebracht werden.

Art. 10. So lange der Landtag versammelt ist, dürfen innerhalb der Entfernung von sechs Stunden von dem Orte seines Sitzes Volksversammlungen unter freiem Himmel nicht abgehalten werden.

Abschnitt II.

Von den Vereinen.

1) Von den Vereinen im Allgemeinen.

Art. 11. Die Staatsangehörigen haben das Recht, Vereine ohne vorgängige Erholung polizeilicher Erlaubniß zu bilden.

2) Von den nicht politischen Vereinen.

Art. 12. Vereine, deren Zweck sich nicht auf die öffentlichen Angelegenheiten bezieht, sind, wenn sie Vorsteher und Satzungen haben, verpflichtet, ihre Gründung und jede Veränderung ihrer Vorstandschaft oder ihrer Zwecke der vorgesetzten Polizeibehörde binnen drei Tagen anzuzeigen.

Art. 13. So bald ein nicht politischer Verein zugleich politische Zwecke zu verfolgen oder in den Bereich seiner Verhandlungen zu ziehen beginnt, unterliegt er allen Anordnungen und Strafbestimmungen über politische Vereine.

3) Von den politischen Vereinen.

Art. 14. Vereine, deren Zweck sich auf die öffentlichen Angelegenheiten bezieht, sind verpflichtet, Vorsteher zu wählen, und diese haben Satzungen über Verfassung und Wirksamkeit des Vereines binnen drei Tagen nach dessen Errichtung, alle Abänderungen aber binnen drei Tagen nachdem sie zu Stande gekommen, der Distrikts-Polizeibehörde zur Kenntnißnahme einzureichen, derselben auch auf Verlangen jede darauf bezügliche Auskunft zu ertheilen.

Art. 15. Frauenspersonen und Minderjährige können weder Mitglieder politischer Vereine sein, noch den Versammlungen derselben beiwohnen.

Art. 16. Auf Versammlungen solcher Vereine finden die Vorschriften der Artikel 1 bis 9 des gegenwärtigen Gesetzes volle Anwendung.

Insbesondere liegt den Vorstehern der Vereine die vorgängige Anzeige bei der Distrikts-Polizeibehörde nach der Vorschrift des Artikels 2 dieses Gesetzes bezüglich aller Versammlungen ob, für welche Zeit und Ort nicht bereits satzungsmäßig feststehen.

Art. 17. Politischen Vereinen ist nicht gestattet, mit andern in der Art in Verbindung zu treten, daß entweder die einen den Beschlüssen und Organen des andern unterworfen oder mehrere solcher Vereine unter einem gemeinsamen Organe zu einem gegliederten Ganzen vereinigt werden.

Art. 18. Den politischen Vereinen ist untersagt, Beschlüsse in der Form von Gesetzen, Verordnungen, Rechtssprüchen oder andern Erlassen der öffentlichen Behörden zu fassen.

Art. 19. Jede Polizeibehörde*) ist befugt, Vereine zu schließen, wenn dieselben

1) den Bestimmungen des Art. 14 dieses Gesetzes nicht genügen,
2) dem Art. 16 zuwider nicht angezeigte, sohin geheime Versammlungen halten, oder
3) die Abgeordneten der Polizeibehörde dem Art. 7 zuwider von Versammlungen ausschließen, oder
4) dem Art. 17 oder dem Art. 18 entgegen handeln, oder
5) die religiösen, sittlichen, gesellschaftlichen Grundlagen des Staates zu untergraben drohen, oder endlich
6) wenn ihre Zwecke oder Beschlüsse den Strafgesetzen zuwiderlaufen.

In dem letztern Falle haben die Gerichte, welchen die verfügte Schließung des Vereins binnen acht Tagen anzuzeigen ist, über die Fortdauer der Schließung zu entscheiden.

---

*) Die Schließung ist jetzt, wenn sie auf Grund der Ziff. 1 bis 5 erfolgt, Verwaltungs**rechts**sache; vgl. Ges. v. 8. Aug. 1878 (G. V. Bl. S. 369) Art. 8 Ziff. 6. **Daneben** ist der Strafrichter in den Fällen Ziff. 1 bis 4 selbstständig zur Schließung zuständig, vgl. unten Art. 24.

Rekursen gegen Beschlüsse auf Schließung von Vereinen kommt ein Suspensiv-Effekt nicht zu.

Die Schließung eines Vereines ist öffentlich bekannt zu machen.

Abschnitt III.

Strafbestimmungen.

Art. 20. Handlungen oder Unterlassungen, welche den Bestimmungen der Artikel 2, 5, 7, bezw. Artikel 16 Abs. 1, dann Artikel 12, 14 und 15 des gegenwärtigen Gesetzes zuwiderlaufen, sind mit Geldstrafen bis zu hundert Gulden*) zu ahnden.

Art. 21. Wer den Bestimmungen des Artikel 1 dieses Gesetzes zuwider in einer Versammlung bewaffnet erscheint, ohne durch Dienstleistung in seinem Amte hiezu berechtigt zu sein, oder darin Waffen vertheilt; wer den Bestimmungen der Artikel 3, 6, 9 und 10 zuwider bei Versammlungen oder Abordnungen sich betheiligt, welche durch gegenwärtiges Gesetz oder gehörig verkündetes Verbot untersagt sind, oder wer im Falle des Artikel 4 ohne vorgängige polizeiliche Bewilligung eine Versammlung oder einen öffentlichen Aufzug veranlaßt, dazu einladet, dieselben ordnet oder leitet, soll mit einer Gefängnißstrafe bis zu einem Jahre, oder falls mildernde Umstände vorliegen, mit einer Geldstrafe bis zu 100 Gulden*) belegt werden.

---

*) Ein Gulden = 1 Mark 80 Pfennig, Ges. v. 8. Nov. 1875 (G. B. Bl. S. 665) Art. 1.

Art. 22. Mitglieder politischer Vereine, welche einer der im Artikel 19 Ziffer 2, 3, 4 und 6 aufgezählten Uebertretungen sich schuldig machen, sind, sofern nicht nach den Bestimmungen des Strafgesetzbuches eine höhere Strafe verwirkt ist, mit Gefängniß bis zu sechs Monaten, oder falls mildernde Umstände vorliegen, mit einer Geldstrafe bis zu 100 Gulden*) zu beahnden.

Art. 23. Die Untersuchung und Bestrafung der Uebertretungen des gegenwärtigen Gesetzes steht den ordentlichen Gerichten zu.**)

Art. 24.***) Wenn wegen Uebertretung des gegenwärtigen Gesetzes oder wegen Verbrechen oder Vergehen, welche aus Veranlassung der Verhandlungen eines Vereines verübt oder versucht worden sind, die öffentliche Klage erhoben ist, so kann das zuständige Gericht die vorläufige Schließung des Vereins anordnen.

Das zuständige Strafgericht ist befugt, in dem Endurtheile die Schließung eines Vereines für immer auszusprechen.

Mitglieder eines Vereines, welche sich nach obrigkeitlicher Einstellung oder Aufhebung desselben wieder

*) Vgl. die Anm. bei Art. 20.

**) Art. 23 Abs. 2 aufgehoben durch Gesetz zur Ausführung der Reichs-Strafprozeßordnung, v. 18. Aug. 1879 (G. B. Bl. S. 781) Art. 2 Ziff. 10.

***) Wortlaut des Art. 24 gemäß Ges. v. 18. Aug. 1879 Art. 84.

versammeln, sind nach den Bestimmungen des Art. 21 zu bestrafen.

Die Veränderung der Benennung des Vereines oder seines Sitzes soll hiegegen nicht schützen, wenn aus den Umständen hervorgeht, daß jene Veränderung nur zum Schein vorgenommen worden sei.

Art. 25. (Aufgehoben.)*)

Abschnitt IV.

Schlußbestimmungen.

Art. 26. Auf die durch das Gesetz oder durch die gesetzlichen Autoritäten angeordneten Versammlungen, sowie auf die Vorberathungen von Mitgliedern dieser Versammlungen während der Dauer ihrer Sitzungen, dann auf Wahlvorversammlungen der Wahlmänner und Urwähler für den Landtag, die Kreis- oder Gemeindevertretung nach erlassenem Wahlausschreiben finden die Bestimmungen der Art. 2—25 gegenwärtigen Gesetzes keine Anwendung.

Vereine, welche Kapital durch Aktien aufbringen, Kreditpapiere in Umlauf zu setzen beabsichtigen, Anstalten für den öffentlichen Verkehr, für Sicherung des Vermögens, für Ersparung und Versorgung, für Auswanderung, endlich Vereine, welche den Betrieb von Erwerbsgeschäften zum Zwecke haben, sowie überhaupt alle diejenigen Vereine, welche unter den Begriff

*) Durch Ges. v. 18. Aug. 1879 Art. 2 Ziff. 10.

von civilrechtlichen oder Handelsgesellschaften fallen, unterliegen den hierüber bestehenden Gesetzen und Vorschriften.

Art. 27.*) Die Bestimmungen gegenwärtigen Gesetzes haben bei dem stehenden Heere nur in so weit in Anwendung zu kommen, als denselben die militärischen Dienstvorschriften nicht entgegen stehen.

Jedem selbstständig Kommandirenden steht ferner die Befugniß zu, den Untergebenen die Theilnahme an Vereinen und Versammlungen zeitweise zu untersagen.

Art. 28. Die Disciplinarvorschriften für öffentliche Lehranstalten, dann für Staatsbeamte und öffentliche Diener**) werden durch gegenwärtiges Gesetz ebenfalls nicht berührt.

Art. 29. Alle gemäß Art. 2, 3, 4, 12, 13, 14, 16 bei den Polizeibehörden zu machenden Anzeigen und die deshalb von der Behörde zu gebenden Erlasse sind stempel- und taxfrei.

---

*) Vgl. jetzt Reichs-Militärgesetz § 49, Militär-Str. G. B. §§ 92, 93, 109, 113 (oben S. 19).

**) Vgl. Min. Erlaß v. 18. März u. 3. April 1850, Verordn. v. 10. März 1868 (Reg. Bl. S. 449), Min. Erlaß v. 13. Nov. 1868 (J.M.Bl. S. 245).

14. Königreich Sachsen.

Gesetz, das Vereins- und Versammlungsrecht betreffend.

Vom 22. November 1850 (G. V. Bl. S. 264).*)

Abschnitt I.

Von den Versammlungen.

§ 1. Zu friedlichen Versammlungen und deren Veranstaltung bedarf es keiner besonderen Erlaubniß.**)

Das Recht, sich zu versammeln, wird unter folgenden Bedingungen ausgeübt:

§ 2. Die Zusammenberufung von Versammlungen, in welchen öffentliche Angelegenheiten erörtert werden sollen, ist, selbst wenn sie öffentlich erfolgt, wenigstens 24 Stunden vor dem Zusammentritte der Versammlung, mit Angabe der Zeit, des Orts und Zwecks derselben, der Polizeibehörde des Versammlungsorts schriftlich anzuzeigen, worüber der betreffende Beamte sofort eine Bescheinigung auszustellen hat. Die Anzeige liegt denjenigen Personen ob, von welchen die Zusammenberufung ausgeht.

---

*) Hierzu Ausf. Verordn. v. 23. Novbr. 1850 (G. V. Bl. S. 270); Verordn. v. 22. Aug. 1874 (G. V. Bl. S. 126).

**) Für die Studirenden an der Universität Leipzig vgl. Ges. v. 28. Febr. 1878 (G. V. Bl. S. 19). — Ueber öffentl. Versamml. an Sonn- u. Festtagen vgl. Ges. v. 10. Sept. 1870 (G. V. Bl. S. 313) § 8.

§ 3. Zur Berufung von Versammlungen sind nur diejenigen berechtigt, welche dispositionsfähig und im Besitze der politischen Ehrenrechte*) sind. Unter ihnen muß sich mindestens ein Gemeindeglied desjenigen Orts befinden, in dessen Gemeindebezirke die Versammlung gehalten werden soll.

§ 4. Jeder Versammlung muß wenigstens ein, von derselben als solcher anerkannter Ordner oder Leiter vorstehen. Die Versammlung darf daher, wenn ein Ordner oder Leiter oder eine Mehrzahl derselben nicht im Voraus bezeichnet worden ist, die Erörterung derjenigen Angelegenheiten, zu deren Berathung sie zusammentrat, nicht eher beginnen, als bis die Wahl wenigstens eines Ordners oder Leiters erfolgt ist.

Die Wahlhandlung haben diejenigen zu leiten, welche die Versammlung veranstalteten.

§ 5. Versammlungen, deren Zweck es ist, Gesetzübertretungen oder unsittliche Handlungen zu begehen, dazu aufzufordern oder doch dazu geneigt zu machen, sind verboten.

§ 6. Die Polizeibehörde ist befugt, in jede Versammlung einen oder mehrere verpflichtete Beauftragte zu senden, welche entweder durch ihre Dienstkleidung erkennbar sein müssen, oder sich den Ordnern oder Leitern der Versammlung und, dafern Ordner oder

---

*) Vgl. Str. G. B. für d. D. R. § 33 u. Min. Verf. v. 29. Dez. 1870 (G. V. Bl. S. 427).

Leiter noch nicht gewählt oder nicht anwesend sind, den Veranstaltern der Versammlung als Beauftragte der Polizeibehörde zu legitimiren haben.

Den von ihnen über den Verlauf der Versammlung aufgenommenen Protokollen kommt die Kraft amtlicher Anzeigen zu.

§ 7. Den Abgeordneten der Polizeibehörde (§ 6) ist in der Versammlung der von ihnen, als für sie geeignet, bezeichnete Platz einzuräumen.

§ 8. Die Ordner oder Leiter einer Versammlung und, so lange diese noch nicht gewählt sind, die Veranstalter derselben dürfen nicht gestatten, daß Anträge oder Vorschläge erörtert oder Aeußerungen gethan werden, welche den Strafgesetzen widersprechen oder eine Aufforderung oder Anreizung zu Gesetzübertretungen oder unsittlichen Handlungen enthalten. Kommen dergleichen vor, so haben sie dem Urheber sofort und ohne einen Antrag von Seiten der polizeilichen Beauftragten abzuwarten, das Wort zu entziehen, auch, wenn ihnen nicht Folge geleistet wird, die Versammlung aufzuheben. Unterlassen sie, dieß zu thun, so sind sie für alles Vorgefallene ebenso verantwortlich, als wenn der Antrag, der Vorschlag oder die Aeußerung von ihnen selbst ausgegangen wäre.

§ 9. Wird in den § 8 vorausgesetzten Fällen der Ordnungsruf Seitens der Veranstalter, Ordner oder Leiter der Versammlung unterlassen, oder demselben nicht Folge geleistet, so sind die Abgeordneten der

Polizeibehörde befugt, denen, von welchen Anträge gestellt, oder Vorschläge oder Aeußerungen gethan werden, welche den Strafgesetzen widersprechen oder eine Aufforderung oder Anreizung zu Gesetzübertretungen oder unsittlichen Handlungen enthalten, das Wort zu entziehen und, wenn dem nicht unverzüglich Gehorsam geleistet wird, die Versammlung aufzulösen und für geschlossen zu erklären. Eben dieß zu thun sind sie auch dann berechtigt, wenn die Versammlung sonst einen die öffentliche Ruhe und die gesetzliche Ordnung gefährdenden Charakter annimmt. Die Auflösung ist mit lauter Stimme auszusprechen und es haben die Abgeordneten der Polizeibehörde unmittelbar nach der Auflösung den Ort der Versammlung zu verlassen.

§ 10. Sobald eine Versammlung für aufgelöst erklärt ist, sind alle Anwesenden verpflichtet, sich sofort zu entfernen.

Im Falle des Ungehorsams ist die Räumung durch die bewaffnete Macht zu bewerkstelligen.

§ 11. Niemand darf mit Waffen irgend welcher Art in einer Versammlung erscheinen, ausgenommen die zu derselben abgeordneten Polizeibeamten, insoweit deren Amtstracht die Bewaffnung mit sich bringt.

§ 12. Bei dringender Gefahr für die öffentliche Ruhe, Ordnung und Sicherheit können Versammlungen, sowie öffentliche Auf- und Umzüge und Festlichkeiten verboten werden.

§ 13. Versammlungen, sowie öffentliche Auf- und Umzüge und Festlichkeiten, zu welchen öffentliche Plätze und Straßen in Städten und Ortschaften benutzt werden sollen, bedürfen der vorgängigen Genehmigung derjenigen Behörde, welcher die Straßenpolizei über jene Räumlichkeiten zusteht. Daß diese Genehmigung gehörig nachgesucht werde, dafür haben die Unternehmer, Vorsteher, Ordner und Leiter der Versammlung, des Auf- und Umzugs oder der Festlichkeit gemeinschaftlich zu haften.

§ 14. Versammlungen ist nicht gestattet, Adressen oder Petitionen in Masse, oder durch Abordnung von mehr als zehn Personen zu überbringen. Ebenso ist ihnen untersagt, Beschlüsse in der Form von Gesetzen, Verordnungen, Entscheidungen oder Kundmachungen öffentlicher Behörden zu fassen und bekannt zu machen.

§ 15. Während des Landtags dürfen innerhalb zweier Meilen von dem Sitze desselben Versammlungen der in § 2 gedachten Art unter freiem Himmel nicht Statt finden.

§ 16. Die zum Gottesdienste bestimmten Gebäude dürfen niemals zur Abhaltung politischer Versammlungen eingeräumt werden.

§ 17. Die Bestimmungen der §§ 2, 3, 4, 6, 7, 8, 9, 10, 15 leiden keine Anwendung auf Versammlungen, welche lediglich

a) zum Zwecke geselliger Unterhaltung oder
b) zu Zwecken der Beförderung der Künste und Wissenschaften oder
c) zu frommen oder wohlthätigen Zwecken oder
d) zur regelmäßigen kirchlichen Erbauung nach der Verfassung der einzelnen Confessionen Statt finden, oder
e) durch das Gesetz oder durch die gesetzlichen Autoritäten angeordnet werden.

Rücksichtlich der öffentlichen Schaustellungen, Conzerte, Tanzbelustigungen und überhaupt der öffentlichen Vergnügungen bewendet es bei den seitherigen Vorschriften.

Abschnitt II.

Von den Vereinen.*)

§ 18. Zur Bildung von Vereinen bedarf es keiner Genehmigung. Die Rechte der Körperschaft erlangen sie aber erst durch ausdrückliche Ertheilung Seiten des Staats.**)

---

*) Durch Min. Verordn. v. 14. Juli 1849 (G. V. Bl. S. 138) ist der Gebrauch des Wortes „republikanisch" in den Namen von Vereinen verboten. Kontraventionen hiergegen sind an den Vereinsvorstehern das erste Mal mit 3 bis 14 Tagen, in Wiederholungsfällen mit 6 Tagen bis 4 Wochen Gefängniß oder verhältnißmäßiger Geldstrafe zu ahnden. Diese Verordnung ist noch in Geltung (Annalen des OLG. Dresden III, 307).

**) Vgl. Ges., die jur. Personen betr., v. 15. Juni 1868 (G. V. Bl. S. 315).

§ 19. Jeder Verein, dessen Zweck sich auf öffentliche Angelegenheiten bezieht, soll Statuten entwerfen.

Der Vorstand eines solchen Vereins hat die erfolgte Bildung desselben, den Namen, welchen er sich beilegt, die Vorsteher und sonstigen Beamten, welche er gewählt hat, den Zweck, zu welchem er zusammengetreten ist, die entworfenen Statuten, desgleichen alle etwa später in allen dem eintretenden Veränderungen längstens innerhalb drei Tagen, von dem Zusammentritte des Vereins und beziehendlich von der vorgekommenen Veränderung an gerechnet, der Ortspolizeibehörde schriftlich anzuzeigen, nicht minder derselben alle sonst auf den Verein bezügliche Auskunft auf Verlangen zu ertheilen.

Diese Vorschriften erstrecken sich auch auf die bereits bestehenden, die Erörterung öffentlicher Angelegenheiten bezweckenden Vereine, dergestalt, daß die vorbemerkte Anzeige spätestens innerhalb drei Wochen, von Publikation des gegenwärtigen Gesetzes an gerechnet, bei der Ortspolizeibehörde bewirkt werden muß.

§ 20. Vereine, in deren Zwecke es liegt, Gesetzübertretungen oder unsittliche Handlungen zu begehen, dazu aufzufordern oder dazu geneigt zu machen, sind verboten.

§ 21. Sind die Zusammenkünfte der Vereine (§ 19) nicht im Voraus nach Zeit und Ort durch Statuten bestimmt, oder der Behörde nicht im Allgemeinen zum Voraus angezeigt worden, so ist durch den Vorsteher der Polizeibehörde von jeder Zusammenkunft des Vereins wenigstens 24 Stunden vor Beginn derselben Anzeige zu machen.

Dasselbe gilt von Zusammenkünften, welche zu anderen Zeiten oder an anderen Orten, als im Voraus bestimmt und angezeigt worden war, Statt finden sollen.

§ 22. Zur Stiftung von Vereinen (§ 19) sind nur solche Personen berechtigt, welche dispositionsfähig sind und im Besitze der politischen Ehrenrechte*) sich befinden. Auch zur Theilnahme an denselben dürfen nur dispositionsfähige Personen zugelassen werden; dafür, daß dieß befolgt wird, sind die Veranstalter, Ordner und Leiter (§§ 4 und 23) und, nach erfolgter Gründung des Vereins, die Vorsteher (§ 19) verantwortlich.

§ 23. Die Bestimmungen der §§ 4, 6, 7, 8, 9, 10, 11, 12, 13, 14, 15 und 16 gelten auch für Zusammenkünfte von Vereinen (vergl. § 19).

§ 24. Vereine, deren Zweck sich auf öffentliche Angelegenheiten bezieht, dürfen nur dann Zweigvereine bilden und sich mit anderen Vereinen in Verbindung setzen, wenn sie das Recht der Körperschaft erlangt haben und ihnen jene Rechte ausdrücklich mit ertheilt sind.

§ 25. Vereine, welche dem Verbote des vorstehenden Paragraphen zuwider handeln, sind von der

---

*) Vgl. die Anm. bei § 3.

Polizeibehörde aufzulösen. Auch sind für diese Zuwiderhandlungen nicht blos die Vorsteher und Schriftführer, sondern überhaupt alle Vereinsmitglieder, welche an ihnen Theil genommen haben, verantwortlich.

§ 26. Vereine, welche durch das Gesetz oder durch die gesetzliche Autorität begründet worden, oder von der Staatsregierung ausdrücklich anerkannt oder bestätigt sind, sind zwar von den Vorschriften in Abschnitt II im Allgemeinen ausgenommen, doch bleibt der Regierung vorbehalten, auch solche Vereine jenen Vorschriften zu unterstellen, dafern ein Bedürfniß dazu vorhanden ist.

Abschnitt III.

Besondere, die Ausübung des Vereins- und Versammlungsrechtes Seitens der Mitglieder bewaffneter Corps betreffende Bestimmungen.

§ 27 (betraf die Kommunalgarden; antiquirt durch deren Aufhebung, Ges. v. 3. März 1870, G. V. Bl. S. 55.)

§ 28.*) Den Mitgliedern der activen Armee ..... ist untersagt, in Vereine zusammen zu treten, um über öffentliche Angelegenheiten oder militärische Befehle und Anordnungen zu berathen, oder sich zu diesen Zwecken zu versammeln. Eben so wenig dürfen sie an

---

*) Vgl. jetzt R. Mil. Ges. § 49 Abs. 2 (oben S. 19).

Berathungen Anderer in Vereinen (§ 19) und Versammlungen (§ 2) Theil nehmen (vergl. jedoch § 17).

§ 29. Das in § 11 enthaltene Verbot ist auf das Tragen der Waffen Seiten der aktiven Armee bei Versammlungen, an denen sie Theil nehmen dürfen (vergl. § 17), nicht zu beziehen, vielmehr ist in dieser Hinsicht den Dienstvorschriften nachzugehen.

Abschnitt IV.

Vorschriften über Schließung von Versammlungen und Vereinen, sowie Strafbestimmungen.

§ 30. Die Polizeibehörden sind befugt, außer den in § 9 erwähnten Fällen, Versammlungen auch dann zu schließen, wenn dieselben

1) den Vorschriften in dem § 2 nicht genügt haben,
2) den Anordnungen in dem § 4 nicht Folge leisten,
3) den Abgeordneten der Polizeibehörde, den §§ 6 und 7 entgegen, entweder den Zutritt verweigern, oder nicht den von denselben gewählten Platz einräumen.
4) den Bestimmungen in §§ 12 und 13 zuwider handeln,
5) Adressen oder Petitionen in Masse oder durch Abordnung von mehr als zehn Personen zu überbringen beschließen,

6) den §§ 27 und 28 entgegen abgehalten werden und wenn

7) die in § 17 bezeichneten Versammlungen sich mit andern, als den daselbst bezeichneten Angelegenheiten beschäftigen, ohne der Vorschrift des § 2 genügt zu haben.

§ 31. Die in Bezug auf Versammlungen in § 30 getroffenen Bestimmungen gelten auch von Zusammenkünften von Vereinen, und zwar die Vorschrift unter 1 in dem Falle, wenn von dem betreffenden Vereine der Vorschrift in § 19 nicht genügt worden ist.

§ 32. Zuwiderhandlungen gegen die Verbote in § 28 werden nach den Bestimmungen des Cap. III im ersten Theile des Militär-Strafgesetzbuchs v. 5. April 1838*) geahndet.

§ 33. Handlungen oder Unterlassungen, welche den Bestimmungen der §§ 2, 4, 8, 10, 12, 13, 14, 15, 16, 19, 21, 22, 25, (27) des gegenwärtigen Gesetzes zuwiderlaufen, sind mit einer Geldstrafe von 1 bis 50 Thalern — — oder mit dreitägigem bis dreimonatlichem Gefängnisse zu ahnden, insoweit nicht im Nachstehenden eine höhere Strafe festgesetzt worden ist. Es sollen nämlich mit einer Geldstrafe von 1 bis 100 Thalern — — oder dreitägigem bis sechsmonatlichem Gefängnisse diejenigen belegt werden, welche

---

*) Vgl. jetzt Mil. Str. G. B. für d. Deutsche Reich §§ 92, 93, 101 (oben S. 19 fg.).

a) in einer nach §§ 5, 12, 15 (oder 27) verbotenen Versammlung als Vorsteher, Leiter, Ordner oder Redner auftreten,

b) nach erfolgter Auflösung der Versammlung sich nicht sofort entfernen,

c) an einem in Gemäßheit §§ 20, 25 und 31 aufgelösten Vereine noch ferner Theil nehmen,

d) in einer Versammlung ohne Befugniß dazu (§§ 11 und 29) mit Waffen erscheinen oder in derselben zur Bewaffnung auffordern, oder Waffen austheilen oder zur Austheilung bereit halten, oder

e) die Abgeordneten der Polizeibehörden in der Ausübung ihres Amtes stören, oder sie daran verhindern,

f) in den in § 17 erwähnten Versammlungen durch ihre Reden oder Anträge die dort bezeichneten Grenzen überschritten, oder als Ordner, Leiter oder Vorsteher dergleichen Ueberschreitungen nicht mit allen ihnen zu Gebote stehenden Mitteln zu verhindern gesucht haben.

§ 34. Die in den §§ 32 und 33 geordneten Strafen haben einzutreten, abgesehen von den etwa, in Folge criminalrechtlich zu ahndender Handlungen von der Criminalbehörde zu erkennenden Strafen und noch neben denselben.

§ 35. (Aufhebung der diesem Gesetz entgegenstehenden Bestimmungen.)

15. Königreich Württemberg.

a) Gesetz, die Volksversammlungen betreffend.

Vom 2. April 1848. (Reg. Bl. S. 113.)

Allen Staatsbürgern ist das Recht eingeräumt, zur Besprechung allgemeiner Angelegenheiten ohne polizeiliche Erlaubniß, jedoch unter Beobachtung der zur Aufrechterhaltung der Gesetze und der bürgerlichen Ordnung bestehenden Vorschriften, öffentliche Versammlungen abzuhalten.

Dergleichen Versammlungen sind entweder vorher öffentlich bekannt zu machen, oder ist hievon der betreffenden Ortspolizeibehörde Anzeige zu thun.

b) Gesetz über den Besitz und Gebrauch von Waffen ꝛc.

Vom 1. Juni 1853. (Reg. Bl. S. 151.)

Art. 6. Das Mitführen von Waffen*) in öffentliche Versammlungen ist mit Ausnahme obrigkeitlich gestatteter Aufzüge untersagt.

Art. 11. (Es werden abgerügt . . .)

b. Verfehlungen gegen die Art. 5 bis 9 mit Geldbuße bis zu fünfzehn Gulden**) oder Gefängnißstrafe bis zu vier Tagen; bei Rückfällen ist zugleich auf Konfiskation der gebrauchten Waffen zu erkennen.

---

*) d. h. Schuß-, Hieb- oder Stich-Waffen, vergl. Art. 2 daselbst.

**) 1 Gulden = 2 Mark, Ges. v. 18. Juni 1875 (Reg. Bl. S. 325) Art. 1.

c) Gesetz, betreffend Aenderungen des Polizeistrafrechts bei Einführung des Strafgesetzbuchs für das Deutsche Reich.

Vom 27. Dezember 1871. (Reg. Bl. S. 391.)

Art. 9. Wer einen politischen Verein mit besonderen Statuten gründet, hat unter Vorlegung der Statuten der Obrigkeit hievon Anzeige zu machen und ist im Unterlassungsfall mit einer Geldstrafe bis zu zwölf Thalern zu bestrafen.

Von anderen Vereinen mit besonderen Statuten, welche der Regierung zu gegründeten Besorgnissen Anlaß geben, kann die Vorlegung der Statuten bei gleicher Strafe verlangt werden.

Gleicher Bestrafung unterliegt, wer den Vorschriften wegen Abhaltung von Volksversammlungen (Ges., betr. die Volksversammlungen, v. 2. April 1848, Reg. Bl. S. 113) zuwiderhandelt.

---

16. Großherzogthum Baden.

Gesetz, das Vereins- und Versammlungsrecht betreffend.

Vom 21. November 1867. (Reg. Bl. S. 540.)

§ 1. Die Ausübung des Vereins- und Versammlungsrechts wird durch nachfolgende Bestimmungen geregelt.

§ 2. Bewaffnete Vereine mit militärischer Einrichtung oder zu militärischen Uebungen bedürfen der Staatsgenehmigung.

§ 3. Die Staatspolizeibehörde ist berechtigt, aus Gründen der öffentlichen Wohlfahrt von den Vorstehern und Mitgliedern eines Vereins über die Verhältnisse desselben, insbesondere über seinen Zweck, seine Einrichtungen und Verbindungen, seine Vorsteher und Mitglieder Auskunft zu verlangen.

§ 4. Vereine, welche den Staatsgesetzen oder der Sittlichkeit zuwiderlaufen, welche den Staat oder die öffentliche Sicherheit gefährden, können durch das Ministerium des Innern verboten werden. Ein solches Verbot erstreckt sich zugleich auch auf einen vorgeblich neuen Verein, welcher aber mit Rücksicht auf die Entstehungszeit, die Mitglieder, die verfolgten Zwecke u. s. f. sachlich als der alte sich darstellt.

§ 5. Wenn Gefahr auf dem Verzug ist, darf die Bezirkspolizeibehörde aus den in § 4 angegebenen Gründen die einstweilige vorsorgliche Schließung eines Vereins auf die Dauer von 14 Tagen anordnen.

§ 6. Das Ministerium des Innern kann aus denselben Gründen auch die Theilnahme an einem auswärtigen Vereine oder die Verbindung inländischer Vereine mit auswärtigen verbieten.

§ 7. Die Verbote nach den §§ 4 und 6 sind öffentlich bekannt zu machen.

§ 8. Kein Theilnehmer irgend einer Volksversammlung darf Waffen tragen. Die Vertheilung von Waffen in Volksversammlungen ist verboten.

§ 9. Zu allen Volksversammlungen sind der Staatspolizeibeamte oder die von ihm schriftlich Beauftragten auf Verlangen zuzulassen, und es ist ihnen in der Versammlung der von ihnen verlangte Platz einzuräumen. Wird die Zulassung verweigert, so kann der Vertreter der Polizei, vorbehaltlich der etwa verwirkten Strafen, die Versammlung alsbald auflösen.

§ 10. Volksversammlungen unter freiem Himmel dürfen nur nach vorausgegangener Anzeige bei der Bezirkspolizeibehörde stattfinden. Die Anzeige, über welche sofort eine Bescheinigung zu ertheilen ist, muß wenigstens 48 Stunden vor Beginn der Versammlung gemacht werden.

§ 11. Jede Volksversammlung kann aus den in § 4 angegebenen Gründen, oder wenn bei derselben die Vorschriften dieses Gesetzes nicht eingehalten werden, von der Staatspolizeibehörde zum Voraus verboten oder nach dem Zusammentreten vom Vertreter der Polizei (§ 9) aufgelöst werden.

§ 12. Zugleich mit dem Ausspruch der Auflösung einer Volksversammlung hat der Vertreter der Polizei die Anwesenden aufzufordern, sich ungesäumt zu entfernen. Gegen diejenigen, welche dieser Aufforderung nicht Folge leisten, ist Anwendung von Gewalt zulässig.

§ 13.*) Die Uebertretungen dieses Gesetzes werden an den einfachen Theilnehmern des Vereins oder der Volksversammlung an Geld bis zu 150 Mark oder mit Haft bis zu vier Wochen, an den Gründern und Vorstehern des Vereins, beziehungsweise an den Veranstaltern, Leitern und Rednern der Volksversammlung, sowie an denjenigen, welche in derselben Waffen tragen, an Geld bis zu 600 Mark oder mit Gefängniß bis zu sechs Monaten bestraft.

Wird ein Verein oder eine Volksversammlung ungeachtet eines obrigkeitlichen Verbots gegründet, beziehungsweise veranstaltet oder fortgesetzt, so ist gegen die einfachen Theilnehmer eine Strafe bis zu 150 Mark oder vier Wochen Haft, gegen die anderen in Absatz 1 bezeichneten Personen eine Gefängnißstrafe von mindestens sechs Wochen zu erkennen.

Wer eine bewaffnete Volksversammlung, oder, ohne daß es der erlaubte Vereinszweck erfordert, eine bewaffnete Vereinsversammlung veranstaltet, wer bewaffnet daran Theil nimmt, oder in einer solchen Versammlung Waffen vertheilt, wird ebenfalls mit Gefängniß von mindestens 6 Wochen bestraft.

§ 14 (Aufhebung älterer Gesetze.)

---

*) Abgeänderte Fassung gemäß Art. 4, II des Bad. Einf. Ges. z. R. Str. G. B. v. 28. Dez. 1871 (G. V. Bl. S. 431) und Art. 1 des Ges. v. 21. Juni 1874 (G. V. Bl. S. 439).

17. Großherzogthum Hessen.

a) Strafgesetzbuch vom 17. September 1841.

(Reg. Bl. S. 409.)

Art. 182. Hat die Obrigkeit die Bildung irgend eines Privatvereins oder einer Privatverbindung verboten oder die Auflösung einer bereits bestehenden befohlen, so sollen diejenigen, welche den Verein oder die Verbindung dennoch fortgesetzt haben, bestraft werden, und zwar:

1) die Anstifter oder Vorstände:
mit Gefängniß von zehn Tagen bis zu einem Monat;

2) die übrigen Mitglieder:
mit Gefängnißstrafe von drei bis fünfzehn Tagen.

Der letzteren Strafe unterliegen auch diejenigen, welche sich nach der ihnen bekannt gewordenen obrigkeitlichen Auflösungs-Verfügung noch in den Verein oder in die Verbindung haben aufnehmen lassen oder derselben beigetreten sind.

Ueberdies können die Gerichte die Konfiskation der Papiere, Literalien und Bücher solcher Vereine oder Verbindungen aussprechen.

Art. 183. Hat die Staatsregierung den Beitritt oder die Theilnahme an einer im Auslande gestifteten oder bestehenden Verbindung oder an einem solchen Vereine verboten, so werden diejenigen, welche diesem

Verbote zuwiderhandeln, mit Gefängniß von ein bis fünfzehn Tagen, und wenn sie für den verbotenen Beitritt geworben haben, mit Gefängniß von zehn Tagen bis zu einem Monat bestraft.

b) Gesetz, das Petitions- und Versammlungsrecht betreffend.

Vom 16. März 1848. (Reg. Bl. S. 72.)

Art. 2. Das Recht der Versammlungen zur Berathung über allgemeine politische oder Privatinteressen, kann frei ausgeübt werden.*)

c) Verkündigung eines Bundesbeschlusses, Maßregeln zur Aufrechterhaltung der gesetzlichen Ordnung und Ruhe im Deutschen Bunde, insbesondere das Vereinswesen betreffend.

Vom 7. September 1854. (Reg. Bl. S. 302.)

Die Deutsche Bundesversammlung hat in ihrer 21. Sitzung am 13. Juli d. J. folgenden Beschluß gefaßt:

„Da es im Interesse der gemeinsamen Sicherheit und Ordnung geboten erscheint, allgemeine Grundsätze für das Vereinswesen in den sämmtlichen Deutschen Bundesstaaten aufzustellen, so haben sich die höchsten und

*) Vergl. aber Art. 78 des Pol. Str. G. Buchs (unten S. 114), und für Vereinsversammlungen § 5 des Bundesbeschlusses v. 13. Juli 1854 (unten S. 113).

hohen Bundesregierungen über nachstehende Bestimmungen vereinigt:

§ 1. In allen deutschen Bundesstaaten dürfen nur solche Vereine geduldet werden, die sich darüber genügend auszuweisen vermögen, daß ihre Zwecke mit der Bundes- und Landes-Gesetzgebung im Einklange stehen und die öffentliche Ordnung und Sicherheit nicht gefährden.

§ 2. Die einzelnen Bundesregierungen werden demnach die nöthigen Anordnungen treffen, um von der Einrichtung und den Zwecken eines jeden Vereins, sowohl im Beginn als im Laufe seiner Existenz und Wirksamkeit, Kenntniß nehmen zu können.

§ 3. In Beziehung auf politische Vereine insbesondere muß, sofern derartige Vereine nicht nach Maßgabe der Landes-Gesetzgebung überhaupt untersagt sind, oder doch einer für jeden Fall besonders zu ertheilenden obrigkeitlichen Genehmigung bedürfen, die betreffende Staatsregierung sich in der Lage befinden, nach Maßgabe der Umstände besondere vorübergehende Beschränkungen und Verbote erlassen zu können.

§ 4. Allgemein sind für politische Vereine noch folgende Beschränkungen zur Geltung zu bringen:

1) Minderjährige, Lehrlinge und Schüler dürfen sich an solchen Vereinen nicht betheiligen;

2) Jede Verbindung mit anderen Vereinen ist unstatthaft.

§ 5. In allen Bundesstaaten muß der Landesregierung nicht nur das Recht zustehen, die Versammlungen solcher Vereine, welche, ohne im Besitze einer besonderen staatlichen Anerkennung beziehungsweise Genehmigung zu sein, sich mit öffentlichen Angelegenheiten beschäftigen, obrigkeitlich überwachen zu lassen, sondern es muß den betreffenden obrigkeitlichen Abgeordneten auch überall die Befugniß eingeräumt werden, jede Versammlung eines solchen Vereins aufzulösen, sofern entweder die ihren Zusammentritt bedingenden Förmlichkeiten nicht beobachtet worden sind, oder aber der Inhalt der Verhandlungen eine in der Nothwendigkeit der Aufrechterhaltung der Gesetze sowie der öffentlichen Sicherheit und Ordnung begründete Veranlassung darbietet.

§ 6.*) Die bewaffnete Macht darf sich nicht anders als auf Befehl versammeln und weder in noch außer dem Dienste berathschlagen; Versammlungen und Vereine jedes Theils der

---

*) Vgl. jetzt Mil. Str. G. B. für d. Deutsche Reich § 101 (oben S. 19).

stehenden Heere und der Landwehr zur Berathung oder Beschlußfassung über militärische Befehle und Anordnungen sind auch dann, wenn dieselben nicht zusammenberufen sind, untersagt.

§ 7. Zuwiderhandlungen gegen die aus Anlaß vorstehender Bestimmungen in den einzelnen Bundesstaaten getroffenen Anordnungen sind mit entsprechenden Strafen zu belegen.

§ 8. Im Interesse der gemeinsamen Sicherheit verpflichten sich sämmtliche Bundesregierungen ferner, die in ihren Gebieten etwa noch bestehenden Arbeitervereine und Verbrüderungen, welche politische, sozialistische oder kommunistische Zwecke verfolgen, binnen zwei Monaten aufzuheben, und die Neubildung solcher Verbindungen bei Strafe zu verbieten."

In Folge Allerhöchster Entschließung Seiner Königlichen Hoheit des Großherzogs wird dieser Bundesbeschluß anburch zur Wissenschaft und Nachachtung im Großherzogthum Hessen öffentlich verkündet.

d) Polizeistrafgesetz vom 30. Oktober 1855.

(Reg. Bl. S. 449.)

Art. 78 Abs. 2.*) Hat die Polizeiverwaltungsbehörde eine bevorstehende Volksversammlung unter-

*) In obiger Fassung aufrecht erhalten durch das hessische Uebergangs-Ges. zum R. Str. G. B., Art. 3 Nr. 3, v. 10. Okt. 1871 (Reg. Bl. S. 393) nebst Anlage.

sagt, so verfallen diejenigen, welchen dieses Verbot bekannt gemacht ist und welche gleichwohl an der Volksversammlung Theil nehmen, oder Andere zur Theilnahme auffordern, in eine Geldstrafe von 1 bis 20 fl.*)

18. Großherzogthum Mecklenburg-Schwerin.

a) Verordnung, betreffend Versammlungen und Vereine zu politischen Zwecken.

Vom 27. Januar 1851. (Reg. Bl. S. 29.)

§ 1. Die Abhaltung von öffentlichen Versammlungen zu politischen Zwecken, oder die Bildung von Vereinen zu politischen Zwecken darf nur mit Genehmigung Unseres Ministeriums des Innern geschehen.

§ 2. Dasselbe ist ermächtigt, diejenigen jetzt vorhandenen politischen Vereine, von deren Wirksamkeit ein nachtheiliger Einfluß auf die Ruhe und den inneren Frieden des Landes zu besorgen ist, sofort zu verbieten und alle zu deren Auflösung erforderlichen Maßregeln zu treffen.

§ 3. Wer an Versammlungen oder Vereinen, welche die unter 1. gedachte Genehmigung nicht erhalten haben, oder welche auf Grund der Bestimmung unter 2. ausdrücklich verboten worden sind, theilnimmt, oder

*) Umrechnung: 7 fl. = 12 Mark, Verordn. v. 31. Aug. 1874 (Reg. Bl. S. 497) § 2.

solche Versammlungen oder Vereine zu bilden versucht, verfällt, neben jeder sonst etwa begründeten Ahndung, in eine nachdrückliche, der Beschaffenheit des Falles entsprechende Geld- oder Gefängniß-Strafe.*)

b) Verordnung zur Ergänzung der Verordnung vom 27sten Januar 1851, betr. Versammlungen und Vereine zu politischen Zwecken.

Vom 2. Mai 1877. (Reg. Bl. S. 67.)

§ 1. Die Vorsteher von Vereinen zu politischen Zwecken, welche nach § 17 des Wahlgesetzes für den Reichstag vom 31. Mai 1869**) einer Genehmigung nicht bedürfen, oder welche nach erwirkter Genehmigung des Ministeriums des Innern auf Grund der Verordnung vom 27. Januar 1851 gebildet worden sind, haben die Verpflichtung, Statuten des Vereins sowie das Namensverzeichniß der Mitglieder und seines Vorstandes binnen drei Tagen nach dessen Stiftung, bezw. nach erlangter Genehmigung, und jede Aenderung der Statuten oder des Vorstandes, nachdem sie eingetreten, bezw. nachdem die Aenderung der Statuten vom Ministerium des Innern genehmigt worden ist, der Ortspolizeibehörde einzureichen, derselben auch auf Erfordern jeder Zeit über die im Bestande der Mitglieder eingetretenen Aenderungen Auskunft zu ertheilen.

---

*) Jetzt Geldstrafe bis 150 Mark oder Haft, Verordn. v. 2. Mai 1877 § 7 Abs. 2 (unten S. 120).

**) Vgl. oben S. 21.

Für bereits bestehende Vereine beginnt diese Verpflichtung vier Wochen nach Publikation dieser Verordnung.

§ 2. Von allen gesetzlich oder durch das Ministerium des Innern gestatteten öffentlichen Versammlungen zu politischen Zwecken haben die Unternehmer, Vorsteher, Ordner oder Leiter spätestens 24 Stunden vor dem Beginne der Versammlung unter genauer Angabe des Ortes, der Zeit und des Zweckes, bezw. unter Vorlegung der vom Ministerium des Innern ertheilten Erlaubniß, Anzeige bei der Ortspolizeibehörde zu machen. Diese Behörde hat darüber sofort eine Bescheinigung zu ertheilen.

Beginnt die Versammlung nicht spätestens eine Stunde nach der in der Anzeige angegebenen Zeit, so ist die später beginnende Versammlung als vorschriftsmäßig angezeigt nicht anzusehen. Dasselbe gilt, wenn eine Versammlung die länger als eine Stunde ausgesetzten Verhandlungen wieder aufnimmt oder wenn eine Versammlung an einem anderen als dem in der Anzeige angegebenen Orte abgehalten wird.

§ 3. Oeffentliche Versammlungen zu politischen Zwecken dürfen nicht unter freiem Himmel stattfinden.

In denselben darf Niemand bewaffnet erscheinen, mit Ausnahme der im Dienste befindlichen Polizeibeamten und Gendarmen. Eben so wenig darf weiblichen Personen, Schülern und Lehrlingen der Zutritt gestattet werden.

Von den öffentlichen Versammlungen der Wahlberechtigten nach § 17 des Reichs-Wahlgesetzes sind diejenigen ausgeschlossen, welche an den Wahlen für den Deutschen Reichstag Theil zu nehmen gesetzlich nicht berechtigt sind.

§ 4. Die Ortspolizeibehörden sind befugt, der Versammlung durch Abgeordnete beizuwohnen.

Die Abgeordneten dürfen nur in ihrer Dienstkleidung oder unter ausdrücklicher Kundgebung ihres Auftragsverhältnisses erscheinen.

Die Ordner oder Leiter der Versammlung haben den Abgeordneten der Polizeibehörden einen von diesen Abgeordneten als angemessen bezeichneten Platz einzuräumen, auf Erfordern auch die Bescheinigung über die gemachte Anzeige — § 2 — vorzuzeigen und Auskunft über die Person der Redner zu geben.

§ 5. Die Abgeordneten der Polizeibehörden sind — vorbehaltlich des gegen die Betheiligten gesetzlich einzuleitenden Strafverfahrens — befugt, die Versammlung aufzulösen,

1) wenn die Bescheinigung über die gemachte Anzeige — § 2 — nicht vorgelegt werden kann;
2) wenn die Versammlung später als eine Stunde nach dem angezeigten Zeitpunkte begonnen, oder nach einer über eine Stunde dauernden Unterbrechung wieder aufgenommen, oder wenn dieselbe an einem andern als dem angezeigten Orte abgehalten wird;

3) wenn in der Versammlung Anträge oder Vorschläge erörtert oder Aeußerungen gemacht werden, die eine Aufforderung oder Anreizung zu strafbaren Handlungen oder eine Verletzung der Strafgesetze enthalten;

4) wenn die Versammlung eine die öffentliche Ruhe und die gesetzliche Ordnung gefährdende Haltung annimmt;

5) wenn in der Versammlung unberechtigte Personen — § 3 — oder Bewaffnete erscheinen, welche ungeachtet der Aufforderung des Abgeordneten der Polizeibehörde nicht entfernt werden;

6) wenn den im § 4 Abs. 3 gegebenen Vorschriften nicht entsprochen wird.

§ 6. Sobald die Versammlung durch einen Abgeordneten der Polizeibehörde für aufgelöst erklärt ist, sind alle Anwesenden verpflichtet, sich sofort zu entfernen. Die Entfernung der Zurückbleibenden kann, wenn nöthig, zwangsweise in Ausführung gebracht werden.

§ 7. Soweit nicht sonstige Strafbestimmungen in Anwendung kommen, werden mit Geldstrafe bis zu 150 Mark oder mit Haft bestraft:

1) die Vorsteher von Vereinen zu politischen Zwecken, welche die Vorschriften im § 1 nicht erfüllen;

2) die Unternehmer, Vorsteher, Ordner und Leiter von öffentlichen Versammlungen zu politischen Zwecken, welche die im § 2 vorgeschriebene Anzeige unterlassen oder den im § 4 Absatz 3 bezeichneten Verpflichtungen nicht entsprechen;

3) wer einer öffentlichen Versammlung zu politischen Zwecken das Lokal eingeräumt hat, oder wer in einer solchen als Vorsteher, Ordner oder Leiter auftritt, ohne daß für dieselbe die im § 2 vorgeschriebene Anzeige gemacht worden ist, minder nicht, wer in einer solchen Versammlung als Redner auftritt, wissend, daß die Anzeige nicht geschehen ist;

4) wer sich aus einer Versammlung, die für aufgelöst erklärt worden ist — §§ 5 und 6 —, nicht sofort entfernt;

5) wer den Bestimmungen des § 3 zuwider in einer Versammlung bewaffnet erscheint, sowie derjenige, welcher nach § 3 von der Theilnahme gesetzlich ausgeschlossen, auf Verlangen des Vorsitzenden sich nicht sofort entfernt;

6) wer dem § 3 zuwider an einer Versammlung unter freiem Himmel Theil nimmt oder zu einer solchen Versammlung auffordert oder auffordern läßt.

Gleiche Strafe trifft denjenigen, welcher den Vorschriften der Verordnung vom 27. Januar 1851 zuwider handelt.

§ 8. Die Bestrafung der Uebertretungen dieser Verordnung sowie auch der Verordnung vom 27. Januar 1851 gebührt den Gerichten und geschieht im Wege des ordentlichen Strafverfahrens.

---

19. Großherzogthum Sachsen=Weimar=Eisenach.

a) Staats=Ministerial=Verordnung.

Vom 15. Juli 1874. (Reg. Bl. S. 332.)

§ 1. 1. Oeffentliche Versammlungen zu politischen (einschließlich sozialpolitischen oder kirchlich=politischen) Zwecken,

2. Versammlungen von Vereinen, welche politische (einschließlich sozialpolitische oder kirchlichpolitische) Zwecke haben,

sind vor deren Abhaltung der Orts=Polizeibehörde rechtzeitig, d. h. mindestens zwölf Stunden vor dem Zusammentritt der Versammlung, unter Angabe von Zeit und Ort derselben anzumelden. Sind eine Anzahl von Bewohnern des Großherzogthums Mitglieder eines Vereins mit politischen (einschließlich sozial=politischen oder kirchlichpolitischen) Zwecken, der außerhalb des Großherzogthums seinen Sitz hat, so sind Versammlungen dieser Mitglieder den unter Ziffer 2 der oben gedachten Versammlungen eines Vereins gleich zu achten.

Ebenso steht einer solchen Vereins-Versammlung gleich die Versammlung von Delegirten von Vereinen der bezeichneten Art, welche im Großherzogthum oder außerhalb desselben ihren Sitz haben.

§ 2. Die Polizeibehörde ist befugt, in die im § 1 dieser Verordnung gedachten Versammlungen, sofern der Vorstand dieser Behörde der Versammlung nicht selbst beiwohnen will, einen oder mehrere Polizeibeamte zu senden. Die Letzteren müssen sich auf Erfordern des Unternehmers oder des Vorsitzenden der Versammlung als amtlich Beauftragte durch schriftlichen Vorweis legitimiren.

Dem Vorstande der Polizeibehörde, sowie dessen Beamten, muß ein nach deren Dafürhalten angemessener Platz in der Versammlung eingeräumt, sowie über die Person der Redner Auskunft ertheilt werden.

Die in Gemäßheit dieser Bestimmung in den betreffenden Versammlungen erschienenen Polizeibeamten haben in Vertretung der Polizeibehörde die Befugniß, eine Versammlung aufzulösen und die Anwesenden aufzufordern, sich aus dieser Versammlung sofort zu entfernen.

§ 3. Störungen der in Gemäßheit des § 1 dieser Verordnung angemeldeten Versammlungen, sofern zu ihrer Beseitigung der Einfluß des Vorsitzenden der Versammlung nicht ausreicht, sind von den anwesenden (§ 2) Polizeipersonen zu rügen und zu verhindern.

Diese Polizeipersonen sind berechtigt, die Störer aus der Versammlung zu weisen und durch geeignete polizeiliche Maßregeln die Freiheit des Versammlungsrechts zu schützen.

§ 4. An Geld bis zu 50 Thalern (150 Mark) oder mit Haft bis zu sechs Wochen werden bestraft:

1) die Unternehmer, Vorsteher, Leiter oder die beauftragten Vertrauensmänner der Versammlungen und Vereine, welche die in § 1 dieser Verordnung bestimmte Verpflichtung nicht erfüllt haben,

2) alle diejenigen, welche einem von der Polizeibehörde innerhalb deren Zuständigkeit erlassenen, in ortsüblicher Weise publizirten oder sonst zu ihrer Kenntniß gelangten Verbote der im § 1 erwähnten Versammlungen zuwider, dennoch an der verbotenen Versammlung Theil nehmen,

3) diejenigen, welche nach Auflösung einer Versammlung durch den Vorstand der Polizeibehörde oder durch die nach § 2 dieser Verordnung beauftragten und kraft dieses Auftrags hierzu legitimirten Polizeibeamten sich aus dieser Versammlung nicht sofort entfernen,

4) diejenigen, welche den in Gemäßheit des § 3 dieser Verordnung von Polizeipersonen an sie gerichteten Aufforderungen und gegebenen Anordnungen sich ungehorsam erweisen.

b) Staats-Ministerial-Verordnung.

Vom 21. April 1875. (Reg. Bl. S. 271).

1. Schulkindern, ingleichen solchen Personen, welche noch in dem für den Besuch der Fortbildungsschule vorgeschriebenen Alter stehen, ohne Unterschied, ob sie zum Besuch einer solchen jeweilig herangezogen sind oder nicht, ist die Theilnahme an Versammlungen und Vereinen zu politischen (einschließlich sozialpolitischen und kirchlich-politischen) Zwecken verboten.

2. Die Uebertretung dieses Verbots wird mit Geld bis zu 60 Mark oder mit Haft bis zu 14 Tagen bestraft.

3. Die Polizeibehörden haben die Befolgung des Verbots streng zu überwachen; insbesondere sind die Polizeibeamten, welche nach § 2 der Verordnung vom 15. Juli 1874 politischen Versammlungen beiwohnen, verpflichtet, vorkommenden Falles die Entfernung der in Ziffer 1 bezeichneten Personen aus der Versammlung zu veranlassen. Dieselben sind befugt, eine Versammlung aufzulösen, wenn ihrem Entfernungsgebot keine Folge geleistet wird.

20. Großherzogthum Mecklenburg-Strelitz.

Verordnung vom 19. Februar 1891.

(Offic. Anzeiger S. 28.)

§ 1. Die Abhaltung von öffentlichen Versammlungen zu politischen Zwecken und die Bildung von Vereinen zu politischen Zwecken darf, soweit nicht gesetzliche Ausnahmen bestehen (cfr. Wahlgesetz für den Reichstag vom 31. Mai 1869, § 17)*) nur mit Genehmigung unserer Landes-Regierung geschehen.

Für die bereits bestehenden politischen Vereine ist, soweit dieselben nicht gesetzlich ohne Genehmigung statthaft sind, die Genehmigung Unserer Landes-Regierung innerhalb eines Monats nach Publikation dieser Verordnung durch die Vorsteher einzuholen.

§ 2. Die Vorsteher von Vereinen zu politischen Zwecken, welche gesetzlich einer Genehmigung nicht bedürfen oder regiminell genehmigt worden sind, haben die Verpflichtung, die Statuten des Vereins, sowie das Namens-Verzeichniß der Mitglieder und des Vorstandes binnen drei Tagen nach der Stiftung, bezw. nach der erlangten Genehmigung, und jede Aenderung der Statuten oder des Vorstandes, nachdem sie ein-

---

*) Vgl. oben S. 21. Ueber die Veranstaltung öffentlicher Wählerversammlungen an Sonn- und Festtagen vgl. Bekanntm. v. 29. Januar 1892 (Offic. Anzeiger S. 29).

getreten, bezw. nachdem die Aenderung der Statuten regiminell genehmigt worden ist, der Ortspolizeibehörde einzureichen, derselben auch auf Erfordern jederzeit über die im Bestande der Mitglieder eingetretenen Aenderungen Auskunft zu ertheilen.

Für bereits bestehende Vereine beginnt diese Verpflichtung vier Wochen nach Publikation dieser Verordnung.

§ 3. Von allen gesetzlich oder durch Unsere Landes-Regierung gestatteten öffentlichen Versammlungen zu politischen Zwecken haben die Unternehmer, Vorsteher, Ordner oder Leiter spätestens 24 Stunden vor dem Beginn der Versammlung unter genauer Angabe des Ortes, der Zeit und des Zweckes, bezw. unter Vorlegung der von Unserer Landes-Regierung ertheilten Erlaubniß, Anzeige bei der Ortspolizeibehörde zu machen. Diese Behörde hat darüber sofort eine Bescheinigung zu ertheilen.

Beginnt die Versammlung nicht spätestens eine Stunde nach der in der Anzeige angegebenen Zeit, so ist die später beginnende Versammlung als vorschriftsmäßig angezeigt nicht anzusehen. Dasselbe gilt, wenn eine Versammlung die länger als eine Stunde ausgesetzten Verhandlungen wieder aufnimmt, oder wenn eine Versammlung an einem anderen als dem in der Anzeige angegebenen Orte abgehalten wird.

§ 4. Oeffentliche Versammlungen zu politischen Zwecken dürfen nicht unter freiem Himmel stattfinden.

In denselben darf Niemand bewaffnet erscheinen, mit Ausnahme der im Dienste befindlichen Polizeibeamten und Gensdarmen. Ebensowenig darf weiblichen Personen, Schülern und Lehrlingen der Zutritt gestattet werden.

Von den öffentlichen Versammlungen der Wahlberechtigten nach § 17 des Reichswahlgesetzes sind diejenigen ausgeschlossen, welche an den Wahlen für den deutschen Reichstag Theil zu nehmen gesetzlich nicht berechtigt sind.

§ 5. Die Ortspolizeibehörden sind befugt, der Versammlung durch Abgeordnete beizuwohnen.

Die Abgeordneten dürfen nur in ihrer Dienstkleidung oder unter ausdrücklicher Kundgebung ihres Auftragsverhältnisses erscheinen.

Die Ordner oder Leiter der Versammlung haben den Abgeordneten der Polizeibehörden einen von diesen Abgeordneten als angemessen bezeichneten Platz einzuräumen, auf Erfordern auch die Bescheinigung über die gemachte Anzeige (§ 3) vorzuzeigen und Auskunft über die Person der Redner zu geben.

§ 6. Die Abgeordneten der Polizeibehörden sind — vorbehaltlich des gegen die Betheiligten gesetzlich einzuleitenden Strafverfahrens — befugt, die Versammlung aufzulösen,

1) wenn die Bescheinigung über die gemachte Anzeige — § 3 — nicht vorgelegt werden kann;

2) wenn die Versammlung später als eine Stunde nach dem angezeigten Zeitpunkte begonnen, oder nach einer über eine Stunde dauernden Unterbrechung wieder aufgenommen, oder wenn dieselbe an einem andern als dem angezeigten Orte abgehalten wird;

3) wenn in der Versammlung Anträge oder Vorschläge erörtert oder Aeußerungen gemacht werden, die eine Aufforderung oder Anreizung zu strafbaren Handlungen oder eine Verletzung der Strafgesetze enthalten;

4) wenn die Versammlung eine die öffentliche Ruhe und die gesetzliche Ordnung gefährdende Haltung annimmt;

5) wenn in der Versammlung unberechtigte Personen — § 4 — oder Bewaffnete erscheinen, welche ungeachtet der Aufforderung des Abgeordneten der Polizeibehörde nicht entfernt werden;

6) wenn den im § 5, Absatz 3 gegebenen Vorschriften nicht entsprochen wird.

§ 7. Sobald die Versammlung durch einen Abgeordneten der Polizeibehörde für aufgelöst erklärt ist, sind alle Anwesenden verpflichtet, sich sofort zu entfernen. Die Entfernung der Zurückbleibenden kann, wenn nöthig, zwangsweise in Ausführung gebracht werden.

§ 8. Soweit nicht sonstige Strafbestimmungen in Anwendung kommen, werden mit Geldstrafe bis 150 Mk. oder mit Haft bestraft:

1) Personen, welche an Versammlungen und Vereinen, welche die in § 1 vorgeschriebene Genehmigung nicht erhalten haben, theilnehmen, wissend, daß denselben die Genehmigung nicht ertheilt ist, sowie Personen, welche zur Theilnahme an derartigen Versammlungen auffordern;
2) die Vorsteher von Vereinen zu politischen Zwecken, welche die Vorschriften in § 2 nicht erfüllen;
3) die Unternehmer, Vorsteher, Ordner und Leiter von öffentlichen Versammlungen zu politischen Zwecken, welche die im § 3 vorgeschriebene Anzeige unterlassen oder den im § 5 Absatz 3 bezeichneten Verpflichtungen nicht entsprechen;
4) wer einer öffentlichen Versammlung zu politischen Zwecken das Lokal eingeräumt hat, oder wer in einer solchen als Vorsteher, Ordner oder Leiter auftritt, ohne daß für dieselbe die im § 3 vorgeschriebene Anzeige gemacht worden ist, minder nicht, wer in einer solchen Versammlung als Redner auftritt, wissend, daß die Anzeige nicht geschehen ist;
5) wer sich aus einer Versammlung, die für aufgelöst erklärt worden ist — §§ 6 und 7 —, nicht sofort entfernt;

6) wer den Bestimmungen des § 4 zuwider in einer Versammlung bewaffnet erscheint, sowie derjenige, welcher, nach § 4 von der Theilnahme gesetzlich ausgeschlossen, auf Verlangen des Vorsitzenden sich nicht sofort entfernt;

7) wer dem § 4 zuwider an einer Versammlung unter freiem Himmel Theil nimmt oder zu einer solchen Versammlung auffordert oder auffordern läßt.

§ 9. Die Bestrafung der Uebertretungen dieser Verordnung gebührt den Gerichten und geschieht im Wege des ordentlichen Strafverfahrens.

---

21. Großherzogthum Oldenburg.

Verordnung, betreffend den Beschluß der Deutschen Bundesversammlung vom 13. Juli 1854 über das Vereinswesen.

Vom 19. Juli 1855. (Ges. Bl. für d. Herzogthum Oldenburg Bd. 14 S. 1067, für das Fürstenthum Birkenfeld Bd. 1 S. 221, für das oldenb. Fürstenthum Lübeck Bd. 6 S. 47).

Diese Verordnung giebt dem Bundesbeschluß vom 13. Juli 1854 (oben S. 111) Gesetzeskraft für das Großherzogthum Oldenburg und knüpft daran folgende

Ausführungsbestimmungen:

Art. 1. Die Vorstände sämmtlicher im Großherzogthum bestehenden Vereine sind verpflichtet, über die Zwecke und Einrichtungen derselben den Ortspolizeibehörden (Aemter, Magistrate der Städte Oldenburg, Jever und Eutin) binnen 8 Tagen nach dieserhalb geschehener Aufforderung die verlangte Auskunft zu geben, insbesondere auch auf Verlangen die Vereinsstatuten sowie Verzeichnisse der Mitglieder einzuliefern (§ 1 und § 2 des Bundesbeschlusses).

Art. 2. § 1. In Versammlungen der im § 5 des Bundesbeschlusses bezeichneten Vereine können die Ortspolizeibehörden zur Ausübung ihrer dort erwähnten Befugnisse Abgeordnete entsenden, denen ein angemessener Platz einzuräumen ist.

§ 2. Die Abgeordneten sind nicht verpflichtet, sich als solche durch besondere Vollmacht auszuweisen, wenn sie in dem betreffenden Bezirke als Polizeibeamte angestellt sind und in der Dienstkleidung erscheinen.

Art. 3. Arbeitervereine und Verbrüderungen, welche politische, sozialistische oder kommunistische Zwecke verfolgen, sind verboten (§ 8 des Bundesbeschlusses).

Art. 4. Vorsteher oder Theilnehmer von Vereinen, welche den Bestimmungen des Bundesbeschlusses oder der gegenwärtigen Verordnung zuwider handeln, oder welche nach vorgenommener Auflösung einer Versammlung (§ 5 des Bundesbeschlusses) sich nicht sofort entfernen, sollen, soweit nicht anderweite Strafbestimmungen in Anwendung kommen, mit einer Ordnungsstrafe von 1 bis 10 Thalern oder entsprechendem *Gefängniss**) belegt werden.

22. Herzogthum Braunschweig.

a) Gesetz über das Vereinigungsrecht.**)

Vom 20. Juni 1848.

(Gesetz- u. Verordn.-Samml. S. 113.)

§ 1. Alle Landeseinwohner sind berechtigt, sich friedlich und ohne Waffen in geschlossenen Räumen zu versammeln.

§ 2. Von großen öffentlichen Versammlungen unter freiem Himmel ist der Polizeibehörde zuvor Anzeige zu machen. Die Polizeibehörde ist befugt, die Versammlung zu untersagen, wenn Gefahren für die öffentliche Ruhe und Sicherheit dringend zu besorgen sind.

§ 3. Die Vereinigung zu Gesellschaften ist erlaubt. Nur Gesellschaften, welche gesetzwidrige Zwecke verfolgen, bleiben verboten.

§ 4. Alle das freie Vereinigungsrecht beschränkenden, noch bestehenden gesetzlichen Bestimmungen werden hiermit aufgehoben.

---

*) Jetzt Haft, vgl. § 28 R. Str. G. B.

**) Nähere Bestimmungen und Einschränkungen enthalten die im Text abgedruckten Gesetze vom 4. Juli 1853 u. v. 16. November 1864.

b) Gesetz, polizeiliche Maßregeln gegen den Mißbrauch des Vereins- und Versammlungsrechts und die Bestrafung gesetz- und ordnungswidriger Vereine und Versammlungen betreffend.

Vom 4. Juli 1853.
(Gesetz- und Verordn.-Samml. S. 181.)

I. Umfang des Gesetzes.*)

§ 1. Die Bestimmungen dieses Gesetzes beziehen sich nicht auf Vereine und deren Versammlungen, welche Korporationsrechte haben oder von der Landes-Regierung genehmigt sind, sowie auf Versammlungen zur Besprechung von Kommunal-, Amtsraths- und Landtags-Wahlen.

II. Polizeiliche Maßregeln gegen den Mißbrauch des Vereinsrechts.

§ 2. Unternehmer und Vorsteher von Vereinen, welche sich mit öffentlichen Angelegenheiten beschäftigen, haben, falls der Verein zur Zeit der Publikation dieses

---

*) Religiöse Vereine, sowie Versammlungen welche sich mit religiösen Angelegenheiten beschäftigen, sind nach dem Gesetz, die Verhältnisse der Dissidenten betr., v. 25. März 1873 (Ges.- u. Verordn.-Samml. S. 289), §§ 18 fg., den §§ 1 bis 3, 5 bis 13, 15 bis 27, 29 bis 34 des Gesetzes vom 4. Juli 1853 unterworfen. Die Orts- und Landes-Polizei-Behörde ist befugt, an den Versammlungen einen oder zwei Beamte oder Abgeordnete Theil nehmen zu lassen. Korporative Rechte erlangen religiöse Vereine und Genossenschaften nur durch besondere Verleihung seitens der Herzogl. Landes-Regierung.

Gesetzes bereits besteht, binnen 14 Tagen nach dessen Publikation, falls der Verein später gestiftet wird, binnen 8 Tagen nach Stiftung desselben, über Zusammensetzung, Zweck und Wirksamkeit des Vereins mit Einreichung der Statuten und des Verzeichnisses der Mitglieder, der Herzoglichen Kreis-Direktion, in Braunschweig der Herzogl. Polizei-Direktion, Anzeige zu machen, auch diesen Behörden auf Erfordern jede darauf bezügliche Auskunft zu geben.

Diese Behörden haben über solche Anzeige sofort eine Bescheinigung zu ertheilen.

§ 3. Politische Vereine haben binnen 8 Tagen jede Aenderung der Statuten und Mitglieder den § 2 erwähnten Behörden anzuzeigen. Andere, sich mit öffentlichen Angelegenheiten beschäftigende Vereine, haben eine solche Anzeige am Schlusse jedes Kalenderjahres zu machen.

Die Herzogl. Kreis-Direktionen entscheiden darüber, welche Vereine als politische anzusehen seien, mit Vorbehalt des Rekurses an Unser Herzogliches Staats-Ministerium.

§ 4. Politische Vereine dürfen

1) Frauenspersonen, Schüler, Lehrlinge, Personen welche die politischen Rechte verloren haben, oder als Mitglieder von Vereinen, welche gesetzwidrige Zwecke verfolgen, innerhalb der letzten drei Jahre in Folge rechtlichen Erkenntnisses mit Strafe belegt sind, nicht als Mitglieder aufnehmen,

2) sie dürfen mit andern Vereinen nicht in der Art in Verbindung treten, daß entweder der eine Verein den Beschlüssen und Organen des anderen unterworfen oder mehrere solcher Vereine unter einem gemeinsamen Organe vereinigt werden.

§ 5. Die Landes-Regierung kann einen Verein, dessen Einrichtung oder Thätigkeit der kirchlichen, gesellschaftlichen oder staatlichen Ordnung gefährlich wird, auflösen.

Sie wird die Auflösung in einer Verordnung verfügen.

§ 6. Die Mitglieder des aufgelösten Vereins dürfen innerhalb dreier Monate nach dessen Auflösung weder einen neuen, sich mit öffentlichen Angelegenheiten beschäftigenden Verein bilden, noch Mitglieder eines solchen Vereins werden.

Die Herzogl. Kreis-Direktionen, in Braunschweig die Herzogl. Polizei-Direktion, hat einen rechtskundigen Geschäftsführer zu bestellen, welchem von dem Vereins-Vorstande das Vermögen des Vereins zu übergeben, damit er, insofern für einen solchen Fall die Statuten nichts bestimmen, dasselbe den bestehenden Rechtsgrundsätzen und rechtlichen Verhältnissen gemäß, unter die Vereinsmitglieder vertheile.

§ 7. Die Herzogl. Kreis-Direktionen sind befugt, einen Verein, gegen welchen der Verdacht vorliegt, daß er gesetzwidrige Zwecke verfolge, vorläufig zu schließen, dieselben sind aber gehalten, binnen 8 Tagen davon, daß solches geschehen, dem zuständigen Herzogl. Staatsanwalte, behufs kriminalrechtlicher Verfolgung der Vorsteher oder Mitglieder des Vereins, Mittheilung zu machen.

Der Herzogliche Staatsanwalt hat spätestens binnen einer gleichen Frist einen Antrag auf Einleitung der Untersuchung bei dem zuständigen Gerichte zu machen. Lehnt der Herzogliche Staatsanwalt nach Lage der Sache den Antrag ab, oder wird nach dem Beschlusse des Gerichts das strafrechtliche Verfahren eingestellt, oder erfolgt ein freisprechendes Erkenntniß, so tritt die vorläufige Schließung des Vereins außer Kraft.

III. Polizeiliche Maßregeln gegen den Mißbrauch des Versammlungsrechts.

1. Versammlungen in geschlossenen Räumen.

A. Von Vereinen.

§ 8. Steht für die Versammlung in geschlossenen Räumen für einen Verein, welcher eine Einwirkung auf öffentliche Angelegenheiten bezweckt, Zeit und Ort statutenmäßig oder durch einen besonderen Beschluß im Voraus fest und ist dies wenigstens 24 Stunden vor der ersten Versammlung zur Kenntniß der Ortspolizeibehörde gebracht, so bedarf es einer besonderen Anzeige für die einzelne Versammlung nicht.

Ist dies nicht der Fall, so haben die Unternehmer und Vorsteher von öffentlichen Vereins-Versammlungen eine solche Anzeige unter Angabe des Zwecks, der Tageszeit und Stunde und des Ortes mindestens 24 Stunden vorher bei der Ortspolizeibehörde zu machen und dieselbe hat darüber sofort eine Bescheinigung zu ertheilen.

Als öffentliche Vereins-Versammlungen sind anzusehen alle solche, welche nach vorhergehender öffentlicher oder allgemeiner Einladung (in öffentlichen Lokalen, Wirthshäusern, Schänken u. s. w. oder in besonders zu diesem Zwecke gemietheten oder eingeräumten Lokalen) abgehalten werden.

§ 9. Die Orts- und Landespolizeibehörde ist befugt, in alle öffentlichen Versammlungen politischer Vereine einen oder zwei, wenn thunlich, höhere Polizeibeamte oder eine oder zwei Personen als Abgeordnete zu senden.

Die Beamten oder Abgeordneten der Polizei müssen unter ausdrücklicher Kundgebung ihrer dienstlichen Eigenschaft erscheinen und durch ihre Dienstkleidung oder besondere Abzeichen erkennbar sein. Es ist ihnen ein angemessener Platz einzuräumen und ihnen auf Erfordern durch den Vorsitzenden Auskunft über die Person der Redner zu geben.

B. Andere Versammlungen.

§ 10. Auf nicht von Vereinen ausgehende öffentliche Versammlungen (§ 8), in welchen öffentliche Angelegenheiten berathen und erörtert werden sollen, finden die in den §§ 8 und 9 gegebenen Vorschriften ebenfalls Anwendung. Die nach § 8 zu machende Anzeige muß indeß von wenigstens drei wahlberechtigten Einwohnern der Gemeinde unterschrieben sein, innerhalb deren Bezirke die Versammlung abgehalten werden soll.

2. Versammlungen unter freiem Himmel.

§ 11. Die in dem § 2 des Gesetzes vom 10.*) Juni 1848 über das Vereinigungsrecht vorgeschriebene Anzeige ist von den Unternehmern, Vorstehern, Ordnern oder Leitern großer öffentlicher Versammlungen unter freiem Himmel mindestens 48 Stunden vor der Zusammenkunft bei der Ortspolizeibehörde, gleichzeitig aber auch bei der Herzogl. Kreis-Direktion zu machen, insofern die Abhaltung der Versammlung durch Inserate in den öffentlichen Blättern, durch Anschläge oder in mehreren Orten bekannt gemacht wird. Sie muß von wenigstens drei wahlberechtigten Einwohnern der Gemeinde, in deren Bezirke die Versammlung gehalten werden soll, unterschrieben sein, und Ort, Tageszeit und Stunde und Zweck der Versammlung angeben. Die Behörden haben über solche Anzeigen sofort Bescheinigung zu ertheilen.

§ 12. Der besondern Genehmigung derjenigen Polizeibehörde, bei welcher die Anzeige erfolgen muß,

---

*) Druckfehler in dem amtlichen Gesetzes-Text, anstatt 20. Juni 1848. Vgl. oben S. 132.

bedarf es, wenn solche Versammlungen in Ortschaften, auf Land- und Heerstraßen oder in der Nähe der Herzogl. Residenzschlösser stattfinden sollen.

§ 13. Die Orts- und Landespolizeibehörden sind eben so berechtigt als verpflichtet, hinsichtlich solcher Versammlungen die erforderlichen Maßregeln zur Aufrechterhaltung der öffentlichen Ordnung und Sicherheit zu treffen und namentlich einen oder mehrere Polizeibeamte in die Versammlung abzuordnen, hinsichtlich deren die oben § 9 gegebenen Vorschriften gleichfalls gelten.

3. Gemeinschaftliche Bestimmungen für alle Versammlungen.

§ 14. Frauenspersonen, Schüler, Lehrlinge sind in öffentlichen Versammlungen, in welchen öffentliche Angelegenheiten verhandelt werden sollen, wenn sie in geschlossenen Räumen abgehalten werden, nicht zuzulassen.

§ 15. Niemand darf in einer öffentlichen Versammlung, in welcher öffentliche Angelegenheiten berathen werden sollen, bewaffnet erscheinen, mit Ausnahme der im Dienste befindlichen Polizei-Offizianten.

§ 16. Bei allen öffentlichen Versammlungen sind die Vorschriften der Polizeigesetze und Verordnungen, namentlich auch die über die Sonntagsfeier, die Schließung der Wirthshäuser und über Nichtstörung der nächtlichen Ruhe zu beobachten.

§ 17. Die Polizeibehörden sind befugt, jede Versammlung aufzulösen, bezüglich deren die vorschriftsmäßige Anzeige (§§ 8, 10 und 11) gar nicht erfolgt ist.

§ 18. Die in die Versammlung abgesandten Polizeibeamten oder Abgeordneten der Polizei sind befugt, die Versammlung aufzulösen,

1) wenn Unbefugte (§ 14) oder Bewaffnete in derselben zugelassen und auf Erinnerung nicht entfernt werden,
2) wenn Anträge oder Vorschläge erörtert werden, die eine Anreizung zu strafbaren Handlungen enthalten,
3) wenn Widersetzlichkeiten gegen die Anordnungen dieser Abgeordneten oder
4) Schlägereien unter den Versammelten vorkommen.

§ 19. Sobald die Polizei die Versammlung für aufgelöset erklärt hat, sind alle Anwesenden verpflichtet, sich sofort zu entfernen.

Diese Erklärung kann nöthigenfalls durch die bewaffnete Macht zur Ausführung gebracht werden.

VI. Strafbestimmungen.

§ 20. Die Unternehmer und Vorsteher von Vereinen, sowie die Unternehmer, Vorsteher, Ordner und Leiter öffentlicher Versammlungen sind zunächst dafür verantwortlich, daß die Bestimmungen dieses Gesetzes befolgt und gesetzwidrige Zwecke nicht verfolgt werden, so daß sie als Mitschuldige in Betreff aller in dem Vereine oder der Versammlung durch Worte oder Handlungen begangenen Vergehen der polizeilichen oder kriminalrechtlichen Bestrafung unterworfen sind, sofern sie nicht die erforderlichen Schritte gethan haben, die Vergehen zu verhindern, namentlich in den Versammlungen durch Entziehung des Wortes, durch Abmahnungen und eventuell durch Schließung der Versammlung.

§ 21. Kontraventionen gegen die §§ 2 und 3 dieses Gesetzes sind an den Unternehmern oder Vorstehern der Vereine mit einer Geldstrafe von 5 bis 10 Thalern zu bestrafen.

Machen sie wissentlich den Behörden falsche Angaben durch Ableugnung der Existenz des Vereins oder in anderer Weise, so verfallen sie in eine Geldstrafe von 10 bis 50 Thalern und bei beabsichtigter Verdeckung gesetzwidriger Zwecke in Gefängnißstrafe von 14 Tagen bis 3 Monaten.

§ 22. An denselben sind wissentliche Kontraventionen gegen § 4 Nr. 1 mit einer Geldstrafe von 5 bis 10 Thalern und Kontraventionen gegen § 4 Nr. 2 mit *Gefängnissstrafe**) von 8 bis 14 Tagen zu bestrafen.

---

*) Jetzt Haft, vgl. § 2 Ges. v. 22. Dez. 1870 (Ges.- u. Verordn.-Samml. S. 659).

§ 23. Vorsteher und Mitglieder eines Vereins sind
1) wenn sie ihre Vereinsthätigkeit fortsetzen, nachdem derselbe von der Landesregierung aufgelöst ist, mit einer Gefängnißstrafe von drei Monaten bis zu einem Jahre;
2) wenn sie das Vermögen des Vereins verheimlichen, vernichten, nicht vollständig herausgeben, oder vor dem Ablaufe dreier Monate einen neuen Verein bilden oder in einen andern Verein eintreten, mit einer Gefängnißstrafe von 14 Tagen bis zu drei Monaten

zu belegen.

§ 24. Vorsteher und Mitglieder eines Vereins sind, wenn sie ihre Vereinsthätigkeit fortsetzen, während der Verein von der Herzogl. Kreis-Direktion vorläufig geschlossen ist, mit Gefängnißstrafe von 14 Tagen bis 3 Monaten zu belegen.

§ 25. Unternehmer und Vorsteher von Vereinen, welche die § 8 vorgeschriebene Anzeige öffentlicher Versammlungen nicht nachweisen können oder in denselben unrichtige Angaben gemacht haben, namentlich hinsichtlich der Zeit der Versammlung, verfallen in eine Geldstrafe von 5 bis 10 Thalern.

§ 26. Unternehmer und Vorsteher von politischen Vereinen sowie von öffentlichen Versammlungen in geschlossenen Räumen, welche die vorgeschriebene Anzeige (§§ 8 und 10) nicht nachweisen können oder in derselben unrichtige Angaben gemacht haben, namentlich hinsichtlich der Zeit der Versammlung, verfallen in eine Geldstrafe von 10 bis 50 Thalern.

Sind die Unternehmer nicht wenigstens drei der Gemeinde, wo die Versammlung abgehalten wird, angehörige Wahlberechtigte, ist die Aufforderung zu der Versammlung anonym erlassen oder liegt in der nicht erfolgten Anzeige eine geflissentliche Nichtachtung der gesetzlichen Vorschrift, so ist auf Gefängnißstrafe von 14 Tagen bis zu 3 Monaten zu erkennen.

§ 27. Unternehmer, Vorsteher, Leiter und Ordner großer Versammlungen unter freiem Himmel, welche den Vorschriften der §§ 11 und 12 zuwider handeln, sind mit einer Geldstrafe von 20 bis 50 Thalern zu belegen. Bei dem Vorhandensein der in § 26 erwähnten erschwerenden Umstände ist auf Gefängniß von 4 Wochen bis zu 3 Monaten zu erkennen.

§ 28. Vorsteher von Vereinen und Unternehmer von Versammlungen, die zu der Versammlung Unbefugte zulassen (§ 14), verfallen in eine Geldstrafe von 5 bis 10 Thalern.

§ 29. Wer bewaffnet in einer Versammlung (§ 15) erscheint, ist mit *Gefängniss*)* von 8 bis 14 Tagen zu belegen.

§ 30. Gleiche Strafe*) trifft die Vorsteher von Vereinen und die Unternehmer von Versammlungen, wenn sie nicht Sorge tragen, daß in der Versammlung

*) Jetzt Haft, vgl. Anm. bei § 22.

die Abgeordneten der Polizei zugelassen oder die § 9 im zweiten Absatze gegebenen Vorschriften gegen dieselben erfüllt werden.

§ 31. Vorsteher und Mitglieder von Vereinen, Unternehmer und Theilnehmer von Versammlungen, welche den Geboten der Polizei, welche die Versammlung auflöst (§§ 17, 18, 19), nicht nachkommen, sind mit Gefängniß von 14 Tagen bis zu 6 Monaten zu belegen (*Criminal-Gesetz-Buch* § 108), vorbehaltlich der etwa durch Widersetzlichkeit oder Thätlichkeiten gegen die Obrigkeit verwirkten härteren Strafen (*Cr.-G.-B.* § 107).*)

§ 32. *Die Vorschriften des Criminal-Gesetz-Buchs über unerlaubte Verbindungen und gesetzwidrige Vereine (§ 88 No. 1)**) bleiben unverändert und die nach denselben verwirkten Strafen treten neben den in diesem Gesetze angedrohten ein.*

§ 33. Mitglieder von Verbindungen, welche gesetzwidrige Zwecke verfolgen, hinsichtlich deren das Criminal-Gesetz-Buch nicht speziell eine Strafe androht, sind mit Gefängniß von 14 Tagen bis 6 Monaten zu belegen.

§ 34 (betraf die Zuständigkeit der Gerichte.)

---

*) Vgl. jetzt Reichs-Str. G. B. §§ 113 ff. Das Criminal-Gesetz-Buch (vom 10. Juli 1840) ist durch das braunschw. Einf. Ges. zum R. Str. G. B v. 22. Dez. 1870 (Ges.- u. Verordn.-Samml. S. 631) gänzlich aufgehoben worden.

**) Vgl. jetzt Reichs-Str. G. B. §§ 128, 129 (oben S. 17 fg.) u. die vorige Note.

c) Verordnung, die Publikation des Bundesbeschlusses vom 13. Juli d. J. über das Vereinswesen betreffend. Vom 21. September 1854. (Gesetz- u. Verordn.-Samml. S. 213.)

Diese Verordnung bringt den Bundesbeschluß vom 13. Juli 1854 (oben S. 111) zur allgemeinen Kenntniß mit dem Zusatze: „. . . und behalten uns vor, wegen der im § 8 des Bundesbeschlusses enthaltenen Vorschriften die erforderlichen gesetzlichen Bestimmungen zu erlassen, wie denn wegen der in § 1—7 des Bundesbeschlusses sanktionirten allgemeinen Grundsätze in dem Gesetze vom 4. Juli 1853 bereits die erforderlichen Bestimmungen enthalten sind, bei welchen es sein Bewenden behält."

d) Gesetz, die Ausführung des § 8 des Bundesbeschlusses vom 13. Juli d. J. wegen der Arbeitervereine betr. Vom 16. November 1854. (Gesetz- u. Verordn.-Samml. S. 247.)

§ 1. Arbeitervereine und Arbeiter-Verbrüderungen, welche politische, socialistische oder communistische Zwecke verfolgen, sind verboten.

§ 2. Zuwiderhandlungen gegen dieses Verbot durch Neubildung solcher Vereine oder Verbrüderungen oder durch Theilnahme an denselben sind mit Gefängnißstrafe von drei Monaten bis zu einem Jahre zu belegen.

§ 3. Bestehende Vereine oder Verbrüderungen dieser Art wird die Landesregierung durch Verordnungen auflösen.

§ 4 (handelte von der Zuständigkeit der Gerichte.)

---

23. Herzogthum Sachsen-Meiningen.

a) Grundgesetz.

Vom 23. August 1829.

(Samml. der landesherrl. Verordnungen Bd. 1 S. 139).

Art. 28. Es ist zwar den Unterthanen nicht verwehrt, zu Zwecken, welche an sich nicht gesetzwidrig sind, Gesellschaften zu stiften; allein das Recht der Persönlichkeit, die Fähigkeit, auf den Namen der Gesellschaft Grundeigenthum zu erwerben, Beamte zu bestellen, ein Siegel zu führen und Statuten zu errichten, erlangen sie nur durch Bewilligung des Staats.

b) Generalrescript des Herzoglichen Staatsministerii, Abth. des Innern.

Vom 29. Mai 1868.*) (Auszug.)

Die Befugniß der Staatsregierung, die Vereine . . . zu überwachen und erforderlichen Falls vorbeugend einzuschreiten, ist . . . mit dem Aufhören der Wirk-

---

*) Nicht in der „Samml. der Ausschreiben" publizirt, sondern nur an die Herzogl. Verwaltungsbehörden ergangen (laut Auskunft des Herzogl. Staatsministerii vom 26. Oktober 1893).

samkeit des Bundesbeschlusses vom 13. Juli 1854 *) nicht aufgehoben . . .

(Es) kann davon Umgang genommen werden, die Vereine von vornherein zur Anzeige von ihrem Bestehen, ihren Zwecken und Einrichtungen anzuhalten. Man darf sich vielmehr auch den politischen Vereinen gegenüber darauf beschränken, . . . in den einzelnen Fällen, wo etwa die Besorgniß einer Gefährdung der öffentlichen Ordnung und Sicherheit hervortritt, oder wo sonst eine genauere Kenntnißnahme von besonderem Interesse ist, nähere Erkundigungen einzuziehen und je nach Befinden Angaben über die Zwecke, Einrichtungen, Vorsteher, Mitglieder eines Vereins und über den etwaigen Verkehr mit andern zu erfordern . . .

Die ausdrückliche Genehmigung der Statuten der Vereine oder der Abänderungen derselben ist — wo es sich nicht um Vereine handelt, welche korporative Rechte (Grundgesetz vom 23. August 1829 Art. 28) haben oder zu erlangen wünschen oder wo nicht ausdrücklich ein Anderes gesetzlich vorgeschrieben ist — nirgends erforderlich . . .

c) Ministerial-Ausschreiben, betr. öffentliche Versammlungen.

Vom 25. Oktober 1878.

(Samml. der Ausschreiben S. 125.)

§ 1. Jede öffentliche Versammlung zu politischen oder sozialpolitischen Zwecken ist unter Angabe des

*) Vgl. oben S. 111; für Sachsen-Meiningen außer Wirkung gesetzt.

Orts, der Zeit und des Zwecks derselben sowie der etwa zum Voraus zur Leitung und zum Sprechen darin ausersehenen Personen spätestens am Tage vor dem Zusammentritt schriftlich dem Landrath und dem Ortsvorstande anzumelden, in dessen Bezirk sie stattfindet.

Ueber die erfolgte Anmeldung ist auf Verlangen eine Bescheinigung kostenfrei auszustellen.

§ 2. Den in § 1 bezeichneten, sowie den dieselben begleitenden oder von ihnen abgeordneten Beamten ist der Zutritt zur Versammlung und ein geeigneter Platz in derselben einzuräumen, auch auf Verlangen über die Person des Vorsitzenden oder des Leiters der Versammlung und der Redner Auskunft zu ertheilen.

Diese Beamten sind befugt, Anordnungen zur Aufrechterhaltung der Ordnung und Ruhe zu treffen, zu fordern, daß bewaffnete oder nicht volljährige Personen und aus Wahlversammlungen nicht im wahlfähigen Alter stehende Personen sich entfernen, sowie nach Befinden die Versammlung aufzulösen.

§ 3. Mit Geldstrafe bis zu 85 *M.* oder mit Haft bis zu 14 Tagen wird, vorbehaltlich der etwa sonst verwirkten Strafe, belegt,

1) wer eine Versammlung einberuft oder deren Vorsitz oder Leitung übernimmt, ohne daß die vorgeschriebene Anmeldung rechtzeitig erfolgte,
2) der Vorsitzende oder Leiter der Versammlung oder der Redner, welcher der Vorschrift im § 2 Abs. 1 zuwider handelt,

3) wer den nach § 2 Abs. 2 getroffenen Anordordnungen oder gestellten Aufforderungen nicht Folge leistet.

---

24. Herzogthum Sachsen-Altenburg.

a) Verordnung, den Beschluß der Deutschen Bundesversammlung vom 13. Juli vorigen Jahres über Maßregeln zur Aufrechterhaltung der gesetzlichen Ordnung und Ruhe im Deutschen Bunde, insbesondere das Vereinswesen betreffend.

Vom 1. März 1855 (G.S. S. 64.)

Diese Verordnung verkündet den Bundesbeschluß vom 13. Juli 1854 (oben S. 111) als Landesgesetz und knüpft daran folgende Ausführungsbestimmungen:

Art. 1. Der Vorstand eines jeden Vereins ist verpflichtet, der Ortspolizeibehörde auf Erfordern die etwa entworfenen Statuten des Vereins und die Namen der Mitglieder mitzutheilen, sowie auf jede sonstige Weise über Einrichtung und Zweck des Vereines Auskunft zu ertheilen.

Aenderungen eingeforderter Statuten müssen vom Vereinsvorstande ohne weitere Aufforderung sofort nach beschlossener Aenderung der Polizeibehörde mitgetheilt werden.

Art. 2. Unsere Landesregierung ist ermächtigt, die in § 1 und 3 des Bundesbeschlusses vorgesehenen

Beschränkungen und Verbote nach Befinden der Umstände eintreten zu lassen.

Art. 6.*) Vorsteher oder Theilnehmer an Vereinen, welche den Bestimmungen des Bundesbeschlusses oder der gegenwärtigen Verordnung zuwiderhandeln ..., sind, soweit nicht anderweite Strafbestimmungen eintreten, mit einer polizeilichen Ordnungsstrafe von 1 bis 50 Thlr. oder entsprechendem *Gefängniss* **) zu belegen ...

b) Verordnung, die Verhütung des Mißbrauchs des Versammlungsrechts betreffend.

Vom 28. Januar 1888. (G. S. S. 7.)

§ 1. Versammlungen, in welchen öffentliche Angelegenheiten erörtert oder berathen werden sollen, einschließlich der Versammlungen von Vereinen, welche eine Einwirkung auf öffentliche Angelegenheiten bezwecken, sind von den Unternehmern oder von dem Vorstande mindestens 24 Stunden vor dem Beginn der Versammlung unter Angabe des Ortes, der Zeit und des Zweckes derselben bei der Ortspolizeibehörde (Landrathsamt, Stadtrath) anzumelden. Ueber die erfolgte Anzeige ist sofort eine Bescheinigung zu ertheilen.

---

*) Die Vorschriften der Art. 3 bis 5 und die darauf bezüglichen Strafbestimmungen des Art. 6 sind durch die im Text abgedruckte Verordn. vom 28. Januar 1888 ersetzt.

**) Jetzt Haft bis zu 6 Wochen, vgl. Uebergangsges. zum R. Str. G. B. v. 23. Dez. 1870 (G. S. S. 178) § 4.

§ 2. Beginnt eine angemeldete Versammlung nicht spätestens eine Stunde nach der angegebenen Zeit, so ist die später beginnende Versammlung als vorschriftsmäßig angezeigt nicht anzusehen. Dasselbe gilt, wenn eine Versammlung, die länger als eine Stunde ausgesetzten Verhandlungen wieder aufnimmt.

§ 3. Bei vorhandener Gefahr für die öffentliche Ruhe, Ordnung und Sicherheit sind Versammlungen der in § 1 gedachten Art . . . von der Polizeibehörde in Gemäßheit der Vorschriften in den §§ 1 bis 3 des Gesetzes über Abwendung ꝛc. von Störungen der öffentlichen Ruhe v. 25. März 1837 zu verbieten, sofern nicht anderweite gesetzliche Bestimmungen einem solchen Verbote entgegenstehen.

§ 4. Die Polizeibehörde ist befugt, in die im § 1 dieser Verordnung gedachten Versammlungen, sofern der Vorstand dieser Behörde, sei es allein oder in Begleitung, der Versammlung nicht selbst beiwohnen will, einen oder mehrere Polizeibeamte zu senden. Die letzteren müssen sich, außer wenn sie in Dienstkleidung erscheinen, auf Erfordern des Unternehmers oder des Vorsitzenden der Versammlung als amtlich Beauftragte durch schriftlichen Vorweis legitimiren.

Dem Vorstande der Polizeibehörde, sowie dessen Beamten muß ein nach deren Dafürhalten angemessener Platz in der Versammlung eingeräumt, sowie über die Person der Redner Auskunft ertheilt werden.

Die in Gemäßheit dieser Bestimmung in den betreffenden Versammlungen erschienenen Polizeibeamten haben in Vertretung der Polizeibehörde die Befugniß, eine Versammlung aufzulösen und die Anwesenden aufzufordern, sich aus dieser Versammlung sofort zu entfernen.

§ 5. 1) Von der Berechtigung zur Theilnahme an Versammlungen der in § 1 gedachten Art sind Minderjährige und Solche, welche unter Kuratel stehen, ausgeschlossen.

2) Niemand darf in derartigen Versammlungen bewaffnet erscheinen, mit Ausnahme der im Dienst befindlichen Polizeibeamten.

§ 6. Störungen der in Gemäßheit des § 1 dieser Verordnung angemeldeten Versammlungen, sofern zu ihrer Beseitigung der Einfluß des Vorsitzenden der Versammlung nicht ausreicht, sind von den anwesenden (§ 4) Polizeipersonen zu rügen und zu verhindern.

Diese Polizeipersonen sind berechtigt, die Störer aus der Versammlung zu weisen und durch geeignete polizeiliche Maßregeln die Freiheit des Versammlungsrechts zu schützen.

§ 7. An Geld bis zu 150 Mark oder mit Haft bis zu 6 Wochen werden bestraft:

1) die Unternehmer, Vorsteher, Leiter oder die beauftragten Vertrauensmänner der Versamm-

lungen und Vereine, welche die in § 1 dieser Verordnung bestimmte Verpflichtung nicht erfüllt haben,

2) alle Diejenigen, welche einem von der Polizeibehörde erlassenen Verbote der in § 1 erwähnten Versammlung zuwider dennoch an der verbotenen Versammlung Theil nehmen,

3) diejenigen Personen der im § 5 Nr. 1 gedachten Art, welche auf hierzu an sie von dem Vorstande der Polizeibehörde oder dessen Vertreter (§ 4) erlassene Aufforderung sich nicht sofort aus der Versammlung entfernen, ingleichen Diejenigen, welche in einer Versammlung mit Waffen erscheinen, ohne hierzu vermöge ihres Amtes berechtigt zu sein (§ 5 Nr. 2),

4) Diejenigen, welche nach Auflösung einer Versammlung durch den Vorstand der Polizeibehörde oder durch die nach § 4 dieser Verordnung beauftragten und kraft dieses Auftrages hierzu legitimirten Polizeibeamten sich aus dieser Versammlung nicht sofort entfernen,

5) Diejenigen, welche den in Gemäßheit des § 6 dieser Verordnung von Polizeipersonen an sie gerichteten Aufforderungen und gegebenen Anordnungen sich ungehorsam erweisen.

25. Herzogthum Sachsen-Koburg-Gotha.

Staatsgrundgesetz.

Vom 3. März 1852. (G. S. für Koburg Nr. 150, für Gotha Nr. 410.)

§ 44. Alle Staatsangehörige sind berechtigt, sich ohne vorgängige obrigkeitliche Erlaubniß friedlich und ohne Waffen zu versammeln.

Von Versammlungen unter freiem Himmel ist 24 Stunden vorher von dem Unternehmer oder Leiter der Versammlung der Bezirks-Polizeibehörde Anzeige zu machen, welche die Versammlung zu verbieten hat, wenn ausreichender Grund zu der Annahme vorhanden ist, daß sie der öffentlichen Sicherheit oder Ordnung werde gefährlich werden.

§ 46. Alle Staatsangehörige haben das Recht, zu solchen Zwecken, welche den Strafgesetzen oder der Sittlichkeit nicht zuwiderlaufen, Vereine zu bilden. Das Nähere bleibt der gesetzlichen Feststellung vorbehalten.*)

Die Ertheilung von Korporationsrechten steht der Staatsregierung zu.

§ 47. Die Theilnahme aktiver Militärpersonen, mit Einschluß der Beurlaubten, an Versammlungen

---

*) Ausführungsgesetze fehlen. Das Ges. betr. den Mißbrauch des Vereinigungs- u. Versammlungsrechts v. 24. Juni 1884 (G. S. für Gotha Nr. 11) ist gemäß § 5 zugleich mit dem Sozialistengesetz. (oben S. 12) außer Kraft getreten.

und Vereinen darf nur insoweit Statt finden, als die militärischen Disziplinarvorschriften nicht entgegenstehen.*)

26. Herzogthum Anhalt.

Gesetz über die Verhütung eines die gesetzliche Freiheit und Ordnung störenden Mißbrauchs des Versammlungs- und Vereinigungsrechtes.

Vom 26. Dezember 1850. (G. S. für Anhalt-Dessau-Köthen Nr. 322; auch in Bernburg eingeführt durch Ges. v. 1. Juli 1864, G. S. für Anhalt Nr. 30.)

A. Von Versammlungen und Vereinen, welche eine Einwirkung auf öffentliche Angelegenheiten bezwecken.

§ 1. Von allen Versammlungen, in welchen öffentliche Angelegenheiten erörtert oder berathen werden sollen, hat der Unternehmer mindestens vierundzwanzig Stunden vor dem Beginne der Versammlung, unter genauer Angabe des Ortes, der Zeit und des Zweckes, Anzeige bei der Polizei-Behörde zu machen. Diese Behörde hat darüber sofort eine Bescheinigung zu ertheilen. Beginnt die Versammlung nicht spätestens eine Stunde nach der in der Anzeige angegebenen Zeit, so ist die später beginnende Versammlung als vor-

*) Vgl. jetzt Reichs-Militärgesetz § 49, Militär-Str. G. B. §§ 92, 93, 101, 113 (oben S. 19).

schriftsmäßig angezeigt nicht anzusehen. Dasselbe gilt, wenn eine Versammlung die länger als eine Stunde ausgesetzten Verhandlungen wieder aufnimmt.

§ 2. Die Vorsteher von Vereinen, welche eine Einwirkung auf öffentliche Angelegenheiten bezwecken, sind verpflichtet, Statuten des Vereins und das Namensverzeichniß der Mitglieder des Vorstandes und des Vereins binnen drei Tagen nach dessen Stiftung, und jede Aenderung der Statuten, des Vorstandes oder der Vereins-Mitglieder binnen drei Tagen, nachdem sie eingetreten ist, der Polizei-Behörde zur Kenntnißnahme einzureichen, derselben auch auf Erfordern jede darauf bezügliche Auskunft zu ertheilen.

Bei schon bestehenden Vereinen sind diese Verpflichtungen innerhalb acht Tagen nach Publikation dieser Verordnung zu erfüllen.

Will ein Verein mit einem andern bereits bestehenden Vereine, sei es durch Komite's, Ausschüsse, Zentralorgane oder ähnliche Einrichtungen in Verbindung treten, so muß er mindestens acht Tage vorher die Polizei-Behörde von diesem Vorhaben, unter Einreichung eines Exemplars der Statuten dieses Vereins, in Kenntniß setzen.

Ueber die Erfüllung dieser Vorschrift sowohl, als über die erfolgte Einreichung der Statuten, der Vorstands- und Mitglieder-Verzeichnisse oder deren Abänderungen hat die Polizei-Behörde sofort eine Bescheinigung zu ertheilen.

Die Landes-Polizeibehörde ist befugt, aus Gründen der öffentlichen Sicherheit und Ordnung jede Verbindung der vorhin bezeichneten Art unter verschiedenen Vereinen zu untersagen.

§ 3. Wenn für die Versammlungen eines Vereins, welcher eine Einwirkung auf öffentliche Angelegenheiten beabsichtigt, Zweck, Zeit und Ort, vermöge des Statutes oder eines besonderen Beschlusses im Voraus genau festgestellt, und mit dem einen oder andern wenigstens vierundzwanzig Stunden vor der ersten Versammlung zur Kenntniß der Polizei-Behörde gebracht worden sind, so bedarf es einer besonderen Anzeige, wie sie der § 1 erfordert, für die einzelnen Versammlungen nicht.

§ 4. Die Polizei-Behörden sind befugt, in jede Versammlung, in welcher öffentliche Angelegenheiten erörtert oder berathen werden sollen, einen oder zwei Polizei-Beamte oder eine oder zwei andere Personen als Abgeordnete zu senden.

Die Abgeordneten dürfen, wenn sie Polizei-Beamte sind, nur unter ausdrücklicher Kundgebung ihrer dienstlichen Eigenschaft erscheinen. Sind sie nicht Polizei-Beamte, so müssen sie durch besondere Abzeichen erkennbar sein.

Den Abgeordneten muß ein angemessener Platz eingeräumt, ihnen auch auf Erfordern durch den Vorsitzenden Auskunft über die Person der Redner gegeben werden.

§ 5. Niemand darf in einer Versammlung (§ 1) bewaffnet erscheinen, mit Ausnahme der im Dienste befindlichen Polizei-Beamten.

§ 6. Versammlungen, die unter Zuwiderhandlung gegen die in den vorstehenden Paragraphen enthaltenen Bestimmungen stattfinden, oder in denen Anträge und Vorschläge erörtert oder Aeußerungen gethan werden, die an und für sich eine Verletzung der Strafgesetze oder eine Aufforderung oder Anreizung zu strafbaren Handlungen enthalten, können von den Abgeordneten der Obrigkeit sofort aufgelöst werden.

Diese Auflösung muß in allen Fällen stattfinden, wenn in der Versammlung Bewaffnete erscheinen, die der Aufforderung des Abgeordneten der Obrigkeit entgegen nicht sofort entfernt werden, oder wenn die Versammlung sonst eine die öffentliche Ruhe und die gesetzliche Ordnung gefährdende Haltung annimmt.

§ 7. Sobald ein Abgeordneter der Polizei-Behörde die Versammlung für aufgelöst erklärt hat, sind alle Anwesenden verpflichtet, sich sofort zu entfernen. Diese Erklärung kann nöthigenfalls durch die bewaffnete Macht zur Ausführung gebracht werden.

§ 8. Sind die Thatsachen, welche zur Auflösung der Versammlung Veranlassung gegeben, oder bei oder in Folge der Auflösung stattgefunden haben, nach dem Ermessen der Polizei-Behörde zur Einleitung eines Strafverfahrens geeignet, so kann sie, wenn es sich von den Versammlungen eines Vereins handelt, dessen fernere Versammlungen vorläufig untersagen. Die Sache muß jedoch in diesem Falle binnen achtundvierzig Stunden der zuständigen Behörde zur weitern Verfolgung übergeben werden.

Wird in Folge dessen ein Strafverfahren wirklich eingeleitet, so bleiben die Versammlungen bis zur ergangenen rechtskräftigen Entscheidung ausgesetzt.

Das Gericht kann in seinem Erkenntnisse die gänzliche Schließung des Vereins anordnen.

§ 9. Vereine, die andere als die in ihrem Statut angegebenen Zwecke verfolgen, oder sich zur Erreichung derselben anderer als der dort angegebenen Mittel bedienen, können, vorbehältlich der dadurch gesetzlich etwa verwirkten Strafen, durch eine motivirte Verfügung der Polizei-Behörde aus Gründen der öffentlichen Sicherheit und Ordnung vorläufig geschlossen werden.

Dieser Beschluß ist binnen vierzehn Tagen dem *Ober-Landes-Gerichte**) zur endgültigen Entscheidung der Frage vorzulegen, ob eine Abweichung von den im

---

*) Diese Bestimmung ist nie zur Anwendung gelangt und erscheint *antiquirt* durch § 16 Ges. v. 1, Juli 1864 (G.S. Nr. 31) und § 46 Ges. v. 27. März 1888 (G.S. Nr. 778). Danach ist die Vereinspolizei den Kreisdirektionen unterstellt; die Beschwerden über die Gesetzmäßigkeit der von den Polizeibehörden zur Durchführung polizeilicher Verfügungen angewendeten Zwangsmittel sind der verwaltungsgerichtlichen Entscheidung überwiesen. Ausdrücklich aufgehoben ist der obige § 9 Abs. 2 nicht. Seine Unanwendbarkeit folgt übrigens auch daraus, daß das jetzige Oberlandesgericht, d. i. das O. L. G. Naumburg als Kgl. Preuß. O. L. G. für das Herzogthum Anhalt, nach dem

Statut angegebenen Zwecken und Mitteln wirklich stattgefunden hat oder nicht. Wird diese Frage bejahend entschieden, so muß das Gericht gleichzeitig die definitive Schließung des Vereins aussprechen.

B. Von politischen Vereinen insbesondere.

§ 10. Für politische Vereine gelten außer den vorhergehenden Paragraphen noch folgende Beschränkungen:

a) Von der Berechtigung zur Theilnahme an politischen Vereinen oder Versammlungen sind gänzlich ausgeschlossen:

1. Frauen,
2. alle minderjährigen Personen,
3. alle Diejenigen, welche den Vollbesitz der bürgerlichen oder staatsbürgerlichen Rechte verloren und noch nicht wieder erlangt haben.

b) Weder Vorstand noch Mitglied eines politischen Vereins kann sein, wer nicht Staats-Angehöriger ist.

c) Wer wegen eines Vergehens gegen das gegenwärtige Gesetz verurtheilt ist, kann an keiner Versammlung eines politischen Vereins theilnehmen, so lange er nicht die Strafe verbüßt, beziehungsweise deren Betrag erlegt hat.

---

hier maßgebenden Staatsvertrage v. 9. Okt. 1878 Art. 4 (Anh. G. S. 1879 bei Nr. 518) in Ermangelung einer besonderen Verständigung der beiderseitigen Staatsregierungen und eines besonderen Aktes der Anhaltischen Landesgesetzgebung zu einer Entscheidung gemäß § 9 Abs. 2 nicht berufen ist.

d) Zum Vorstande eines politischen Vereins darf, sei es als Leiter, Ordner, Sprecher oder unter welchem sonstigen Namen, Niemand gehören, der nicht auch gleichzeitig Mitglied des Vereins ist.

Ebenso dürfen nur Mitglieder des Vereins in dessen Versammlungen als Redner auftreten.

Besteht der Vorstand aus drei oder weniger Personen, so muß jedenfalls eine, besteht derselbe aus vier oder mehr Personen, so müssen wenigstens zwei von ihnen gleichzeitig Gemeindewähler des Ortes sein, wo der Verein seinen Sitz hat.

Das Vorhandensein dieser Bedingungen ist auf Erfordern den Polizeibehörden in den im § 2 angegebenen Formen und Fristen nachzuweisen.

e) Wird ein politischer Verein definitiv geschlossen, so dürfen seine Mitglieder in den nächsten sechs Monaten an keinem andern Vereine als Mitglieder Theil nehmen.

f) Alle Versammlungen politischer Vereine, die unter Zuwiderhandlung gegen Bestimmungen des gegenwärtigen Gesetzes stattfinden, oder in denen Bestimmungen des gegenwärtigen Gesetzes zuwider gehandelt wird, können von den Abgeordneten der Polizei, vorbehaltlich der gesetzlichen Bestrafung der Betheiligten, sofort aufgelöst werden.

Wird die Auflösung im Laufe eines Jahres zum dritten Mal erforderlich, so kann die Landes-Polizei-Behörde den Verein gänzlich schließen.

C. Von öffentlichen Versammlungen unter freiem Himmel und Aufzügen.

§ 11. Von öffentlichen Versammlungen unter freiem Himmel muß von dem Unternehmer, Vorsteher, Ordner oder Leiter derselben, der Polizei-Behörde mindestens achtundvierzig Stunden vor der Zusammenkunft Anzeige gemacht werden.

Die Genehmigung darf nur versagt werden, wenn aus Abhaltung der Versammlung Gefahr für die öffentliche Sicherheit oder Ordnung zu befürchten ist.

Soll die Versammlung auf öffentlichen Plätzen, in Städten und Ortschaften oder auf öffentlichen Straßen stattfinden, so hat die Polizei-Behörde bei Ertheilung der Erlaubniß auch alle, dem Verkehr schuldige Rücksichten zu beobachten. Im Uebrigen finden auf solche Versammlungen die Bestimmungen der §§ 1, 4, 5, 6 und 7 Anwendung.

§ 12. Den in dem vorhergehenden Paragraphen erwähnten Versammlungen werden öffentliche Aufzüge in Städten und Ortschaften oder auf öffentlichen Straßen gleichgestellt. Bei Einholung der Genehmigung ist der beabsichtigte Weg anzugeben. Gewöhnliche Leichenbegängnisse, sowie Züge der Hochzeits-Versammlungen, wo diese hergebracht sind, kirchliche Prozessionen, wenn sie in der hergebrachten Art stattfinden, bedürfen weder einer vorgängigen Genehmigung noch einer Anzeige.

§ 13. Innerhalb einer Meile von dem Orte der jedesmaligen Residenz des Herzogs oder von dem Orte des Sitzes des Landtags dürfen Volksversammlungen unter freiem Himmel nicht stattfinden.

Das letztere Verbot besteht nur für die Dauer der Sitzungs-Periode des Landtags.

D. Strafbestimmungen.*)

§ 14. Wenn eine Versammlung ohne die in § 1 vorgeschriebene Anzeige stattgefunden hat, so trifft den Unternehmer eine Geldbuße von fünf bis funfzig Thalern oder *Gefängnissstrafe***) von acht Tagen bis zu sechs Wochen. Derjenige, der den Platz dazu eingeräumt hat, und Jeder, welcher in der Versammlung als Vorsteher, Ordner, Leiter oder Redner aufgetreten ist, hat eine Geldbuße von fünf bis funfzig Thalern verwirkt.

§ 15. Wenn, der Vorschrift des § 2 entgegen, die Statuten eines Vereins oder das Verzeichniß sämmtlicher Vorsteher und Mitglieder, oder die ein-

*) Die Strafbestimmungen sind modifizirt durch das Anhaltische Ges. v. 30. Dez. 1870 (G. S. S. 1675) § 5 Abs. 1: „Ueberall, wo im Landesrecht entweder allein oder neben einer Geldstrafe Gefängnißstrafe angedroht worden ist, geht die Strafandrohung künftig bei Gefängnißstrafe bis zu sechs Wochen auf Haft in einer der bisher gedrohten Strafe gleicher Dauer, bei sechs Wochen übersteigender Gefängnißstrafe auf eine Gefängnißstrafe des neuern Rechts von $^{2}/_{3}$ der Dauer der bisher gedroheten Gefängnißstrafe."

**) Jetzt Haft, vgl. Anm. *)

getretenen Aenderungen in der bestimmten Frist zur Kenntniß der Polizei-Behörde nicht gebracht worden sind, oder wenn eine von den Polizei-Behörden erforderte Auskunft nicht ertheilt, oder eine Verbindung mit einem andern Vereine ohne die vorgeschriebene Anzeige eingegangen, oder der nach § 10d erforderliche Nachweis nicht beigebracht ist: so wird jeder Vorsteher des Vereins mit Geldbuße von fünf bis funfzig Thalern bestraft, insofern er nicht nachweisen kann, daß die Erfüllung dieser Vorschriften ganz ohne sein Verschulden unterblieben ist. Dieser Strafe tritt, unabhängig von den Bestimmungen der allgemeinen Strafgesetze, eine *Gefängnissstrafe**) von acht Tagen bis sechs Wochen hinzu, wenn die Vorsteher wissentlich unrichtige Statuten, Verzeichnisse oder Nachweise eingereicht, oder wissentlich unrichtige Auskunft ertheilt haben, oder eine Verbindung mit einem andern Vereine ohne vorherige obrigkeitliche Erlaubniß angeknüpft worden ist.

§ 16. Wenn in einer Versammlung, der Vorschrift des § 4 entgegen, den Abgeordneten der Polizei-Behörden der Zutritt oder die Einräumung eines angemessenen Platzes verweigert worden ist, so trifft den Unternehmer und Jeden, welcher in der Versammlung als Vorsteher, Ordner oder Leiter aufgetreten ist, Geldbuße von zehn bis Einhundert Thalern oder Gefängniß

---

*) Jetzt Haft, vgl. Anm. *) S. 163.

von vierzehn Tagen bis zu *sechs**) Monaten. Dieselbe Strafe hat der Vorsitzende verwirkt, wenn er sich weigert, den Abgeordneten der Polizei-Behörde Auskunft über die Person der Redner zu geben, oder wenn er wissentlich unrichtige Auskunft ertheilt.

§ 17. Wer sich nicht sofort entfernt, nachdem die Abgeordneten der Polizei-Behörden die Versammlung für aufgelöst erklärt haben (§§ 7, 10), wird mit Geldbuße von fünf bis zu funfzig Thalern oder mit Gefängniß von acht Tagen bis zu *drei***) Monaten bestraft.

§ 18. Wer bei einem politischen Vereine sich am Vorstande betheiligt, ohne daß dieser Vorstand den in § 10 d vorgeschriebenen Bedingungen entspricht, wer als Vorsteher, Ordner und Leiter eines solchen Vereins, Personen, die von den Bestimmungen des § 10 a, b, c, d, e betroffen werden, als Mitglieder aufgenommen oder zur Theilnahme an den Versammlungen oder zum Reden in denselben zugelassen, hat, unerachtet ihm die jene Personen davon ausschließende Eigenschaft bekannt war, Geldbuße von fünf bis funfzig Thalern oder Gefängniß von acht Tagen bis *drei****) Monaten verwirkt.

Wer sich bei einem, sei es auch nur vorläufig geschlossenen Vereine (§§ 8, 9, 10 f) als Mitglied ferner

---

*) Jetzt vier, vgl. Anm. *) S. 163.

**) Jetzt zwei, vgl. Anm. *) S. 163.

***) Jetzt zwei, vgl. Anm. *) S. 163.

betheiligt, wird mit Geldbuße von fünf bis funfzig Thalern oder Gefängnißstrafe von acht Tagen bis *drei**) Monaten belegt.

Wer, den Vorschriften des § 10 entgegen, sich als Mitglied eines Vereins aufnehmen läßt, oder an Versammlungen von Vereinen Theil nimmt, oder darin als Redner auftritt, hat Geldbuße von fünf bis funfzig Thalern verwirkt.

§ 19. Wer an einem Aufzuge oder an einer Versammlung unter freiem Himmel Theil nimmt, zu welcher die nach dem gegenwärtigen Gesetze erforderliche Genehmigung nicht ertheilt ist, wird mit einer Geldbuße von Einem bis fünf Thalern bestraft.

Wer zu einer solchen Versammlung oder zu einem solchen Aufzuge vor Eingang der obrigkeitlichen Erlaubniß auffordert oder auffordern läßt, oder darin als Ordner, Leiter oder Redner thätig ist, wird mit Geldbuße von fünf bis funfzig Thalern oder Gefängniß von acht Tagen bis zu *drei**) Monaten bestraft.

Diese Strafen sind jederzeit verwirkt, wenn die Versammlung oder der Aufzug in den Städten und Ortschaften oder auf öffentlichen Straßen, oder wenn eine Volksversammlung in den Fällen des § 13 stattgefunden hat. In allen anderen Fällen sind die Theilnehmer und selbst diejenigen, welche als Redner aufgetreten sind, nur dann strafbar, wenn die Versagung

---

*) Jetzt zwei, vgl. Anm. *) S. 163.

der Genehmigung oder das nachträgliche Verbot vorher öffentlich oder den Theilnehmern besonders bekannt gemacht war. Wird die Nichtgenehmigung oder das Verbot während der Versammlung oder während des Aufzuges selbst bekannt gemacht, so kann sich wegen seiner späteren Betheiligung Niemand mit Unkenntniß der Nichtgenehmigung oder des Verbotes entschuldigen.

§ 20. Wer gegen das Verbot des § 5 in einer Versammlung bewaffnet erscheint, wird mit Gefängniß bis zu *sechs**) Monaten ....**) belegt.

§ 21. Wer auffordert, in einer Versammlung mit Waffen zu erscheinen, oder die Aufforderung hierzu verbreiten läßt, oder in einer Versammlung Waffen austheilt, hat Gefängniß***) bis zu zwei Jahren verwirkt.

E. Gerichts-Zuständigkeit.

§ 22. Abs. 1 (obsolet).

Abs. 2 (betraf die Umwandlung von Geldstrafen; antiquirt durch Ges. v. 30. Dez. 1870 [G. S. S. 1675] § 3, wonach jetzt §§ 28, 29 R.Str.G.B. anzuwenden sind.)

---

*) Jetzt vier, vgl. Anm. *) S. 163.

**) Die Androhung verhältnißmäßiger Festungsstrafe ist fortgefallen, Gesetz v. 30. Dez. 1870 (G. S. S. 1675) § 6.

***) Fassung gemäß § 6 a. a. O. (anstatt „Festungsstrafe oder Arbeitshaus").

F. Ausnahmen.

§ 23. Auf die durch das Gesetz oder die gesetzlichen Autoritäten angeordneten Versammlungen, sowie auf die Versammlungen der Mitglieder des Landtags während der Dauer der ordentlichen Sitzungs-Periode finden die vorstehenden Bestimmungen keine Anwendung.

---

27. Fürstenthum Schwarzburg-Rudolstadt.

a) Bekanntmachung, den Bundesbeschluß wegen Aufrechthaltung der gesetzlichen Ordnung und Ruhe im Deutschen Bunde, insbesondere das Vereinswesen betreffend.

Vom 28. Juli 1854. (G.S. S. 194.)

Hierdurch wurde der Bundesbeschluß vom 13. Juli 1854 (oben S. 111) zur Nachachtung bekannt gemacht.

b) Verordnung, betr. die Ausführung des Bundesbeschlusses hinsichtlich der das Vereinswesen regelnden Grundsätze.

Vom 23. Mai 1856. (G.S. S. 147.)

§ 1. Jeder bereits bestehende Verein ohne Unterschied des von ihm verfolgten Zweckes ist verpflichtet, spätestens bis zum 1. August d. J. der Polizeibehörde des Ortes, in welchem er seinen Sitz hat, die Vereinszwecke schriftlich anzuzeigen und die Vorstandspersonen namhaft zu machen. Ausgenommen von dieser Verpflichtung sind diejenigen Körperschaften und Gesellschaften, welche entweder auf dem Grunde gesetzlicher Vorschriften oder mit ausdrücklicher Genehmigung des Fürstlichen Ministeriums oder des betreffenden Landrathsamtes bestehen.

§ 2. Jeder Verein, welcher sich neu bilden will, hat vierzehn Tage vor dem Beginne seiner Wirksamkeit den Zweck der Vereinigung und seine Statuten der Polizeibehörde des Orts, in dem der Verein seinen Sitz haben soll, vorzulegen, auch auf Verlangen der gedachten Behörde diejenigen Personen namhaft zu machen, welche zur Bildung des Vereins zusammenzutreten beabsichtigen.

§ 3. Die Ortspolizeibehörden, an welche die in den §§ 1, 2 und 5 vorgeschriebenen Anzeigen erfolgen, haben dieselben unverzüglich dem zuständigen Landrathsamte vorzulegen.

§ 4. Die Fürstlichen Landrathsämter sind ermächtigt, die Bildung sowie den Fortbestand von Vereinen, deren Zusammensetzung, Zweck oder Wirksamkeit mit den Grundsätzen des Bundesbeschlusses nicht vereinbar erscheint, zu verbieten.

Bestehen mit Genehmigung höherer Behörden, oder vermöge gesetzlicher Anordnung Vereine, deren eigentlicher Zweck zwar unbedenklich ist, deren Wirksamkeit aber mit den Grundsätzen im § 1 des Bundesbeschlusses im Widerspruch steht, so haben die Landrathsämter die hervortretenden Bedenken bei ihrer vorgesetzten

Behörde anzuzeigen, und diese letztere hat sodann nach Maßgabe des Bundesbeschlusses das Weitere zu verfügen, bezüglich zu veranlassen. Gegen die verbietenden Verfügungen der Landrathsämter ist die Berufung an das Ministerium, Abtheilung des Innern, und gegen dessen Verfügungen an das Gesammt-Ministerium, jedoch ohne Suspensiveffekt, zulässig. Im Uebrigen bewendet es bei den im Art. 85 des Strafgesetzbuchs*) enthaltenen Bestimmungen.

§ 5. Sowohl die höheren Polizeibehörden als die zuständigen Ortspolizeibehörden sind berechtigt, von allen Vereinen ohne Ausnahme, wenn und so oft sie es für nöthig erachten, über die Einrichtungen, Zwecke und Wirksamkeit des betreffenden Vereins genaue Auskunft zu verlangen, die Vorsteher, Beamten und Mitglieder sich anzeigen, auch die Statuten und Akten sich zur Einsicht vorlegen zu lassen.

Jede Aenderung vorgelegter Statuten ist vom Vereinsvorstande ohne weitere Aufforderung sofort und längstens binnen drei Tagen nach beschlossener Aenderung der Ortspolizeibehörde anzuzeigen.

---

*) Art. 85 des thüring. Strafgesetzbuchs von 1850 ist z. Th. ersetzt durch § 129 R. Str. G. B. (vgl. oben S. 18), z. Th. aber noch in Kraft in folgender Fassung gemäß § 4 der Uebergangsgesetze zum R. Str. G. B. vom 15. (Schwarzb. = Rudolst.) bezw. 17. (Schwarzb. Sondersh.) Nov. 1870:

„Die Theilnahme an Verbindungen, welche ... von der Staatsregierung als ordnungswidrig verboten sind, wird mit Gefängnißstrafe bis zu 2 Jahren belegt."

§ 6. Versammlungen*) solcher Vereine, welche ohne besondere staatliche Anerkennung oder Genehmigung bestehen und sich mit öffentlichen Angelegenheiten beschäftigen, dürfen außerhalb der zu ihrer ausschließlichen Verfügung stehenden Lokalitäten nur nach vorgängiger Erlaubniß von Seite der Ortspolizeibehörde gehalten werden.

Auswärtige Vereine, welche in einem Orte des Fürstenthums Versammlungen halten wollen, haben unter allen Umständen die Erlaubniß des zuständigen Landrathsamtes vorher dazu einzuholen.

§ 7. Die Polizeibehörden sind berechtigt, in alle Versammlungen eines solchen Vereins (§ 6) Abgeordnete zu entsenden, welchen die im § 5 des Bundesbeschlusses bezeichneten Befugnisse zustehen.

Die Abgeordneten sind nicht verpflichtet, sich als solche durch besondere Vollmacht auszuweisen, wenn sie als Polizeibeamte angestellt sind und in der Dienstkleidung erscheinen.

Den Abgeordneten muß in der Versammlung eine angemessener Platz eingeräumt, ihnen auch auf Erfordern durch den Vorsitzenden genügende Auskunft über die Person der Redner gegeben werden.

§ 8. Arbeiter-Vereine und Verbrüderungen, welche politische, sozialistische oder kommunistische Zwecke verfolgen, werden andurch als ordnungswidrig verboten.

*) Ueber öffentl. Versammlungen und Aufzüge an Sonn- u. Festtagen vgl. Verordn. v. 2. Juli 1892 (G. S. S. 167) § 6.

§ 9. Die Betheiligung an Vereinen, welche nach den §§ 4 und 8 als ordnungswidrig verboten worden sind, unterliegt der Beurtheilung und Bestrafung nach Maßgabe des Strafgesetzbuchs, insbesondere des Art. 85 desselben.*)

§ 10. Die Nichtbeachtung der in den §§ 1, 2, 6 und 7 enthaltenen Vorschriften oder der nach den §§ 4 und 5 getroffenen Anordnungen der Polizeibehörden, ingleichen der Bestimmung in den §§ 4, 5 und 6 des Bundesbeschlusses v. 13. Juli 1854 wird, soweit nicht anderweite Strafbestimmungen in Anwendung kommen, gegen die Vereinsvorstände und gegen die ungehorsamen Vereinsglieder mit Individual-Geldstrafen bis zu fünfzig Thalern oder mit Gefängniß bis zu drei Monaten geahndet.

---

28. Fürstenthum Schwarzburg-Sondershausen.

a) Ministerial-Bekanntmachung, betreffend den Bundesbeschluß vom 13. Juli 1854 über das Vereinswesen.

Vom 9. Juni 1856. (G.S. S. 131.)

Dieselbe enthält die Publikation des Bundesbeschlusses vom 13. Juli 1854 (oben S. 111).

---

*) Vgl. die Anm. bei § 4.

b) Gesetz, die Ausführung des Bundesbeschlusses vom 13. Juli 1854 über das Vereinswesen betreffend.

Vom 9. Juni 1856. (G.S. S. 133.)

§ 1. Jeder bereits bestehende Verein, ohne Unterschied des von ihm verfolgten Zwecks, ist verpflichtet, spätestens bis zum 15. Juli d. J. der Polizeibehörde des Ortes, in welchem er seinen Sitz hat, die Vereinszwecke schriftlich anzuzeigen und die Vorstandspersonen namhaft zu machen. Ausgenommen von dieser Verpflichtung sind diejenigen Körperschaften und Gesellschaften, welche entweder auf dem Grunde gesetzlicher Vorschriften oder mit ausdrücklicher Genehmigung der Landes- oder Bezirks-Polizei-Behörden bestehen.

§§ 2 bis 6 lauten wie die §§ 2 bis 6 der Verordnung von Schwarzburg-Rudolstadt (oben S. 168 ff.).

§ 7. Die Polizeibehörden sind berechtigt, allen Versammlungen eines solchen Vereins (§ 6), wenn sie es für nothwendig erachten, obrigkeitliche Abgeordnete beizugeben, welchen die Ermächtigung zusteht, die Versammlung für geschlossen zu erklären, sobald hierzu eine der im § 5 des Bundesbeschlusses angegebenen Veranlassungen nach ihrem Ermessen vorliegt. Der Anordnung auf Schluß der Versammlung ist alsbald Folge zu geben.

§§ 8 bis 10 lauten wie die §§ 8 bis 10 der Verordnung von Schwarzburg-Rudolstadt; nur ist*) der

*) Durch Ges. v. 1. Juli 1884 (G.S. S. 27).

Eingang des § 10 dahin abgeändert: „Die Nichtbeachtung der in den §§ 1, 2, 5 Abs. 2, 6 und 7 enthaltenen Vorschriften oder der nach den §§ 4 und 5 Abs. 1 getroffenen Anordnungen der Polizeibehörden, ingleichen u. s. w."

c) Gesetz, den Mißbrauch des Versammlungsrechts betreffend.

Vom 16. Februar 1874. (G.S. S. 44).

§ 1. Von allen Versammlungen, in welchen öffentliche Angelegenheiten erörtert werden sollen, mit Ausnahme der im § 8 gedachten, müssen die Unternehmer spätestens 24 Stunden vor Beginn der Versammlung unter Angabe des Orts und der Zeit derselben Anzeige bei der Ortspolizeibehörde machen.

§ 2. Die Ortspolizeibehörde hat über die ihr gemachte Anzeige sofort eine Bescheinigung auszustellen, in welcher Ort und Zeit der Versammlung genau anzugeben sind.

Beginnt die Versammlung später, als eine Stunde nach dem angezeigten Zeitpunkte, oder wird sie nach einer über eine Stunde dauernden Unterbrechung wieder aufgenommen, oder an einem anderen als dem angezeigten Orte abgehalten, so ist sie als vorschriftsmäßig angezeigt nicht anzusehen.

§ 3. Die Polizeibehörden sind befugt, der Versammlung beizuwohnen oder in dieselbe einen obrigkeitlichen Abgeordneten oder deren mehrere zu entsenden.

Den Polizeibehörden und deren Abgeordneten muß ein angemessener Platz eingeräumt und auf Verlangen die behördliche Bescheinigung über die erstattete Anzeige (§§ 1 und 2) vorgelegt werden.

Der Vorsitzende ist verpflichtet, den Polizeibehörden oder obrigkeitlichen Abgeordneten auf deren Erfordern Auskunft über die Person der Redner zu geben.

§ 4. Die Polizeibehörden oder die obrigkeitlichen Abgeordneten sind befugt, die Versammlung sofort aufzulösen, sofern entweder die ihre Abhaltung bedingenden Förmlichkeiten nicht beobachtet worden sind, oder im Interesse der Aufrechterhaltung der Gesetze, der öffentlichen Sittlichkeit, Sicherheit und Ordnung eine gegründete Veranlassung vorliegt.

§ 5. Sobald die Polizeibehörde oder einer der obrigkeitlichen Abgeordneten die Versammlung für aufgelöst erklärt hat, sind alle Anwesenden verpflichtet, sich sofort zu entfernen und auseinander zu gehen. Dieser Erklärung kann nöthigenfalls durch die bewaffnete Macht Folgeleistung verschafft werden.

§ 6. Niemand darf in einer Versammlung bewaffnet erscheinen, mit Ausnahme der im Dienste befindlichen Polizeibeamten und Militairs.

§. 7. Soweit nicht anderweite Strafbestimmungen in Anwendung kommen, werden mit Geldstrafe bis zu 50 Thalern oder mit Haft bestraft:

1) die Unternehmer einer ohne die im § 1 vorgeschriebene Anzeige abgehaltenen Versammlung,

wie Jeder, der zu einer solchen Versammlung das Lokal eingeräumt hat oder in derselben als Vorsteher, Ordner, Leiter oder Redner aufgetreten ist;

2) wer sich nicht sofort entfernt, nachdem die Versammlung für aufgelöst erklärt worden ist (§§ 4 und 5);

3) wer dem § 6 zuwider handelt;

4) die Unternehmer und alle, die in der Versammlung als Vorsteher, Ordner, Leiter auftreten, sofern den Polizeibehörden oder obrigkeitlichen Abgeordneten gegen § 3 Abs. 2 der Zutritt oder die Einräumung eines angemessenen Platzes oder der Vorweis der Bescheinigung über die erstattete Anzeige verweigert wird;

5) der Vorsitzende, wenn er der Polizeibehörde oder einem obrigkeitlichen Abgeordneten gegen § 3 Abs. 3 die verlangte Auskunft verweigert oder wissentlich falsche Auskunft ertheilt.

§ 8. Dieses Gesetz erleidet keine Anwendung auf die Versammlungen der mit staatlicher Anerkennung oder Genehmigung oder in Gemäßheit des Ges. v. 9. Juni 1856*) bestehenden Vereine.

---

* Vgl. oben S. 173.

29. Fürstenthum Waldeck.

Bekanntmachung, den Bundesbeschluß vom 13. Juli d. J. wegen des Vereinswesens betr.

Vom 25. November 1854. (Reg. Bl. S. 207.)

Diese Bekanntmachung veröffentlicht den Bundesbeschluß v. 13. Juli 1854 (oben S. 111) zur allgemeinen Nachachtung.

Ausführungsbestimmungen fehlen.

---

30. Fürstenthum Reuß älterer Linie.

a) Verordnung, die Verkündigung des Bundesbeschlusses vom 13. Juli 1854 über das Vereinswesen, desgleichen die zu Ausführung desselben ertheilten Bestimmungen betreffend.

Vom 28. April 1855. (G. S. S. 63.)

Diese Verordnung verkündet den Bundesbeschluß vom 13. Juli 1854 (oben S. 111) als Gesetz und knüpft daran folgende Ausführungsbestimmungen:

§ 1. Zu Bildung eines Vereins ist stets die Genehmigung unserer Landesregierung erforderlich.

§ 2. Als Verein im Sinne der obigen Vorschrift ist eine Verbindung Mehrerer dann zu betrachten, wenn sie einen bleibenden, nicht blos vorübergehenden

Zweck hat, Zusammenkünfte halten will und aus mehr als fünfzehn Mitgliedern bestehen soll.

§ 3. Diejenigen, welche einen Verein begründen wollen, haben solches vor der Eröffnung desselben, unter genauer Angabe des Zweckes und der Einrichtung, anzuzeigen und die Genehmigung nachzusuchen; sind bereits Statuten für den Verein entworfen, so haben die Antragsteller solche zugleich zu überreichen.

In Unserer Residenzstadt Greiz und dem Bezirke Unseres Justizamts Greiz ist die Anzeige unmittelbar bei Unserer Landesregierung, in den Bezirken Unserer Stadtvoigteigerichte zu Zeulenroda und Unseres Justizamtes Burgk ist dieselbe bei diesen Behörden zu bewirken, welche dann das Anbringen mittelst kürzlicher gutachtlicher Aeußerung Unserer Landesregierung vorzulegen haben.

§ 4. Von dem Ermessen Unserer Landesregierung hängt es ab, die Genehmigung zu ertheilen oder zu versagen; nach Befinden auch die Bedingungen festzustellen, unter denen die Genehmigung erfolgen soll. In allen diesen Fällen sind jedoch keine Kosten in Ansatz zu bringen.

§ 5. Bereits bestehende Vereine, welche nicht schon die ausdrückliche Genehmigung Unserer Landesregierung erhalten haben, sind verpflichtet, das Gesuch darum binnen vier Wochen, von Publikation der gegenwärtigen Verordnung an gerechnet, in der § 1 bestimmten Weise anzubringen, wenn sie sich nicht binnen derselben Frist auflösen.

§ 6.*) Personen, welche dem Militärstande angehören, bedürfen zum Eintritt in irgend einen Verein, auch wenn derselbe bereits die Genehmigung Unserer Landesregierung erhalten hat, stets die ausdrückliche Erlaubniß ihrer Vorgesetzten.

§ 7. Vereine zum geselligen Vergnügen haben wegen der von ihnen zu veranstaltenden Tanzvergnügen die bestehenden gesetzlichen Vorschriften, insbesondere Unsere Verordnung vom 26. März 1852, genau zu beobachten.

Von diesen Vorschriften sind nur bereits bestehende geschlossene Gesellschaften, welche eigenthümliche Lokalitäten haben, ausgenommen.

§ 8. Politische Vereine sind in Unserem Fürstenthum gänzlich untersagt.

§ 9. Als politischer Verein ist jede Verbindung Mehrerer, zum Zweck der Besprechung und Verhandlung politischer Fragen auch dann zu betrachten, wenn sie blos temporär oder nur zur Besprechung und Verhandlung über bestimmte politische Fragen und Vorkommnisse gebildet wird, mithin eigentlich keinen bleibenden Zweck hat, oder auch aus weniger als fünfzehn Mitgliedern besteht. (Vgl. § 2.)

§ 10. Auch solche Vereine, welche sich die Verhandlung über Gemeindeangelegenheiten zum Zwecke machen, sind als politische Vereine zu betrachten.

---

*) Vgl. oben S. 19.

§ 11. Wenn ein Verein, welcher bei Auswirkung der Genehmigung (§ 3) einen nicht politischen Zweck als den seinigen angegeben hat, sich gleichwohl in seiner Eigenschaft als Verein mit Verhandlung politischer Fragen beschäftigt, so hat Unsere Landesregierung demselben die ertheilte Genehmigung zu entziehen und ihn aufzulösen.

§ 12. Zuwiderhandlungen gegen die obigen Vorschriften sind in folgender Weise zu ahnden:

a) Tritt ein Verein in Wirksamkeit, ohne die vorgängige Genehmigung Unserer Landesregierung auszuwirken (§§ 1 und 3), so sind die Unternehmer und Vorsteher jeder mit fünf bis zehn Thaler, die Mitglieder aber jedes mit einem bis zwei Thaler Geldstrafe oder verhältnißmäßigem Gefängniß zu belegen.

Im Wiederholungsfalle ist die erkannte Strafe jedesmal zu verdoppeln.

b) Dieselbe Strafe tritt ein, wenn ein bereits bestehender Verein seine Thätigkeit fortsetzt, ohne binnen der bestimmten vierwöchentlichen Frist die Genehmigung Unserer Landesregierung nachzusuchen (§ 5).

c) Wird die Genehmigung zur Bildung eines Vereins versagt, und der Verein beginnt gleichwohl seine Wirksamkeit, so tritt das doppelte der unter a festgesetzten Strafen ein.

d) Dasselbe findet Statt, wenn Unsere Landesregierung sich veranlaßt sieht, die zur Bildung eines Vereins ertheilte Genehmigung nachgehends zu widerrufen, und der Verein gleichwohl seine Wirksamkeit fortsetzt.

e) Wer es unternimmt, einen politischen Verein (§§ 8, 9 und 10) zu bilden, wird — unbeschadet der Bestrafung eines dabei oder dadurch etwa begangenen besonderen Verbrechens oder Vergehens, bezüglich des Versuchs zu einem solchen — mit einer Geldbuße von zwanzig bis hundert Thalern, oder, nach Befinden, mit Gefängniß bis zu sechs Monaten belegt.

Die Theilnehmer an einem solchen Vereine unterliegen einer Geldbuße von fünf bis fünfundzwanzig Thalern oder einer Gefängnißstrafe bis zu sechs Wochen.

Im Wiederholungsfalle ist die erkannte Strafe jedesmal zu verdoppeln . . . . . .*)

Ausländer,**) welche sich des obigen Vergehens schuldig machen, sind nach verbüßter Strafe sofort auszuweisen, und ist ihnen die Wiederkehr bei Gefängnißstrafe bis zu zwei Jahren***) zu verbieten, auch, daß solches geschehen, in ihrer Reiselegitimation zu bemerken.

---

*) Höchstbetrag 2 Jahre Gefängniß. Der Schlußsatz ist fortgefallen, § 4 Uebergangsges. z. R. Str. G. B. v. 1. Dez. 1870 (G. S. S. 115).

**) Vgl. Verfassg. d. Deutsch. Reichs Art. 3 (oben S. 11).

***) Fassung gemäß § 4 Uebergangsges. z. R. Str. G. B. v. 1. Dez. 1870 (G. S. S. 115).

f) Wenn ein für andere Zwecke gebildeter Verein seine Thätigkeit der Verhandlung politischer Fragen zuwendet, so sind diejenigen Mitglieder, welche sich daran betheiligt haben, mit den unter e angedrohten Strafen zu belegen.

b) Gesetz, das Versammlungsrecht betreffend.
Vom 3. Januar 1887. (G. S. S. 1.)

§. 1. Zu friedlichen Versammlungen in geschlossenen Räumen und deren Veranstaltung bedarf es keiner besonderen polizeilichen Erlaubniß.

Verboten sind Versammlungen, deren Zweck es ist, Gesetzesübertretungen, überhaupt unrechtmäßige oder unsittliche Handlungen zu begehen, dazu aufzufordern oder doch dazu geneigt zu machen, insbesondere solche Versammlungen, von denen durch Thatsachen die Annahme gerechtfertigt ist, daß sie zur Förderung von auf den Umsturz der bestehenden Staats- oder Gesellschaftsordnung gerichteten Bestrebungen bestimmt sind.

Im Uebrigen wird das Recht, sich zu versammeln, von Beobachtung der in den nachstehenden Paragraphen aufgestellten Bedingungen abhängig gemacht.

§ 2. Die Zusammenberufung von Versammlungen, in welchen öffentliche Angelegenheiten erörtert werden sollen, ist, selbst wenn sie öffentlich erfolgt, mindestens 24 Stunden vor dem Zusammentritt der Versammlung mit Angabe der Zeit, des Ortes und Zweckes derselben und, wenn es sich um Vorträge oder

Berichterstattungen handelt, auch des Namens des Vortragenden und des Berichterstatters, dem Fürstlichen Landrathsamte, beziehungsweise, soweit die Versammlungen an einem zum Amtsgerichtsbezirk Burgk gehörigen Orte stattfinden sollen, dem Fürstlichen Amtsrichter zu Burgk schriftlich anzuzeigen.

Ueber die erfolgte Anzeige ist vom Fürstlichen Landrathsamt beziehungsweise dem Amtsrichter zu Burgk sofort eine Bescheinigung gebührenfrei auszustellen.

Die Anzeige liegt denjenigen Personen ob, von welchen die Zusammenberufung ausgeht.

Beginnt die Versammlung nicht spätestens eine Stunde nach der in der Anzeige angegebenen Zeit, oder wird die für einen bestimmten Ort angesetzte Versammlung an demselben abgebrochen und an einem anderen Ort fortgesetzt, so ist die später beginnende oder an einem*) Ort fortgesetzte Versammlung als vorschriftsmäßig angezeigt nicht anzusehen. Dasselbe gilt, wenn eine Versammlung die länger als eine Stunde ausgesetzten Verhandlungen wieder aufnimmt.

§ 3. Zur Berufung von Versammlungen sind nur diejenigen berechtigt, welche dispositionsfähig, Angehörige eines deutschen Bundesstaates und im Besitz der bürgerlichen Ehrenrechte sind, auch sich weder vor noch nach dem Erscheinen dieses Gesetzes gegenüber den Anordnungen der Polizei bei Versammlungen wider-

---

*) Im amtlichen Text fehlt hier das Wort „anderen".

setzlich oder ungehorsam bewiesen haben, noch auf Grund dieses Gesetzes bereits bestraft worden sind.

§ 4. Jeder Versammlung muß wenigstens ein von derselben als solcher anerkannter Ordner oder Leiter vorstehen. Die Versammlung darf, wenn ein Ordner oder Leiter oder eine Mehrzahl derselben nicht im Voraus bezeichnet worden ist, die Erörterung derjenigen Angelegenheiten, zu deren Berathung sie zusammentrat, nicht eher beginnen, als bis die Wahl wenigstens eines Ordners oder Leiters erfolgt ist.

Die Wahlhandlungen haben diejenigen zu leiten, welche die Versammlung veranstalteten.

Personen, welche zur Berufung von Versammlungen nicht berechtigt sind, können auch zur Ausübung der Funktionen eines Ordners oder Leiters nicht zugelassen werden.

§ 5. Das Fürstliche Landrathsamt ist befugt, in jede Versammlung, in welcher öffentliche Angelegenheiten erörtert oder berathen werden sollen, sofern der Vorstand dieser Behörde der Versammlung nicht selbst, sei es allein oder in Begleitung, beiwohnen will, einen oder mehrere Polizeibeamten oder andere Abgeordneten zu senden; eine gleiche Befugniß hat der Amtsrichter in Burgk.

Auch Fürstliche Landesregierung als oberste Landespolizeibehörde ist berechtigt, Beauftragte zur Ueberwachung und Anwohnung solcher Versammlungen abzuordnen.

Die fraglichen Beamten beziehungsweise Beauftragten haben ihre dienstliche Eigenschaft dem Unternehmer oder Vorsitzenden der Versammlung kund zu geben.

Dem Vorstand des Fürstlichen Landrathsamtes beziehungsweise dem Amtsrichter in Burgk, sowie deren Beamten oder sonst mit Ueberwachung der Versammlung Beauftragten muß ein nach deren Dafürhalten angemessener Platz in der Versammlung eingeräumt, sowie über die Person der Redner Auskunft gegeben werden. Hierzu sind die Veranstalter, Ordner oder Leiter der Versammlung verpflichtet.

Auf Erfordern hat sich der Vortragende, bezw. der Berichterstatter, der Polizeibehörde gegenüber zu legitimiren.

§ 6. Von der Berechtigung zur Theilnahme an Versammlungen der in § 2 gedachten Art sind gänzlich ausgeschlossen:

1) Personen weiblichen Geschlechts,
2) minderjährige Personen und solche, welche unter Kuratel stehen,
3) diejenigen, welche den Vollbesitz der bürgerlichen Ehrenrechte verloren und noch nicht wiedererlangt haben,
4) diejenigen, welche wegen einer Verfehlung gegen das gegenwärtige Gesetz verurtheilt sind, solange sie nicht die Strafe verbüßt, beziehungsweise deren Betrag erlegt haben.

§ 7. Außer den im Dienst befindlichen Polizeibeamten und denjenigen Personen, welche vermöge ihrer öffentlichen Stellung zum Tragen von Waffen verpflichtet sind, darf Niemand einer Versammlung bewaffnet beiwohnen.

Inwieweit bei Versammlungen der in § 21 bezeichneten Art bei öffentlichen Auf- und Umzügen, sowie bei Festlichkeiten den Betheiligten oder gewissen Theilnehmern das Waffentragen gestattet ist, bestimmt sich danach, ob und inwieweit dieselben nach bestehenden gesetzlichen Vorschriften, nach den von der zuständigen Behörden genehmigten Vereinsstatuten oder nach besonderer Erlaubniß der Fürstlichen Landesregierung für einzelne Fälle die Befugniß zum Waffentragen besitzen.

§ 8. Die Ordner oder Leiter einer Versammlung und, solange diese noch nicht gewählt sind, die Veranstalter derselben, dürfen nicht gestatten, daß Anträge und Vorschläge erörtert oder Aeußerungen gethan werden, welche den Strafgesetzen widersprechen oder eine Aufforderung oder Anreizung zu Gesetzesübertretungen, überhaupt unrechtmäßigen oder unsittlichen Handlungen enthalten. Kommen dergleichen vor, so haben sie dem Urheber sofort und ohne eine Anweisung von Seiten der Ueberwachungsbeamten abzuwarten, das Wort zu entziehen, auch, wenn ihnen nicht Folge geleistet wird, die Versammlung aufzuheben. Ebensowenig dürfen dieselben (Ordner oder Leiter) solchen Personen das Wort ertheilen, welche bekanntermaßen einer Umsturzpartei angehören.

§ 9. Wird in den in § 8 vorausgesetzten Fällen der Ordnungsruf seitens der Veranstalter, Ordner oder Leiter der Versammlung unterlassen oder demselben nicht Folge geleistet, so ist der Ueberwachungsbeamte befugt, denen, von welchen Anträge gestellt oder Vorschläge oder Aeußerungen gethan werden, welche den Strafgesetzen widersprechen oder eine Aufforderung oder Anreizung zu Gesetzesübertretungen, überhaupt unrechtmäßigen oder unsittlichen Handlungen enthalten, das Wort zu entziehen und, wenn dem nicht unverzüglich Folge geleistet wird, die Versammlung aufzulösen.

Ebenso muß die Auflösung in allen Fällen stattfinden, in welchen in der Versammlung Bewaffnete oder Personen der in § 6 erwähnten Art unbefugtermaßen erschienen sind und solche der Aufforderung der Ueberwachungsbeamten entgegen nicht sofort entfernt werden, oder in welchen die Versammlung sonst eine die öffentliche Ruhe und die gesetzliche Ordnung gefährdende Haltung annimmt oder Bestrebungen zu Tage treten, welche auf den Umsturz der bestehenden Staats- und Gesellschaftsordnung gerichtet sind.

Außerdem sind die überwachenden Beamten befugt, vorbehaltlich des gegen die Betheiligten gesetzlich einzuleitenden Strafverfahrens, sofort jede Versammlung aufzulösen, bezüglich deren die Bescheinigung der erfolgten Anzeige (§ 2) nicht vorgelegt werden kann.

Die Auflösung ist mit lauter Stimme auszusprechen.

§ 10. Sobald eine Versammlung für aufgelöst erklärt ist, sind alle Anwesenden verpflichtet, sich sofort zu entfernen.

Im Fall des Ungehorsams kann die Auflösung durch die Polizeiorgane, nach Befinden durch die bewaffnete Macht zur Ausführung gebracht werden.

§ 11. Oeffentliche Versammlungen unter freiem Himmel bedürfen der vorgängigen Genehmigung des Fürstlichen Landrathsamtes. Diese Genehmigung ist schriftlich nachzusuchen. Dafür, daß dieses geschehe, ist jeder der Unternehmer, Vorsteher und Ordner der Versammlung verantwortlich.

Als Versammlungen im gedachten Sinne haben auch öffentliche Auf- und Umzüge, sowie öffentliche Festlichkeiten zu gelten.

§ 12. Insoweit zu Versammlungen, öffentlichen Auf- und Umzügen oder Festlichkeiten öffentliche Straßen und Plätze in Städten benützt werden sollen, bedarf es neben der Genehmigung des Fürstlichen Landrathsamtes in der gedachten Beziehung noch der Erlaubniß des örtlich zuständigen Gemeindevorstandes.

Bei Einholung der Genehmigung für öffentliche Auf- und Umzüge ist der beabsichtigte Weg anzugeben.

Die Ertheilung der Erlaubniß des örtlich zuständigen Gemeindevorstandes ist von dem Nachweis der ertheilten Genehmigung des Fürstlichen Landrathsamtes abhängig zu machen.

§ 13. Züge und Versammlungen bei gewöhnlichen Leichenbegängnissen und Hochzeiten, sowie Aufzüge bei kirchlichen Festlichkeiten, wenn sie in der hergebrachten Weise stattfinden, bedürfen weder einer vorgängigen Genehmigung noch einer Anzeige.

Bei Aufzügen aus Veranlassung ortsgebräuchlicher Festlichkeiten, sowie bei Aufzügen, die von bestehenden Vereinen nur zu Vergnügungszwecken unternommen werden, genügt, wenn die Zahl der dabei betheiligten Personen 200 nicht übersteigt, die spätestens eine Stunde vor dem Beginne des Aufzuges an den Gemeindevorstand erstattete Anzeige des Vorhabens.

Unberührt bleiben hierbei die wegen der Auf-, Durch-, Um- und Auszüge an Sonn-, Fest- und Bußtagen bestehenden besonderen Vorschriften.

§ 14. Bei vorhandener Gefahr für die öffentliche Ruhe, Ordnung und Sicherheit können Versammlungen, sowie öffentliche Auf- und Umzüge und öffentliche Festlichkeiten vom Fürstlichen Landrathsamte verboten werden.

§ 15. Insoweit Versammlungen, Auf- und Umzüge, sowie Festlichkeiten auf öffentlichen Plätzen und Straßen eines Stadtgemeindebezirks abgehalten werden sollen, ist auch die städtische Polizei verpflichtet, zu diesen Versammlungen &c. behufs Aufrechterhaltung der öffentlichen Ordnung, Ruhe und Sicherheit, namentlich auch des öffentlichen Verkehrs ihre Organe zu entsenden. Sind Organe der Landespolizei anwesend, so steht ihnen die Leitung dieser polizeilichen Thätigkeit zu.

Den betreffenden Organen der städtischen Polizei liegt die Unterstützung der Beamten der Landespolizei bei etwaigem Einschreiten derselben wider die Versammlung oder einzelne daran Betheiligte ob.

Erlangen Gemeindepolizeibeamte von Versammlungen Kenntniß, bezüglich deren nicht nachgewiesen werden kann, daß die nach diesem Gesetze erforderliche Genehmigung ertheilt beziehungsweise Anzeige erstattet ist, oder sehen sie eine Versammlung aus einem anderen Grunde als unstatthaft an, so sind sie verpflichtet, davon alsbald der Landespolizei Anzeige zu erstatten.

Bei Gefahr im Verzuge, wenn ein Beamter der zuständigen Landespolizei nicht zur Stelle ist, oder nicht rechtzeitig benachrichtigt und herbeigeholt werden kann, sind die Gemeindepolizeibeamten verpflichtet, eine solche Versammlung zu verhindern beziehungsweise aufzulösen.

Unter den gleichen Voraussetzungen liegt für die Gemeindepolizeibeamten eine gleiche Verpflichtung dann vor, wenn eine angezeigte resp. genehmigte Versammlung von einem Landespolizeibeamten nicht überwacht wird und die Auflösung sich nach §§ 9, 19 dieses Gesetzes als nothwendig erweist.

§ 16. Versammlungen ist nicht gestattet, Adressen oder Petitionen in Masse oder durch Abordnung von mehr als 5 Personen zu überbringen.

Ebenso ist ihnen untersagt, Beschlüsse iu der Form von Gesetzen, Verordnungen, Entscheidungen oder Kundmachungen öffentlicher Behörden zu fassen oder bekannt zu machen.

§ 17. Innerhalb einer Meile von dem Orte der jedesmaligen Residenz des Landesherrn oder von dem Ort des Sitzes des versammelten Landtags dürfen Versammlungen der in § 2 gedachten Art unter freiem Himmel nicht stattfinden.

§ 18. Die zum Gottesdienst bestimmten Gebäude dürfen niemals zur Abhaltung politischer Versammlungen eingeräumt oder benutzt werden.

§ 19. Die Polizeibehörden sind befugt, außer den in § 9 erwähnten Fällen Versammlungen auch dann aufzulösen, wenn

1) den Vorschriften in §§ 2, 11 und 12 nicht genügt worden ist,
2) den Anordnungen in § 4 nicht Folge geleistet oder den vom Fürstlichen Landrathsamte bei Ertheilung der Genehmigung etwa gestellten Bedingungen nicht nachgekommen wird,
3) dem in Gemäßheit des § 14 ergangenen Verbot zuwider gehandelt wird,
4) dem Vorstand des Fürstlichen Landrathsamtes resp. dem Amtsrichter in Burgk, sowie deren Beamten oder sonst mit der Ueberwachung der Versammlung Beauftragten entweder der Zutritt

verweigert oder nicht der von denselben gewählte Platz eingeräumt wird,

5) Adressen oder Petitionen in Masse oder durch Abordnung von mehr als 5 Personen zu überbringen beschlossen wird.

§ 20. Auf die durch das Gesetz oder die kirchlichen oder weltlichen Autoritäten angeordneten Versammlungen und die Versammlungen der Mitglieder des Landtags während der Dauer der Sitzungsperiode finden die vorstehenden Bestimmungen keine Anwendung.

§ 21. Die Bestimmungen der §§ 3, 4, 6, 8, 9, 10, 14 finden keine Anwendung auf solche Versammlungen, welche, ohne den Gebrauch öffentlicher Plätze und Straßen in Städten oder Ortschaften in Anspruch zu nehmen, veranstaltet werden

a) zu frommen und erlaubten Wohlthätigkeitszwecken,

b) zur Uebung der Gottesdienste nach den Verfassungen oder den Ordnungen bezw. Statuten der anerkannten Konfessionen oder anderer als Vereine seitens der zuständigen Behörde genehmigten oder sonst tolerirten religiösen Gemeinschaften, eventuell unter Einhaltung der im Allgemeinen oder Speziellen gegebenen Vorschriften,

c) zum Zweck geselliger Unterhaltung,

d) von Innungen, Genossenschaften, Kassen oder Vereinen, die auf Grund von Gesetzen oder bestätigten Statuten bestehen oder doch nicht verboten sind, nach Maßgabe der bestehenden Satzungen zu statutenmäßigen Zwecken und zu welchen eine öffentliche oder allgemeine Einladung an Nicht-Mitglieder der Innung, Genossenschaft, Kasse oder des Vereins nicht ergangen ist.

Wenn die vorstehend sub a bis d bezeichneten Versammlungen sich mit anderen als den vorgedachten Angelegenheiten beschäftigen, ohne der Vorschrift des § 2 genügt zu haben, sind die Polizeibehörden befugt, solche aufzulösen.

§ 22. Mit Geldstrafe bis 150 M. oder mit Haft bis zu 6 Wochen wird bestraft:

a) wer eine Versammlung der in § 2 gedachten Art zusammenberuft oder leitet, ohne daß die in § 2 vorgeschriebene Anzeige erfolgt und eine Bescheinigung hierüber ertheilt ist,
b) wer den Vorschriften in § 3 entgegenhandelt,
c) wer den Vorschriften in § 6 zuwider an einer Versammlung theilnimmt und wer als Leiter der Versammlung die Theilnahme der nach § 8 ausgeschlossenen Personen an einer Versammlung zuläßt,
d) wer als Veranstalter, Ordner oder Leiter einer Versammlung den ihm gemäß § 8 obliegenden Verpflichtungen nicht nachkömmt,

e) wer als Veranstalter, Ordner oder Leiter einer Versammlung oder eines Aufzuges das Anbringen des Antrags auf die nach § 12 erforderliche Genehmigung resp. die Erstattung der in § 13 vorgeschriebenen Anzeige unterläßt.

§ 23. Mit Geldstrafe bis 600 M. oder Gefängniß bis zu 6 Monaten wird bestraft, sofern nicht die allgemeinen Strafgesetze Platz greifen, wer:

a) eine nach § 1 al. 2 verbotene Versammlung zusammenberuft oder in einer solchen als Vorsteher, Leiter, Ordner oder Redner auftritt,

b) nach erfolgter Auflösung einer Versammlung sich nicht sofort entfernt,

c) in einer Versammlung mit Waffen erscheint, ohne die Befugniß hierzu zu haben, oder in derselben zur Bewaffnung auffordert oder Waffen austheilt oder zur Austheilung bereit hält,

d) die Abgeordneten der Polizeibehörde und die Ueberwachungsbeamten überhaupt in Ausübung ihres Amtes stört oder die ihm nach § 5 al. 4 denselben gegenüber obliegenden Verpflichtungen nicht erfüllt,

e) den Vorschriften in §§ 11, 14 und 18 entgegen eine Versammlung zusammenberuft oder leitet,

f) eine der in § 16 verbotenen Handlungen begeht,

g) in Versammlungen der in § 21 sub a, c und d gedachten Art durch Reden und Anträge die dort bezeichneten Grenzen überschreitet oder als Ordner, Leiter oder Vorsteher dergleichen Ueberschreitungen nicht mit allen ihm zu Gebote stehenden Mitteln zu verhindern sucht.

§ 24. Derjenige, welcher den Raum zu einer überhaupt verbotenen Versammlung oder zu einer solchen, hinsichtlich deren die nach den Vorschriften dieses Gesetzes erforderliche Anzeige nicht erstattet bezw. die vorgesehene Genehmigung nicht eingeholt ist, eingeräumt hat, wird mit einer Geldstrafe von 15 bis 150 M. oder mit Haft von 5 Tagen bis 6 Wochen bestraft.

§ 25. Rücksichtlich der öffentlichen Schaustellungen, Schauspiele, Konzerte, Tanzbelustigungen und überhaupt der öffentlichen Vergnügungen bewendet es im Uebrigen bei den bestehenden Vorschriften.

§ 26. In Betreff der religiösen Zusammenkünfte außerhalb der Kirche bewendet es bei den bestehenden besonderen Vorschriften.

Unberührt bleiben ferner selbstverständlich . . . der § 17 des Wahlgesetzes für den Reichstag vom 31. Mai 1869.

---

31. Fürstenthum Reuß jüngerer Linie.

Gesetz, das Vereins- und Versammlungsrecht betreffend.

Vom 5. Juli 1852. (G. S. S. 64.)*)

Tit. I. Von Versammlungen und Vereinen im Allgemeinen.

§ 1. Alle Staatsangehörigen haben das Recht, sich friedlich und ohne Waffen in geschlossenen Räumen zu versammeln.

§ 2 = Anhalt § 1.

§ 3. Die Vorsteher von Vereinen, welche eine Einwirkung auf öffentliche Angelegenheiten bezwecken, sind verpflichtet, Statuten des Vereins und das Namensverzeichniß der Mitglieder des Vorstands und des Vereins binnen drei Tagen nach dessen Stiftung, und jede Aenderung der Statuten oder des Vorstands ebenfalls binnen drei Tagen, nachdem sie eingetreten ist, der Polizeibehörde zur Kenntnißnahme einzureichen, derselben auch auf Erfordern jede darauf bezügliche Aus-

---

*) Die meisten Bestimmungen dieses Gesetzes sind mit denen des Anhaltischen Gesetzes vom 26. Dez. 1850 (oben S. 155 ff.) gleichlautend. Im Text ist daher auf die betr. Paragraphen des letzteren Gesetzes verwiesen; die in diesen enthaltenen Zitate von §§ = Nummern sind durch die entsprechenden Nummern des obigen Gesetzes zu ersetzen.

Zu beachten ist, daß die für Anhalt durch Gesetz v. 30. Dez. 1870 § 5 eingeführte Strafermäßigung (oben S. 163, Anm.*) für Reuß j. L. nicht erfolgt ist.

kunft zu ertheilen. Die im Bestande der Mitglieder — außer dem Vorstande — eintretenden Personalveränderungen sind allmonatlich bei der Polizeibehörde anzuzeigen.

Bei schon bestehenden Vereinen sind diese Verpflichtungen innerhalb acht Tagen nach Publikation dieses Gesetzes zu erfüllen.

Ueber die Erfüllung dieser Vorschriften hat die Polizeibehörde sofort eine Bescheinigung zu ertheilen.

§ 4 = Anhalt § 3.

§ 5 = Anhalt § 4.

§ 6 = Anhalt § 5.

§ 7 Abs. 1. Versammlungen, die unter Zuwiderhandlung gegen die in den vorstehenden Paragraphen enthaltenen Bestimmungen stattfinden, oder in denen Anträge und Vorschläge erörtert oder Aeußerungen gethan werden, die an und für sich eine Verletzung der Strafgesetze oder eine Aufforderung oder Anreizung zu strafbaren Handlungen enthalten, und nicht sogleich von dem Vorsitzenden mit Erfolg zurückgewiesen werden, können unter Vorbehalt der gerichtlichen Anzeige und Untersuchung von den Abgeordneten der Obrigkeit sofort aufgelöst werden.

Abs. 2 = Anhalt § 6 Abs. 2.

§ 8 = Anhalt § 7.

§ 9 = Anhalt § 8.

§ 10 Abs. 1 = Anhalt § 9 Abs. 1.

Abs. 2. Die Polizeibehörde hat die weitere Untersuchung der zuständigen Justizbehörde, welcher gleichzeitig Mittheilung von dem gefaßten Beschlusse zu machen ist, zu überlassen, und von dieser sind binnen 14 Tagen die Akten dem Landesjustizkollegium*) zur endgiltigen Entscheidung der Frage vorzulegen, ob eine Abweichung von den im Statute angegebenen Zwecken und Mitteln wirklich stattgefunden hat oder nicht. Wird diese Frage bejahend entschieden, so muß das Gericht gleichzeitig die definitive Schließung des Vereins aussprechen.

Tit. II. Von politischen Vereinen insbesondere.

§ 11. Für politische Vereine gelten außer den vorhergehenden Paragraphen noch folgende Beschränkungen:

a) Sie dürfen nicht mit Vereinen gleicher Art zu gemeinsamen Zwecken in Verbindung treten, insbesondere nicht durch Komite's, Ausschüsse, Centralorgane oder ähnliche Einrichtungen oder durch gegenseitigen Schriftenwechsel.

---

*) § 10 Abs. 2 ist zwar nicht ausdrücklich aufgehoben, erscheint aber *antiquirt* durch das Ges. v. 12. September 1879 (G. S. S. 119) § 1: Die Untersuchung der in dem Gesetze vom 5. Juli 1852 mit Strafe bedrohten Handlungen erfolgt nach den Bestimmungen des deutschen Gerichtsverfassungsgesetzes vom 27. Januar 1877, des Ausführungsgesetzes zu diesem Gesetze vom 22. Februar 1879 und der deutschen Strafprozeßordnung vom 1. Februar 1877.

b) bis f) = Anhalt § 10a bis e.

g) Kirchen und andere, religiösen Zwecken dienende Räumlichkeiten dürfen in keinem Falle als Lokal zu politischen Versammlungen eingeräumt oder benutzt werden.

h) = Anhalt § 10f.

Tit. III. Von öffentlichen Versammlungen unter freiem Himmel und von Aufzügen.

§ 12 = Anhalt § 11.

§ 13 = Anhalt § 12.

§ 14 = Anhalt § 13 (mit unwesentl. Aenderungen der Fassung).

§ 15 (betraf Militärpersonen; antiquirt).*)

Tit. IV. Strafbestimmungen.

§ 16 = Anhalt § 14.

§ 17 = Anhalt § 15.

§ 18 = Anhalt § 16.**)

§ 19 = Anhalt § 17.**)

§ 20 = Anhalt § 18.**)

§ 21 = Anhalt § 19.**)

§ 22 = Anhalt § 20.**)

§ 23 = Anhalt § 21.

---

*) Vgl. oben S. 19.

**) Vgl. den Schlußsatz der Anm. *), S. 196.

Tit. V. Gerichtszuständigkeit.

§ 24 Abs. 1 (aufgehoben durch Ges. v. 12. Sept. 1879 [G. S. S. 115] § 2).

Abs. 2 (betraf die Umwandlung von Geldstrafen; antiquirt durch Verordnung v. 18. Nov. 1870 [G. S. S. 271] § 11, wonach jetzt §§ 28, 29 R. Str. G. B. anzuwenden sind).

Tit. VI. Schlußbestimmung.

§ 25. Auf die durch das Gesetz oder die gesetzlichen Autoritäten angeordneten Versammlungen und Vereine finden die vorstehenden Bestimmungen keine Anwendung.

---

32. Fürstenthum Schaumburg-Lippe.

Gesetz, betreffend die Publikation und Ausführung des Bundesbeschlusses vom 13. Juli 1854 hinsichtlich des Vereinswesens.

Vom 30. Juni 1855. (Landesverordnungen S. 736.)

Dieses Gesetz veröffentlicht den Bundesbeschluß vom 13. Juli 1854 (oben S. 111) zur Nachachtung und knüpft daran folgende Ausführungsbestimmungen:

Art. 1. Die Verordnung vom 16. März 1848, das allgemeine Petitions- und Versammlungsrecht betr., wird, insoweit sie mit den Bestimmungen des Bundesbeschlusses vom 13. Juli v. J. in Widerspruch tritt, aufgehoben.

Art. 2. Der Vorstand eines jeden Vereines*) ist verpflichtet, Unserer Regierung binnen drei Tagen nach erhaltener Aufforderung die etwa entworfenen Statuten des Vereins mitzutheilen, sowie auf jede sonstige Weise über die Einrichtung und Zwecke des Vereines Auskunft zu ertheilen.

Aenderungen eingeforderter Statuten müssen vom Vereinsvorstande ohne weitere Aufforderung binnen drei Tagen nach beschlossener Aenderung Unserer Regierung mitgetheilt werden.

Art. 3. Versammlungen der im § 5 des Bundesbeschlusses bezeichneten Vereine sind Unserer Regierung von den Vorstehern des Vereins mindestens drei Tage vorher unter Angabe des Orts, der Zeit und des Zweckes der Versammlung zur Anzeige zu bringen.

Art. 4. Beginnt die Versammlung nicht spätestens eine Stunde nach der angegebenen Zeit, so ist die später beginnende Versammlung als vorschriftsmäßig angezeigt nicht anzusehen.

Art. 5. Unsere Regierung ist befugt, in die vorgedachten Versammlungen Abgeordnete zu entsenden, welchen die im § 5 des Bundesbeschlusses bezeichneten Befugnisse zustehen.

---

*) Ueber Kriegervereine vgl. die Verordn. v. 10. Sept. 1892 (Landesverordnungen S. 363).

Art. 6. Den Abgeordneten muß in der Versammlung ein angemessener Platz eingeräumt, ihnen auf Erfordern durch den Vorsitzenden genügende Auskunft über die Person der Redner gegeben werden.

Art. 7. Vorsteher oder Theilnehmer von Vereinen, welche den Bestimmungen des Bundesbeschlusses oder des gegenwärtigen Gesetzes zuwider handeln oder welche nach vorgenommener Auflösung einer Versammlung (§ 5 des Bundesbeschlusses) sich nicht sofort entfernen, sollen, soweit nicht anderweite Strafbestimmungen in Anwendung kommen, mit einer Geldstrafe von 2 bis 10 Thlr., oder im Unvermögensfalle mit entsprechender *Arreststrafe**), Schüler aber (cf. § 4 Ziff. 1 des Bundesbeschlusses) lediglich mit angemessener Schulstrafe belegt werden. Außerdem kann nach Befinden der Umstände die gänzliche Auflösung des Vereins verfügt werden.

Art. 8. Die Theilnahme an Arbeiter-Vereinen und Verbrüderungen, welche politische, sozialistische oder kommunistische Zwecke verfolgen (§ 8 des Bundesbeschlusses) ist bei 5 bis 10 Thlr. Strafe, oder im Unvermögensfalle bei entsprechender *Arreststrafe**) und bei Ausländern**) außerdem bei Strafe polizeilicher Ausweisung verboten.

Art. 9. (betraf die Zuständigkeit der Polizeikommission; aufgehoben.)

---

*) Jetzt Haft, Ges. v. 29. Dez. 1870 (Landesverordn. S. 39) § 1.

**) Vgl. Verfassg. d. Deutsch. Reichs Art. 3 (oben S. 11).

33. Fürstenthum Lippe.

Gesetz, das Versammlungs- und Vereinsrecht betreffend.

Vom 23. Februar 1891. (G. S. S. 417.)

§ 1. Von allen öffentlichen Versammlungen, in welchen öffentliche Angelegenheiten erörtert oder berathen werden sollen, sowie von allen Versammlungen politischer Vereine hat der Unternehmer mindestens 24 Stunden vor Beginn der Versammlung unter Angabe des Orts und der Zeit derselben Anzeige bei der Ortspolizeibehörde zu machen. Diese Behörde hat darüber sofort eine Bescheinigung zu ertheilen.

Der Unternehmer muß großjährig sein und sich im Besitze der bürgerlichen Ehrenrechte befinden.

Beginnt die Versammlung nicht spätestens eine Stunde nach der in der Anzeige angegebenen Zeit, so ist die später beginnende Versammlung als vorschriftsmäßig angezeigt nicht anzusehen. Dasselbe gilt, wenn eine Versammlung die länger als eine Stunde ausgesetzten Verhandlungen wieder aufnimmt.

§ 2. Die Vorsteher von Vereinen*), welche eine Einwirkung auf öffentliche Angelegenheiten bezwecken, sind verpflichtet, Statuten des Vereins und das Verzeichniß der Mitglieder binnen einer Woche nach Stiftung des Vereins, die Vorsteher bereits bestehender

*) Ueber Kriegervereine vgl. die Verordn. v. 4. Juni 1892 (G. S. S. 69).

Vereine dieser Art binnen 3 Monaten nach Erlaß dieses Gesetzes der Ortspolizeibehörde zur Kenntnißnahme einzureichen, derselben auch auf Erfordern jede darauf bezügliche Auskunft zu ertheilen.

Politische Vereine haben jede Aenderung der Statuten und der Mitglieder binnen einer Woche der Ortspolizeibehörde anzuzeigen. Andere sich mit öffentlichen Angelegenheiten beschäftigende Vereine haben eine Aenderung der Statuten binnen einem Monat, nachdem sie eingetreten ist, eine Veränderung des Verzeichnisses der Vereinsmitglieder innerhalb eines Monats nach Schluß des Geschäftsjahres anzuzeigen.

Die Ortspolizeibehörde hat über die erfolgte Einreichung der Statuten und der Verzeichnisse oder deren Abänderung sofort eine Bescheinigung zu ertheilen.

Diese Bestimmungen finden keine Anwendung auf nicht politische Vereine, wenn sie Korporationsrechte im hiesigen Lande haben, sowie auf deren Zweigvereine.

§ 3. Die Ortspolizeibehörde ist befugt, in jede Versammlung, in welcher öffentliche Angelegenheiten erörtert oder berathen werden sollen, einen oder 2 Polizeibeamte oder eine oder 2 andere Personen als Abgeordnete zu senden.

Die Abgeordneten dürfen, wenn sie Polizeibeamte sind, nur in ihrer Dienstkleidung oder unter ausdrücklicher Kundgebung ihrer dienstlichen Eigenschaft erscheinen. Sind sie nicht Polizeibeamte, so müssen sie durch besondere Abzeichen erkennbar sein.

Den Abgeordneten muß ein angemessener Platz eingeräumt, ihnen auch auf Erfordern durch den Vorsitzenden Auskunft über die Person der Redner gegeben werden.

§ 4. Die Abgeordneten der Polizeibehörde sind, vorbehaltlich des gegen die Betheiligten gesetzlich einzuleitenden Strafverfahrens, befugt, sofort jede Versammlung aufzulösen, bezüglich deren die Bescheinigung der erfolgten Anzeige (§ 1) nicht vorgelegt werden kann.

Ein Gleiches gilt, wenn in der Versammlung Anträge oder Vorschläge erörtert werden, welche eine Aufforderung oder Anreizung zu strafbaren Handlungen enthalten, oder wenn in der Versammlung Bewaffnete erscheinen, die der Aufforderung des Abgeordneten der Polizeibehörde entgegen nicht entfernt werden, oder wenn eine Versammlung einen die öffentliche Ruhe oder die gesetzliche Ordnung gefährdenden Charakter annimmt.

§ 5. Sobald ein Abgeordneter der Polizeibehörde die Versammlung für aufgelöst erklärt und die Aufforderung zum Verlassen des Lokals gestellt hat, sind alle Anwesenden verpflichtet, sich thunlichst rasch zu entfernen.

Nöthigenfalls kann die Auflösung mit Waffengewalt zur Ausführung gebracht werden.

§ 6. Niemand darf in einer der im § 1 gedachten Versammlungen bewaffnet erscheinen mit Ausnahme der im Dienste befindlichen Polizeibeamten.

§ 7. Vereine, welche bezwecken, politische Gegenstände in Versammlungen zu erörtern, dürfen Frauenspersonen und männliche Minderjährige unter 18 Jahren nicht als Mitglieder aufnehmen.

Frauenspersonen und männliche Minderjährige unter 18 Jahren dürfen den Versammlungen und Sitzungen der politischen Vereine nicht beiwohnen. Werden dieselben auf die Aufforderung des anwesenden Abgeordneten der Polizeibehörde nicht entfernt, so ist Grund zur Auflösung der Versammlung oder der Sitzung vorhanden.

§ 8. Oeffentliche Versammlungen unter freiem Himmel bedürfen, sofern sie politische Zwecke verfolgen, der vorgängigen schriftlichen Genehmigung der Ortspolizeibehörde, in anderen Fällen nur der wenigstens 24 Stunden vorher zu machenden Anzeige an dieselbe.

Die Genehmigung ist von dem Unternehmer, Ordner oder Leiter derselben mindestens 48 Stunden vor der Zusammenkunft nachzusuchen und darf nur versagt werden, wenn aus Abhaltung der Versammlung Gefahr für die öffentliche Sicherheit und Ordnung zu befürchten ist.

Soll die Versammlung auf öffentlichen Plätzen in Städten oder Ortschaften oder auf öffentlichen Straßen stattfinden, so hat die Ortspolizeibehörde bei Ertheilung der Erlaubniß alle dem Verkehr schuldige Rücksichten zu beachten.

Im übrigen finden auf solche Versammlungen die Bestimmungen der §§ 1, 3, 4, 5 und 6 Anwendung.

§ 9. Den in dem vorhergehenden Paragraphen erwähnten Versammlungen werden öffentliche Aufzüge in Städten und Ortschaften oder auf öffentlichen Straßen gleichgestellt.

Bei Einholung der Genehmigung ist der beabsichtigte Weg anzugeben.

Gewöhnliche Leichenbegängnisse, Züge der Hochzeitsversammlungen, kirchliche Prozessionen, sowie öffentliche Aufzüge, welche lediglich Vergnügungszwecke verfolgen, bedürfen einer Anzeige nicht.

§ 10. Wenn eine Versammlung ohne die im § 1 und im § 8 vorgeschriebene Anzeige stattgefunden hat, so trifft den Unternehmer eine Geldstrafe bis zu 50 Mark oder Haftstrafe.

Derjenige, der den Platz dazu eingeräumt hat, und Jeder, welcher in der Versammlung als Vorsteher, Ordner oder Leiter aufgetreten ist, hat eine Geldstrafe bis zu 50 Mark oder entsprechende Haftstrafe verwirkt.

§ 11. Wenn, der Vorschrift des § 2 entgegen, die Statuten eines Vereins oder das Verzeichniß der Mitglieder oder die eingetretenen Aenderungen in der bestimmten Frist zur Kenntniß der Ortspolizeibehörde nicht gebracht worden sind, oder wenn eine von der Ortspolizeibehörde erforderte Auskunft nicht ertheilt worden ist, so wird jeder Vorsteher des Vereins mit Geldstrafe bis zu 50 Mark oder mit entsprechender Haft bestraft, insofern er nicht nachweisen kann, daß die Anzeige oder die Einreichung des Verzeichnisses ganz ohne sein Verschulden unterblieben ist. An Stelle dieser Strafe tritt eine Gefängnißstrafe bis zu 3 Monaten, wenn die Vorsteher wissentlich unrichtige Statuten oder Verzeichnisse eingereicht, oder wissentlich unrichtige Auskunft ertheilt haben.

§ 12. Wenn in einer Versammlung, der Vorschrift des § 3 Abs. 3 entgegen, den Abgeordneten der Ortspolizeibehörde der Zutritt oder die Einräumung eines angemessenen Platzes verweigert worden ist, so trifft den Unternehmer und Jeden, welcher in der Versammlung als Vorsteher, Ordner oder Leiter aufgetreten ist, eine Geldstrafe bis 300 Mark oder Gefängniß bis zu 3 Monaten.

Dieselbe Strafe hat der Vorsitzende verwirkt, wenn er sich weigert, dem Abgeordneten der Polizeibehörde Auskunft über die Person der Redner zu geben, oder wenn er wissentlich unrichtige Auskunft ertheilt.

§ 13. Wer sich nicht thunlichst rasch entfernt, nachdem der Abgeordnete der Ortspolizeibehörde die Versammlung für aufgelöst erklärt und die Aufforderung zum Verlassen des Lokals gestellt hat (§§ 4, 5, 7), wird, soweit nicht sonstige Strafbestimmungen Anwendung finden, mit Geldstrafe bis zu 50 Mark oder mit Haft bestraft.

§ 14. Wenn ein politischer Verein die in § 7 gezogenen Beschränkungen überschreitet, so haben Vorsteher, Ordner und Leiter, die diesen Bestimmungen wissentlich entgegen gehandelt haben, eine Geldstrafe bis zu 150 Mark oder Haftstrafe verwirkt.

Wer durch falsche Angaben bewirkt, daß er der Vorschrift des § 7 entgegen als Mitglied aufgenommen wird, wird mit Geldstrafe bis zu 150 Mark oder Haft bestraft.

§ 15. Wer an einem Aufzuge oder an einer Versammlung unter freiem Himmel theilnimmt, zu welcher die nach dem gegenwärtigen Gesetze erforderliche Genehmigung nicht ertheilt ist, wird mit Geldstrafe bis zu 60 Mark oder mit Haft bis zu 14 Tagen bestraft.

Wer zu einer solchen Versammlung oder zu einem solchen Aufzuge vor Eingang der obrigkeitlichen Erlaubniß auffordert oder auffordern läßt, oder darin als Ordner oder Leiter thätig ist, wird mit Geldstrafe bis zu 150 Mark oder Haft bestraft.

Die Theilnehmer sind aber nur dann strafbar, wenn die Versagung der Genehmigung oder das nachträgliche Verbot ihnen vorher bekannt geworden ist. Wird die Nichtgenehmigung oder das Verbot während der Versammlung oder während des Aufzuges selbst bekannt gemacht, so kann sich wegen seiner weiteren Betheiligung Niemand mit Unkenntniß der Nichtgenehmigung oder des Verbots entschuldigen.

§ 16. Wer gegen das Verbot des § 6 in einer Versammlung bewaffnet erscheint und sich nicht auf die Aufforderung des Leiters der Versammlung oder des überwachenden Polizeibeamten sofort entfernt, wird mit Geldstrafe bis zu 150 Mark oder mit Haft bestraft.

§ 17. Wer auffordert, in einer Versammlung mit Waffen zu erscheinen oder die Aufforderung hierzu wissentlich verbreitet, oder in einer Versammlung Waffen austheilt, wird mit Gefängniß bis zu einem Jahre bestraft.

§ 18. Auf die durch das Gesetz oder die gesetzlich berufenen Behörden angeordneten Versammlungen und die Versammlungen der Mitglieder des Landtags während der Dauer der Sitzungsperiode finden die vorstehenden Bestimmungen keine Anwendung.

§ 19. Unter politischen Vereinen sind solche Vereine zu verstehen, welche absichtlich und bewußt in ihren Versammlungen die Erörterung politischer Fragen, d. h. derjenigen, welche den Staat als lebendigen Organismus oder seine Einrichtungen betreffen, zum Zweck haben.

Als „öffentliche Versammlungen" sind alle Versammlungen anzusehen, zu welchen ohne Beschränkung auf die Mitglieder eines Vereins Jeder Zutritt hat.

§ 20. Dieses Gesetz tritt mit seiner Verkündung in Kraft.

34. Freie und Hansestadt Lübeck.

Gesetz, betreffend die politischen und sozialistischen Vereine und Versammlungen.

Vom 15. September 1888. (Samml. S. 43.)

§ 1. Jeder politische oder sozialistische Verein ist unter Uebergabe der Statuten und eines Verzeichnisses der Mitglieder des Vorstandes dem Polizeiamte schriftlich anzuzeigen. Die Anzeige hat binnen drei Tagen nach der Begründung des Vereins, bezüglich der gegenwärtig bestehenden Vereine binnen vier Wochen nach der Veröffentlichung dieses Gesetzes zu erfolgen. Spätere Aenderungen der Statuten oder der Vorstandsmitglieder sind binnen drei Tagen dem Polizeiamte schriftlich anzuzeigen. Ueber die ordnungsmäßig erfolgten Anzeigen wird vom Polizeiamte sofort eine Bescheinigung unentgeltlich ertheilt.

Verpflichtet zu den Anzeigen sind alle Mitglieder des Vorstandes. Durch die seitens eines Mitgliedes ordnungsmäßig erfolgte Anzeige werden die übrigen Mitglieder von der Anzeigepflicht befreit.

Die Mitglieder des Vorstandes sind verpflichtet, dem Polizeiamte auf Erfordern Auskunft über die Einrichtungen und die Thätigkeit des Vereins zu ertheilen.

Die Bestimmungen dieses Paragraphen finden auf Vereine, deren Statuten vom Senate bestätigt sind keine Anwendung.

§ 2. Oeffentliche Versammlungen unter freiem Himmel, sowie öffentliche Aufzüge sind nur mit schriftlicher Erlaubniß des Polizeiamtes gestattet. Die Erlaubniß darf nur versagt werden, wenn aus der Abhaltung der Versammlung oder des Aufzuges Gefahr für die öffentliche Sicherheit oder Ordnung zu befürchten ist.

Vor Ertheilung der Erlaubniß darf eine öffentliche Ankündigung solcher Versammlungen oder Aufzüge oder eine öffentliche Aufforderung zur Theilnahme an denselben nicht erlassen werden.

§ 3. In geschlossenen Räumen abzuhaltende Versammlungen zu politischen oder sozialistischen Zwecken sind dem Polizeiamte schriftlich anzuzeigen. Die Anzeige hat für Versammlungen innerhalb der Stadt und der Vorstädte spätestens sechs, für Versammlungen im Landgebiete spätestens zwölf Stunden vor ihrem Beginne zu erfolgen. Die Anzeige muß den Ort und die Zeit der Versammlung enthalten. Ueber die ordnungsmäßig erfolgte Anzeige wird vom Polizeiamte sofort eine Bescheinigung unentgeltlich ertheilt.

Verpflichtet zur Anzeige sind die Veranstalter (Einberufer) der Versammlung, bezüglich der Versammlungen von Vereinen die Mitglieder des Vereinsvorstandes. Durch die seitens eines Verpflichteten ordnungsmäßig erfolgte Anzeige werden die übrigen Verpflichteten von der Anzeigepflicht befreit.

§ 4. Die Bestimmung in § 3 Absatz 1 unterliegt folgenden Einschränkungen:

1) Die Versammlungen von Vereinen, deren Statuten vom Senate bestätigt worden, sind nicht anzeigepflichtig.
2) Wenn Ort und Zeit der Versammlungen eines Vereins allgemein festgesetzt und dem Polizeiamte schriftlich angezeigt worden, so sind die frühestens zwölf Stunden nach dieser Anzeige und in Gemäßheit derselben stattfindenden Versammlungen nicht anzeigepflichtig.
3) Das Polizeiamt kann Versammlungen bestimmter Vereine oder bestimmter Art widerruflich von der Anzeigepflicht befreien.

§ 5. Bewaffnete, mit Ausnahme der im Dienst befindlichen Polizeibeamten, sowie Minderjährige dürfen an Versammlungen zu politischen oder sozialistischen Zwecken nicht theilnehmen.

§ 6. Das Polizeiamt ist befugt, in die Versammlungen zu politischen oder sozialistischen Zwecken Polizeibeamte zu senden. Der die Ueberwachung leitende Polizeibeamte hat in Dienstkleidung zu erscheinen oder seine amtliche Eigenschaft kundzuthun. Diesem Beamten hat der Leiter der Versammlung einen angemessenen Platz in seiner Nähe einzuräumen.

§ 7. Der die Ueberwachung einer Versammlung leitende Polizeibeamte ist befugt, die Versammlung für aufgelöst zu erklären:

1) wenn die Versammlung anzeigepflichtig ist und die Bescheinigung des Polizeiamtes, daß die Anzeige erfolgt sei, nicht vorgelegt werden kann;
2) wenn Bewaffnete oder Minderjährige dem § 5 zuwider an der Versammlung theilnehmen und trotz Aufforderung des die Ueberwachung leitenden Polizeibeamten nicht sofort aus der Versammlung entfernt werden;
3) wenn in der Versammlung Verhandlungen vorkommen, in welchen eine Aufforderung oder Anreizung zu strafbaren Handlungen enthalten ist;
4) wenn in der Versammlung Ausschreitungen vorkommen, welche die öffentliche Sicherheit oder Ordnung zu gefährden geeignet sind. Kann diese Gefährdung durch Entfernen der Urheber der Ausschreitungen beseitigt werden, so darf die Auflösungserklärung erst dann erfolgen, wenn trotz Aufforderung des die Ueberwachung leitenden Polizeibeamten die Urheber der Ausschreitungen nicht sofort aus der Versammlung entfernt werden.

Sofort nach Erklärung der Auflösung haben sämmtliche Theilnehmer der Versammlung den Versammlungsort zu verlassen. Die Entfernung der Zurückbleibenden kann zwangsweise bewirkt werden.

§ 8. Die Bestimmungen der §§ 3—7 finden keine Anwendung auf Versammlungen von Mitgliedern der Bürgerschaft.

§ 9. Uebertretungen dieses Gesetzes werden, soweit nicht die Bestimmungen des Strafgesetzbuchs zur Anwendung kommen, mit Geldstrafe bis zu ℳ 150 oder mit Haft bis zu 6 Wochen bestraft.

Mit gleicher Strafe wird belegt, wer in einer vorgeschriebenen Anzeige oder Auskunftsertheilung unrichtige Angaben macht, sowie der Leiter einer nicht vorschriftsmäßig angezeigten Versammlung.

---

35. Freie und Hansestadt Bremen.

a) Verfassung.

Vom 17. November 1875. (G.Bl. S. 186.)

§ 16. Vereine zu gemeinsamer Wirksamkeit, sowie Versammlungen in geschlossenen Räumen zu friedlichen Zwecken und ohne Waffen stehen nach Maßgabe des Gesetzes*) allen Staatsangehörigen frei.

§ 20. Im Fall eines Krieges, Aufruhrs, Tumults oder sonstiger Umstände, welche die öffentliche Ordnung und Sicherheit gefährden, kann der Senat die in diesem Abschnitte über ...... Versammlungs- und Vereinsrecht enthaltenen Bestimmungen und die in Bezug darauf erlassenen Gesetze zeitweilig außer Kraft setzen.**) Er hat jedoch der Bürgerschaft davon

*) Vgl. das sogleich folgende Gesetz vom 22. März 1871.

**) Vgl. außerdem Art. 68 der Reichsverfassung, oben S. 12.

unverweilt Mittheilung zu machen, und tritt eine jede desfallsige Anordnung mit Ablauf von vier Wochen ohne Weiteres außer Kraft, sofern nicht innerhalb solcher Frist die Bürgerschaft einer längeren Geltung derselben beistimmt.

b) Gesetz, das Vereins- und Versammlungsrecht betreffend.

Vom 22. März 1871. (G.Bl. S. 22.)

§ 1. Volksversammlungen unter freiem Himmel, öffentliche Aufzüge, sowie Vereine und Versammlungen mit Waffen sind nur nach vorgängiger obrigkeitlicher Erlaubniß gestattet.

§ 2. Die Begründung eines politischen oder sozialistischen Vereins ist unter Vorlage der Statuten und eines Verzeichnisses der Mitglieder des Vorstandes spätestens 24 Stunden nach der Begründung des Vereins bei der zuständigen Polizeibehörde anzuzeigen. Ebenso sind spätere Aenderungen der Statuten und der Mitglieder des Vorstandes spätestens binnen 3 Tagen bei der Polizeibehörde anzuzeigen, welcher auch auf Erfordern weitere Auskunft über die Einrichtungen und Thätigkeit des Vereins zu ertheilen ist.

§ 3. Versammlungen zu politischen oder sozialistischen Zwecken sind spätestens 6 Stunden vor Beginn derselben bei der zuständigen Polizeibehörde anzuzeigen. Bei dieser Anzeige haben sich sämmtliche Veranstalter der Versammlung zu nennen und zur

Mitwirkung behufs Aufrechterhaltung der Ordnung zu verpflichten. Dieselbe Verpflichtung liegt gesetzlich den Leitern der Versammlung ob.

Den von der Polizeibehörde mit der Ueberwachung der Versammlung etwa zu beauftragenden Beamten sind angemessene Plätze im Versammlungslokale anzuweisen.

Dieselben sind zur Auflösung der Versammlung befugt, wenn:

a) die vorgeschriebene Anzeige nicht erfolgt ist;
b) Bewaffnete an der Versammlung Theil nehmen, oder
c) Verhandlungen in derselben vorkommen, in welchen eine Aufforderung oder Anreizung zu strafbaren Handlungen enthalten ist.

Sofort nach Erklärung der Auflösung haben sämmtliche Theilnehmer das Versammlungslokal zu verlassen.

§ 4. Wer an Volksversammlungen unter freiem Himmel, öffentlichen Aufzügen, oder Vereinen und Versammlungen mit Waffen, welche ohne vorgängige obrigkeitliche Erlaubniß (§ 1) stattfinden, oder, nachdem der Mangel der vorgeschriebenen Anzeige zu seiner Kenntniß gekommen ist, an einem Verein oder einer Versammlung zu politischen oder sozialistischen Zwecken (§§ 2 und 3) sich betheiligt, oder nach Erklärung der Auflösung das Versammlungslokal nicht verläßt, hat eine Geldbuße bis zu 50 Thalern, oder Haft bis zu 6 Wochen verwirkt.

§ 5. Mit gleicher Strafe werden die Mitglieder des Vereinsvorstandes belegt, wenn die vorgeschriebene Anzeige von Veränderungen der Statuten oder der Vorstandsmitglieder unterlassen wird, sowie die Wirthe und Lokalinhaber, welche ihr Lokal zu nicht genehmigten Versammlungen mit Waffen, oder zu nicht gehörig angezeigten politischen oder sozialistischen Versammlungen hergeben.

§ 6. Die Veranstalter und die Vorstände von politischen oder sozialistischen Vereinen und Versammlungen, sowie die Leiter der Verhandlungen in denselben trifft eine Geldbuße bis zu 100 Thalern, oder eine Gefängnißstrafe bis zu 3 Monaten, wenn sie:

a) einer der im § 4 erwähnten strafbaren Handlungen sich schuldig machen;

b) Versammlungen ohne die erforderliche rechtzeitige Anzeige veranstalten, oder sich daran betheiligen;

c) bei den vorgeschriebenen Anzeigen sich unrichtige Angaben zu Schulden kommen lassen.

---

36. Freie und Hansestadt Hamburg.

a) Gesetz, betreffend das Versammlungs- und Vereinigungsrecht.

Vom 19. Mai 1893. (G.S. I. Abth. S. 21.)

§ 1. Vereine und Versammlungen, deren Zwecke oder deren Thätigkeit mit den Gesetzen im Widerspruch stehen oder den öffentlichen Frieden oder die öffentliche Sicherheit gefährden, sind verboten.

§ 2. Bei dringender Gefahr für den öffentlichen Frieden oder die öffentliche Sicherheit ist die Polizei-Behörde berechtigt, jede öffentliche oder nicht öffentliche Versammlung zu untersagen.

§ 3. Versammlungen unter freiem Himmel dürfen ohne vorherige Erlaubniß der Polizei-Behörde weder berufen noch gehalten werden.

§ 4. Niemand, mit Ausnahme der im Dienst befindlichen Polizeibeamten, darf in einer öffentlichen Versammlung Waffen tragen.

§ 5. Die Vorsteher, Unternehmer, Ordner oder Leiter einer jeden Versammlung, in welcher öffentliche Angelegenheiten erörtert oder berathen werden, sind verpflichtet, alle daselbst etwa vorkommenden Ausschreitungen, Aufforderungen oder Aufreizungen zu strafbaren Handlungen zu unterdrücken und, wenn kein Erfolg eintritt, die Versammlung sofort aufzulösen und sich selbst zu entfernen.

§ 6. Die Polizei-Behörde ist jederzeit befugt, in Vereinen oder Versammlungen, in denen öffentliche Angelegenheiten erörtert oder berathen werden sollen, einen oder mehrere Angestellte zugegen sein zu lassen, welchen Plätze unfern der Sitze des Vorstandes einzuräumen sind.

Auf Verlangen der überwachenden Polizeibeamten hat der Vorsteher einer Versammlung die Redner, welche in derselben auftreten, aufzufordern, vor Beginn ihres Vortrags den Polizeibeamten ihren Namen und ihre Wohnung anzugeben. Die Redner sind verpflichtet, dieser Aufforderung nachzukommen.

Die Polizeibeamten haben das Recht, sobald Ausschreitungen, Aufforderungen oder Anreizungen zu strafbaren Handlungen vorkommen, die Vorsteher, Unternehmer, Ordner oder Leiter der Versammlung aufzufordern, solche zu unterdrücken. Geschieht Letzteres nicht oder bleibt es ohne Erfolg, so haben die Polizeibeamten das Recht, den gedachten Vorstand aufzufordern, die Versammlung aufzulösen, und wenn dieser Aufforderung nicht sofort entsprochen wird, die Versammlung ihrerseits für aufgelöst zu erklären und die Anwesenden nöthigenfalls mit Gewalt zu entfernen.

§ 7. Die Berufung eines Vereins oder einer Versammlung der im § 6, Absatz 1 bezeichneten Art hat unter dem richtigen und nicht unter einem Gesammtnamen zu erfolgen; auch müssen jedesmal diejenigen Personen, welche die Versammlung berufen, namhaft gemacht und die Wohnung derselben genau angegeben werden.

§ 8. Die Veranlasser jeder Versammlung der im § 6, Absatz 1 bezeichneten Art und der Inhaber des Versammlungs-Locals sind verpflichtet, soweit nicht im

Voraus regelmäßig wiederkehrende Vereinsversammlungen angemeldet worden sind, mindestens 24 Stunden vor der Versammlung unter Angabe des Zweckes, des Orts und der Zeit der Polizei-Behörde Anzeige von derselben zu machen. Diese ertheilt darüber auf Verlangen eine unentgeltliche Bescheinigung.

§ 9. Jeder Verein der im § 6, Absatz 1 bezeichneten Art ist verpflichtet, der Polizei-Behörde binnen dreimal 24 Stunden nach seiner ersten Versammlung die Namen und die Wohnung seiner Vorstandsmitglieder mitzutheilen, auch seine Statuten binnen einer Woche nach deren Feststellung einzureichen.

§ 10. Jede Veränderung in den Statuten oder im Vorstande ist von diesen Vereinen der Polizei-Behörde ebenso anzuzeigen.

§ 11. Für die in den §§ 9 und 10 vorgeschriebenen Anzeigen ist der Vorsitzende des Vereins bezw. dessen Stellvertreter persönlich verantwortlich.

§ 12. Uebertretungen der Vorschriften dieses Gesetzes werden mit Geldstrafen bis zu M. 150,— oder mit Haft bestraft.

§ 13. Die revidirte Verordnung zur Verhütung des Mißbrauchs des Versammlungs- und Vereinigungsrechts vom 30. Juni 1851 wird aufgehoben.

b) Bekanntmachung, betreffend Verbot von Zusammenrottirungen und Umzügen.

Vom 29. Juni 1870. (G.S. S. 16.)

Der Senat sieht sich veranlaßt, in Erinnerung zu bringen, daß Zusammenrottirungen und (ohne besondere polizeiliche Erlaubniß) Umzüge durch die Straßen und Umgegend der Stadt, zumal unter Gesang, Musik oder Vortragung von Fahnen und Emblemen, als unverträglich mit der öffentlichen Ordnung nicht gestattet sind.

Die Polizei-Behörden sind demnach angewiesen, wenn solche Zusammenrottirungen oder Umzüge dennoch erfolgen, denselben entgegen zu treten und, wenn die desfallsige Aufforderung unbeachtet bleibt, sie zu zerstreuen und auseinanderzutreiben und diejenigen, die sich widersetzen, zur Haft zu bringen.

Wer dem Verbote zuwider an solchen unstatthaften Ansammlungen Theil nimmt, wird mit Geldstrafe bis zu *30 Mark Courant**) und im Unvermögensfalle mit verhältnißmäßiger *Gefängnissstrafe***) belegt. . . .***)

*) 1 Mark Courant = 1 Mark 20 Pfennig Reichswährung, vgl. Bekanntmachung v. 7. Dez. 1874 (G.S. S. 49).

**) Jetzt Haft, vgl. Ges. v. 21. Dez. 1870 (G.S. S. 158) sub II.

***) Schlußsatz antiquirt durch §§ 116 R.Str.G.B. (oben S. 14).

37. Elsaß-Lothringen.*)

a) Code pénal.**) | a) Strafgesetzbuch.**)

Vom $\frac{12.}{22.}$ Februar 1810.

Art. 291. Nulle association de plus de vingt personnes, dont le but sera de se réunir tous les jours ou à certains jours marqués pour s'occuper d'objets religieux, littéraires, politiques ou autres, ne pourra se former qu'avec

Art. 291. Vereine von mehr als 20 Mitgliedern, welche sich täglich oder an bestimmten Tagen versammeln wollen, um sich mit religiösen, wissenschaftlichen, politischen oder anderen Gegenständen zu beschäftigen, dürfen nur mit Genehmigung der Re-

---

*) In der Uebersetzung bin ich zumeist der im Verlage des Vorwärts erschienenen Ausgabe des „Vereins- und Versammlungsrechts" (1892) gefolgt, welche den Sprachgebrauch der deutschen Vereinsgesetze berücksichtigt.

**) Art. 463 des Code pénal (in der Fassung des Gesetzes vom 13. Mai 1863) gestattet für alle hier in Betracht kommenden Fälle bei Annahme mildernder Umstände unter die Strafminima hinabzugehen, sowie auf Gefängnißstrafe allein oder auch Geldstrafe allein zu erkennen.

l'agrément du Gouvernement*) et sous les conditions qu'il plaira à l'autorité publique d'imposer à la société. — Dans le nombre des personnes indiqué par le présent article, ne sont pas comprises celles domiciliées dans la maison où l'association se réunit.

gierung*) und unter Einhaltung der ihnen von der Behörde vorgeschriebenen Bedingungen gegründet werden. — In die vorgedachte Mitgliederzahl werden diejenigen Personen nicht mit eingerechnet, welche in dem Hause wohnen, wo der Verein seine Versammlungen hält.

Art. 292. Toute association de la nature ci-dessus exprimée qui se sera formée sans autorisation, ou qui, après l'avoir obtenue, aura enfreint les conditions à elle imposées, sera dissoute.

Art. 292. Wenn ein solcher Verein ohne Genehmigung gegründet wird, oder nach erhaltener Genehmigung den ihm auferlegten Bedingungen zuwiderhandelt, so ist derselbe zu schließen.

(Absatz 2 antiquirt durch Ges. v. 10. April 1834, Art. 2.)

Art. 293. Si par discours, exhortations, invocations ou prières, en

Art. 293. Ist in einer solchen Versammlung durch Reden, Ermahnungen, Auf-

---

*) Jetzt: des Ministerii für E.-L., Abth. des Innern.

quelque langue que ce soit, ou par lecture, affiche, publication ou distribution d'écrits quelconques, il a été fait, dans ces assemblées, quelque provocation à des crimes ou à des délits, la peine sera de 100 francs à 300 francs d'amende et de trois mois à deux ans d'emprisonnement, contre les chefs, directeurs ou administrateurs de ces associations; sans préjudice des peines plus fortes qui seraient portées par la loi *) contre les individus personellement coupables de la provocation. . .

forderungen oder Bitten, in welcher Sprache es sei, oder durch Vorlesen, Anschlagen, Bekanntmachen oder Vertheilen von Schriften, zu Verbrechen oder Vergehen angereizt worden, so werden die Vorsteher, Ordner und Leiter des Vereins mit 100 bis 300 Francs Geldstrafe und mit Gefängniß von 3 Monaten bis zu 2 Jahren bestraft — vorbehaltlich der strengeren Strafen, welche gesetzlich *) diejenigen treffen, welche sich einer solchen Anreizung schuldig gemacht haben. . . .

(Schlußsatz beseitigt durch das Reichsstrafgesetzbuch.)

Art. 294. Tout individu qui, sans la permission de l'autorité

Art. 294. Wer ohne Genehmigung der Gemeindebehörde sein Haus

*) Vgl. §§ 110, 111 R. Str. G. B. (oben S. 13).

municipale, aura accordé ou consenti l'usage de sa maison ou de son appartement, en tout ou en partie, pour la réunion des membres d'une association même autorisée, ou pour l'exercice d'un culte, sera puni d'une amende de 16 francs à 200 francs.

oder seine Wohnung, ganz oder theilweise, zu den Sitzungen eines Vereins, selbst wenn derselbe erlaubt ist, oder zur Abhaltung von Religionsübungen einräumt oder überläßt, verfällt in eine Geldstrafe von 16 bis 200 Francs.

b) Loi sur les Associations.

b) Gesetz über die Vereine.

Vom 10. April 1834. (Ser. IX Nr. 261.)

Art. 1er. Les dispositions de l'art. 291 du Code pénal sont applicables aux associations de plus de vingt personnes, alors même que ces associations seraient partagées en sections d'un nombre moindre, et qu'elles ne se réuniraient pas tous les jours ou à des jours marqués.

Art. 1. Die Vorschriften des Art. 291 des Strafgesetzbuchs finden auf Vereine von mehr als 20 Mitgliedern auch dann Anwendung, wenn sie in Abtheilungen von geringerer Mitgliederzahl getheilt sind, und auch dann, wenn sie nicht täglich oder an bestimmten Tagen Versammlungen halten. — Die Ge-

— L'autorisation donnée par le Gouvernement est toujours révocable.

Art. 2. Quiconque fait partie d'une association non autorisée sera puni de deux mois à un an d'emprisonnement et de 50 francs à 1000 francs d'amende. En cas de récidive*), les peines pourront être portées au double. Le condamné pourra, dans ce dernier cas, être placé sous la surveillance de la haute police pendant un temps qui n'excédera pas le double du maximum de la peine. — L'art. 463 du Code pénal**) pourra être appliqué dans tous les cas.

Art. 3. Seront considérés comme com-

nehmigung ist jederzeit widerruflich.

Art. 2. Die Theilnahme an einem nicht genehmigten Verein wird mit Gefängniß von 2 Monaten bis zu einem Jahre und mit Geldstrafe von 50 bis 1000 Francs bestraft. Im Rückfall*) kann die Strafe verdoppelt, auch kann alsdann der Thäter für einen, den doppelten Betrag des Höchstmaßes der Strafe nicht übersteigenden Zeitraum unter Polizeiaufsicht gestellt werden. — Die Vorschriften des Art. 463 des Strafgesetzbuchs**) finden in allen Fällen Anwendung.

Art. 3. Wer zu einer Versammlung eines nicht ge-

*) Im Sinne der Art. 56 bis 58 des Code pénal.

) Vgl. Anm. S. 223.

plices et punis comme tels, ceux qui auront prêté ou loué sciemment leur maison ou appartement pour une ou plusieurs réunions d'une association non autorisée.

nehmigten Vereins wissentlich sein Haus oder seine Wohnung verleihet oder vermiethet, wird als Mitthäter bestraft.

(Art. 4 aufgehoben durch Art. XI und XII Einf.-Ges. zum R. Str. G. B. v. 30. Aug. 1871.)

Art. 5. Les dispositions du Code pénal auxquelles il n'est pas dérogé par la présente loi continuiront de recevoir leur exécution.

Art. 5. Die Vorschriften des Strafgesetzbuchs bleiben in Kraft, soweit sie nicht diesem Gesetze zuwiderlaufen.

c) Loi relative aux Réunions publiques.

c) Gesetz, betreffend die öffentlichen Versammlungen.

Vom 6./10. Juni 1868. (Ser. XI Nr. 16052).

Titre Ier.

Des réunions publiqués non politiques.

Titel I.

Von den nicht politischen öffentlichen Versammlungen.

Art. 1er. Les réunions publiques peuvent avoir

Art. 1. Oeffentliche Versammlungen dürfen ohne

lieu sans autorisation préalable, sous les conditions prescrites par les articles suivants. — Toutefois, les réunions publiques ayant pour objet de traiter de matières politiques ou religieuses continuent à être soumises à cette autorisation.

Art. 2. Chaque réunion doit être précédée d'une déclaration signée par sept personnes domiciliées dans la commune où elle doit avoir lieu et jouissant de leurs droits civiles et politiques. — Cette déclaration indique les noms, qualités et domiciles des déclarants, le local, le jour et l'heure de la séance, ainsi l'objet spécial et déterminé de la réunion. — Elle est remise . . . au préfet

vorgängige Genehmigung unter den in diesem Gesetz vorgeschriebenen Bedingungen abgehalten werden. Für öffentliche Versammlungen, in welchen politische oder religiöse Angelegenheiten erörtert werden sollen, verbleibt es jedoch bei dem Erforderniß der Genehmigung.

Art. 2. Jede Versammlung muß vorher von 7 Personen, welche in der Gemeinde, in welcher dieselbe abgehalten werden soll, ihren Wohnsitz haben und sich im Besitz der bürgerlichen und politischen Ehrenrechte befinden, schriftlich angemeldet werden. Die Anmeldung muß Namen, Stand und Wohnung der Anmeldenden, sowie Ort, Tag und Stunde der Versammlung und den genau bestimmten Gegenstand der Berathung angeben. Sie ou au sous-préfet.*) — Il en est donné immédiatement un récépissé qui doit être représenté à toute réquisition des agents de l'autorité. — La réunion ne peut avoir lieu que trois jours francs après la délivrance du récépissé.

ist dem Präfekten oder Unterpräfekten*) zu erstatten. Ueber die Anmeldung ist sofort eine Bescheinigung zu ertheilen, welche den Vertretern der Behörde jederzeit auf Erfordern vorgelegt werden muß. Zwischen der Aushändigung der Bescheinigung und dem Beginne der Versammlung müssen mindestens drei freie Tage liegen.

Art. 3. Une réunion ne peut être tenue que dans un local clos et couvert. Elle ne peut se prolonger au delà de l'heure fixée par l'autorité compétente pour la fermeture des lieux publics.

Art. 3. Versammlungen dürfen nur in geschlossenen und bedeckten Räumen stattfinden und nicht über die von der zuständigen Behörde für den Schluß der öffentlichen Lokale festgesetzte Stunde ausgedehnt werden.

Art. 4. Chaque réunion doit avoir un

Art. 4. Jede Versammlung muß einen Vorstand

*) Jetzt dem Bezirkspräsidenten oder Kreisdirektor., in Straßburg und Metz dem Polizeidirektor.

bureau composé d'un président et de deux assesseurs au moins qui sont chargés de maintenir l'ordre dans l'assemblée et d'empêcher toute infraction aux lois. — Les membres du bureau ne doivent tolérer la discussion d'aucune question étrangère à l'objet de la réunion.

Art. 5. Un fonctionnaire de l'ordre judiciaire ou administratif, délégué par l'administration, peut assister à la séance. — Il doit être revêtu de ses insignes et prend une place à son choix.

Art. 6. Le fonctionnaire qui assiste à la réunion a le droit d'en prononcer la dissolution:

1° si le bureau, bien qu'averti, laisse mettre

haben, der aus einem Vorsitzenden und mindestens zwei Beisitzern besteht. Demselben liegt es ob, die Ordnung in der Versammlung aufrechtzuhalten und Gesetzesübertretungen zu verhindern. Der Vorstand darf die Erörterung von Fragen nicht gestatten, die mit dem Gegenstande der Berathung nicht zusammenhängen.

Art. 5. Die Behörde kann sich durch einen Gerichts- oder Polizeibeamten in der Versammlung vertreten lassen. Derselbe muß durch seine Abzeichen erkennbar sein; ihm ist der von ihm gewählte Platz einzuräumen.

Art. 6. Der die Versammlung überwachende Beamte ist befugt, dieselbe für aufgelöst zu erklären:

1) wenn der Vorstand trotz Erinnerung des Be-

en discussion des questions étrangères à l'objet de la réunion;

2⁰ si la réunion devient tumultueuse.

Les personnes réunies sont tenues de se séparer à la première réquisition. — Le délégué dresse procès-verbal des faits et le transmet à l'autorité compétente.

Art. 7. Il n'est pas dérogé par les art. 5 et 6 aux droits qui appartiennent aux maires en vertu des lois existantes.

Titre II.

amten, die Erörterung von Fragen gestattet, die mit dem Gegenstande der Berathung nicht zusammenhängen;

2) wenn die Versammlung einen tumultuarischen Charakter annimmt.

Die Anwesenden sind verpflichtet, sich auf die erste Aufforderung sofort zu entfernen. Der überwachende Beamte hat über den Hergang ein Protokoll aufzunehmen und dasselbe der zuständigen Behörde einzureichen.

Art. 7. Die Art. 5 und 6 dieses Gesetzes ändern nichts an den den Ortsbehörden gesetzlich zustehenden Befugnissen.

Titel II.

(jetzt gegenstandslos).

Titre III.

Dispositions générales.

Art. 9. Toute infraction aux prescriptions des articles 2, 3 et 4.. constitue une contravention punie d'amende de 100 frcs. à 3000 frcs. et d'un emprisonnement de six jours à six mois.*) — Sont passibles de ces peines:

1⁰ Ceux qui ont fait une déclaration ne remplissant pas les conditions prescrites par l'art. 2, si cette déclaration a été suivie d'une réunion;

2⁰ Ceux qui ont prêté ou loué le local pour une réunion, si la déclaration n'a pas été faite, ou si le local n'est

Titel III.

Allgemeine Bestimmungen.

Art. 9. Wegen Zuwiderhandlung gegen die Vorschriften der Artikel 2, 3 und 4 wird mit Geldstrafe von 100 bis 3000 Francs und Gefängniß von 6 Tagen bis zu 6 Monaten*) bestraft:

1) wer eine den Vorschriften des Art. 2 nicht entsprechende Anzeige erstattet, sofern die Versammlung demnächst stattgefunden hat;

2) wer das Lokal zu einer Versammlung verleihet oder vermiethet, wenn dieselbe nicht vorschriftsmäßig angemeldet ist,

*) Vgl. aber Art. 12.

pas conforme aux prescriptions de l'art. 3;

3⁰ Les membres du bureau, ou, si aucun bureau n'a été formé, les organisateurs de la réunion, en cas d'infraction aux articles 2, 3, 4 . . . .

Sans préjudice des poursuites qui peuvent être exercées pour tous crimes ou délits commis dans ces réunions publiques et de l'application des dispositions pénales relatives aux associations ou réunions non autorisées.

Art. 10. Tout membre du bureau ou de l'assemblée qui n' obéit pas à la réquisition faite à la réunion par le représentant de l'autorité d'avoir à se disperser, est punie d'une amende

oder wenn das Lokal den Vorschriften des Art. 3 nicht entspricht;

3) die Vorstandsmitglieder oder, wenn ein Vorstand nicht gewählt worden ist, die Veranstalter der Versammlung bei Zuwiderhandlungen gegen Art. 2, 3, 4. . . .

Außerdem werden die in der Versammlung etwa begangenen Verbrechen oder Vergehen nach den gesetzlichen Vorschriften verfolgt. Ebenso verbleibt es bei den Strafbestimmungen in Bezug auf nicht genehmigte Vereine und Versammlungen.

Art. 10. Vorstandsmitglieder und Theilnehmer einer Versammlung, welche der ersten Aufforderung des überwachenden Beamten, auseinanderzugehen, nicht Folge leisten, verfallen in eine Strafe de 300 frcs. à 6000 frcs. et d'un emprisonnement de quinze jours à un an*), sans préjudices des peines portées par le Code pénal pour résistance, désobeissance et autres manquements envers l'autorité publique.

von 300 bis 6000 Francs und Gefängniß von 14 Tagen bis zu einem Jahre*) — vorbehaltlich der Einleitung des gesetzlichen Strafverfahrens wegen Widersetzlichkeit, Aufruhrs und sonstiger Vergehen wider die öffentliche Ordnung.

Art. 11. Quiconque se présente dans une réunion avec des armes apparentes ou cachées est puni d'un emprisonnement de un mois à un an et de un amende de 300 francs à 10 000 francs.*)

Art. 11. Wer in einer Versammlung bewaffnet erscheint, mag er die Waffen offen oder verborgen tragen, wird mit Geldstrafe von 300 bis 10 000 Francs und Gefängniß von einem Monat bis zu einem Jahre*) bestraft.

Art. 12. L'art. 463 du Code pénal**) est applicable aux délits et aux contraventions prévus par la présente loi.

Art. 12. Art. 463 des Strafgesetzbuchs**) findet auf Zuwiderhandlungen gegen dieses Gesetz Anwendung.

---

*) Vgl. aber Art. 12.

) Vgl. Anm. S. 223.

Art. 13. . . . Les préfets*) . . . . . peuvent ajourner toute réunion qui leur paraît de nature à troubler l'ordre ou à compromettre la sécurité publique. — L'interdiction de la réunion ne peut être prononcée que par décision du ministre de l'intérieur.**)

Art. 13. . . . Der Präfekt*) kann eine Versammlung vorläufig untersagen, wenn sie nach seiner Meinung geeignet ist, die öffentliche Ordnung und Sicherheit zu gefährden. Das endgiltige Verbot einer Versammluug kann nur durch den Minister des Innern**) erfolgen.

Art. 14. (Aufhebung früherer Gesetze).

---

*) Jetzt der Bezirkspräsident.

**) Jetzt durch den Statthalter bezw. in dessen Stellvertretung durch den Staatssekretär oder Unterstaatssekretär.

Sachregister für den ersten und zweiten Theil.

(Deutsches und preußisches Recht.)

(Die Zahlen bezeichnen die Seite.)

A.

R.

S.

T.

Sachregister für den dritten Theil.

(Recht der übrigen Deutschen Bundesstaaten und des Reichslandes.)

Die fettgedruckten Zahlen bezeichnen den Bundesstaat (vgl. das alphabetische Verzeichniß, unten S. 252), die anderen die Gesetzesstelle. **13** = Bayern, **14** = Sachsen, **15** = Württemberg, **16** = Baden, **17** = Hessen, **18** = Mecklenburg-Schwerin, **19** = Sachsen-Weimar, **20** = Mecklenburg-Strelitz, **21** = Oldenburg, **22** = Braunschweig, **23** = Sachsen-Meiningen, **24** = Sachsen-Altenburg, **25** = Sachsen-Koburg-Gotha, **26** = Anhalt, **27** = Schwarzburg-Rudolstadt, **28** = Schwarzburg-Sondershausen, **29** = Waldeck, **30** = Reuß ä. L., **31** = Reuß j. L., **32** = Schaumburg-Lippe, **33** = Lippe, **34** = Lübeck, **35** = Bremen, **36** = Hamburg, **37** = Elsaß-Lothringen.

Bb. bedeutet: Bundestagsbeschluß vom 13. Juli 1854 [abgedruckt bei **17** (Hessen) unter c, Seite 111].

A.

M.

O.

P.

T.

U.

V.

Alphabetisches Verzeichniß der Bundesstaaten.

Druck der Norddeutschen Buchdruckerei, Berlin SW., Wilhelmstraße 32.

FSC
www.fsc.org
MIX
Papier | Fördert
gute Waldnutzung
FSC® C083411

Kolibri 360 GmbH
Ferdinand-Jühlke-Straße 7
99095 Erfurt, Deutschland
produktsicherheit@kolibri360.de